De Britse schrijfster Jenny Diski debuteerde in 1986 met *Nothing Natural*. Daarna volgden onder meer *Rainforest* en *Then Again*, in het Nederlands vertaald als *Aan de andere kant*.

Jenny Diski

Onnatuurlijk

vertaald door Else Hoog

Rainbow Pocketboeken

Rainbow Pocketboeken ® worden uitgegeven door
Uitgeverij Maarten Muntinga bv, Amsterdam

Uitgave in samenwerking met:
bv Uitgeverij De Arbeiderspers

Oorspronkelijke titel: *Nothing Natural*, Methuen London Ltd.
Copyright © 1986, Jenny Diski
Copyright Nederlandse vertaling © 1989,
bv Uitgeverij De Arbeiderspers, Amsterdam
Foto voorzijde omslag: Marlo Broekmans
Foto achterzijde omslag: Jerry Bauer
Grafische vormgeving: Marjo Starink / Studio Cursief
Zetwerk: Stand By, Nieuwegein
Druk: Ebner Ulm
Uitgave in Rainbow Pocketboeken oktober 1991
Alle rechten voorbehouden

ISBN 90 6766 112 0 CIP   NUGI 301

Laat van niets gezegd worden dat het natuurlijk is,
In een tijd van gruwelijke verwarring,
Geordende wanorde, opzettelijke willekeur
En ontaarde menselijkheid, opdat
Niets beschouwd zal worden als onveranderlijk.

BERTOLT BRECHT

I

Ochtend. Rachel werd wakker van de nazomerzon, die door een kier tussen de gordijnen naar binnen drong. Een warme dag met blauwe luchten. 's Zomers waren de ochtenden minder deprimerend; dan kon ze haar ogen opendoen en zonder moeite haar bed uit komen, zonder te hoeven vechten tegen dat gewicht op haar borst en de sterke behoefte om weer vergetelheid te zoeken. Warme dagen, dunne kleren en een gevoel van welbehagen hoorden bij elkaar. Als ze in een land zou wonen waar zon gegarandeerd was, waar ze voordat ze haar ogen opendeed al zou weten dat de zon haar kamer binnenstroomde, dan zou ze misschien ook zeker zijn van haar stemming. Maar aan de andere kant zou een leven zonder schaduwen en druilerige grijze luchten misschien gaan vervelen. Eendimensionaal zijn. Verandering was verandering, ook al vond die alleen maar buiten plaats, achter haar raam.

Ze stapte uit bed en trok een T-shirt over haar hoofd, liep naar de keuken en schakelde de elektrische ketel in. Toen door naar de badkamer, waar ze een plas deed, haar tanden poetste en een plens water in haar gezicht gooide, en vandaar naar de brievenbus waar *The Times* half doorheen was geschoven. De lucht voelde fris en warm tegen haar blote benen toen ze het kokende water in de theepot goot en voor het open keukenraam ging staan om de planten te inspecteren, terwijl ze wachtte tot de thee getrokken was. Ze tuurde uit het raam. Er zat een groot gat in de straat, omdat er nieuwe gasbuizen werden gelegd. Ze waren in elk geval klaar met drillen; de afgelopen paar dagen waren haar vredige vakantieochtenden verstoord door het lawaai waarmee de straat werd opengereten, en het had telkens een paar ogenblikken geduurd voordat ze begreep dat al die herrie van buiten kwam. Nu was het al de hele ochtend verrukkelijk stil en het gat lag er verlaten bij, omgeven door een afzetting van gekleurd lint. Een afgrond voor haar deur.

Terwijl ze de thee inschonk en de krant gladstreek, was ze zich bewust van de stilte en zoog zich vol met het vredige alleenzijn alsof het een meditatieve mondspoeling betrof, borg het op in haar geheugen, om te bewaren voor de dagen waarop de ochtenden hectisch en rumoerig waren door haar werk en de verzorging van haar kind. Soms kon ze zich als een batterij opladen aan rustige, prettige momenten en die bewaren voor later, als de grauwheid zou toeslaan.

Ze las de voorpagina vluchtig door en zag dat het nieuws precies hetzelfde was als gisteren. Zomernieuws: een staking, politici met vakantie, een aardbeving in een warm land. Ze dronk haar thee en dacht aan Carrie, die in Italië zat met Michael. Carrie, acht jaar oud en in West Hampstead al bang voor aardbevingen, zat ver genoeg van het epicentrum op Sicilië vandaan om Rachel geen zorgen te baren. Ze hoopte dat Michael zo verstandig was geweest haar het nieuws niet te laten lezen; voor Carrie was een aardbeving op hetzelfde halfrond al genoeg om rillingen van te krijgen. Om met kleine trillende schoudertjes, huiverend van angst en met wijd opengesperde ogen vol pathos te zeggen: 'Neeee... een AARDBEVING! Help!'

Rachel glimlachte terwijl ze dit in gedachten voor zich zag en sloeg de pagina om. Binnenlands nieuws. Ze zette langzaam haar kopje neer en knipperde met haar ogen toen ze de afbeelding onder aan de pagina zag. Twee portretten, een man en een vrouw. Vluchtige schetsen. In het bovenste portret, dat van de man, herkende ze onmiddellijk Joshua.

Haar eerste reactie was er een van blijdschap bij het zien van zijn gezicht, en van geamuseerdheid omdat deze stereotype, die eruitzag als iedere man met een stoppelbaard van drie dagen, een staalgrijze, kortgeknipte haardos en een breed gezicht met diepe voren, Joshua voor haar betekende. Voordat ze het korte bericht erboven las nam ze de tijd om zich voor te stellen hoe duizenden mensen vrienden en geliefden herkenden in deze compositiefoto. Nog steeds geamuseerd las ze de kop: STEL GEZOCHT WEGENS SEKSMISDRIJF. Nou, dat is toepasselijk, dacht ze terwijl ze het verslag begon te lezen. Een meisje van zestien was door een man en een vrouw in een blauwe Fiesta gelokt en verkracht. Later was ze 'gedwongen aan andere seksuele handelingen met het stel deel te nemen. De politie van Inverness heeft er een speciaal telefoonnummer bij gekregen, getuigen en een ieder die inlichtingen kan geven wordt verzocht het volgende nummer te bellen...'

Na die laatste zin voelde Rachel haar hart als een pneumatische hamer tegen haar ribben bonken. Ze bekeek de tekening nog een keer, terwijl ze automatisch een sigaret pakte. Het haar en de baard klopten precies, de mond niet helemaal, maar ze zag hem in gedachten ook altijd lachen, grijnzen, met al zijn gave witte tanden bloot. De donkere ogen waren star en starend, precies zoals een bang kind van zestien zich die van een krankzinnige verkrachter voorstelt. En toch leken ze ook op Joshua's ogen wanneer hij met haar neukte, starend, koud en boos. Dat was toch zo? Verbeeldde ze zich dat? Hoe langer ze keek, des te onzekerder werd ze of ze wel zag wat er te zien viel; en tegelijkertijd raakte ze ervan overtuigd dat ze zat te staren naar het portret van iemand die een opvallende gelijkenis vertoonde met Joshua Abelman, met wie ze sedert drie jaar een verhouding had. Ze voelde paniek opwellen vanuit het diepst van haar buik, en al haar afstandelijke geamuseerdheid van een ogenblik geleden werd verjaagd door de woorden: 'De politie van Inverness...'

Drie weken geleden had ze hem voor het laatst gezien, vlak voordat ze naar Cornwall vertrok.

'Ga jij nog weg?' had ze gevraagd.

'Ja, ik ga eind augustus een week naar Schotland.'

Natuurlijk had ze niet gevraagd waarheen precies, of met wie.

Nu was het de laatste week van augustus en Rachel was drie dagen geleden thuisgekomen, Joshua zou dus wel in Schotland zitten. Eind augustus; over drie dagen was het één september. Het meisje was gisteren, maandag, verkracht in de omgeving van Drumnadrochitt aan Loch Ness. Ze haalde langzaam en diep adem en bleef doodstil zitten, terwijl ze eerst naar het portret en toen naar de woorden erboven staarde. Dat zou hij nooit doen, dacht ze, zo stom zou hij nooit zijn. En toen viel het haar op dat ze *zou hij nooit doen* dacht, en niet *nooit kunnen doen*. De meeste mensen zouden er gewoon van uit kunnen gaan dat hun geliefde niet tot zo iets in staat was. *Zou nooit doen* had te maken met intelligentie en voorzichtigheid, niet met kunnen of willen. Ze zette deze gedachte voorlopig van zich af en bekeek het portret van de vrouw. Een intelligent, bourgeois gezicht, met kortgeknipt, jongensachtig haar en grote, donkere ogen. Ze herkende de vrouw op de tekening niet, maar het was het gezicht van iemand die ze had kunnen kennen, iemand met wie ze zich Joshua kon voorstellen. Het was een vrouw van in de dertig die er tien jaar jonger uitzag, die er soms kinderlijk zou kunnen uitzien, net als Rachel. Wat had Joshua ook weer gezegd? 'Je hebt het lichaam van een meisje van achttien en het verstand van een oude, wijze vrouw. Een perfecte combinatie.'

Kleine meisjes met een rijke ervaring, die wisten hoe ze het spel moesten spelen. Rachel nam slokjes van haar thee en rookte verder, maar haar blik keerde telkens terug naar het portret. Dit is idioot, dacht ze, dit is absurd. Je zit jezelf iets wijs te maken. Dat van Schotland is een coïncidentie, er is geen enkel bewijs. Die compositiefoto lijkt op een miljoen mannen en toevallig ken jij er een van. De auto klopt trouwens niet: Joshua heeft geen Fiesta, maar een Saab. En mensen doen die dingen niet; niet mensen die je kent. Maar mensen doen die dingen *wel*, hebben ze altijd gedaan, en nog wèl erger dingen ook. En natuurlijk is er altijd *iemand* die ze kent.

Ze zat er nog een tijdje over te piekeren, maar er viel eigenlijk geen conclusie te trekken. Het punt was, dat ze wist dat dit nu juist iets was waartoe hij in staat zou zijn, dat had ze in de afgelopen drie jaar ontdekt. Ze was gaan begrijpen dat mensen wanneer ze de gelegenheid kregen, in staat waren hun fantasieën vorm te geven en dat die fantasieën, wanneer je ze de vrije loop liet, konden uitdijen en doordringen in het echte leven, zodat het soms moeilijk was het verschil te zien. Ze had begrepen, niet verstandelijk, maar door Joshua en haar verhouding met hem werkelijk leren inzien dat de duistere, vluchtige fantasieën over verkrachting en geweld die ze vroeger meteen uit haar gedachten had gezet, het surplus vormden van een innerlijke stroom die even werkelijk was en evenzeer deel van haar uitmaakte als bij voorbeeld haar liefde voor Carrie. Ze wist dat hij tot alles in staat was en ze had van hem geleerd dat dat voor haar ook gold. Maar het punt was dat je het, als je dat eenmaal wist, kon hanteren. Wat ze altijd van Joshua had gedacht, was dat hij op een intelligente manier zijn gevaarlijke verlangens sublimeerde met gewillige slachtoffers zoals zij zelf. En vice versa. Hij was slim, hij begreep wat er aan de hand was. En zij ook; daar draaide hun verhouding immers om.

Verdomme, dacht ze, was het nou maar niet in Schotland gebeurd. Dan zou die vluchtige gelijkenis niets hebben betekend en goed geweest zijn voor een wrange glimlach, een knipoog naar de mogelijkheden. Maar Schotland, plus haar herinnering aan al die keren dat ze het hadden gehad over het vinden van nog een vrouw erbij... Niet dat hij vrouwen ooit vrouwen noemde, het waren altijd 'meisjes'.

'Je kent vast wel iemand, Rachel, een meisje waaraan je zou kunnen vragen of ze ook een keer komt?'

'Nee. Je begrijpt het niet: ik ken een aantal vrouwen die lesbisch zijn en die misschien wel met mij zouden willen vrijen, maar jou met geen vinger zouden willen aanraken. En ik ken ook wel vrouwen die met jou zouden willen vrijen, maar die omdat ze min of meer feministisch zijn niet bereid zouden zijn om voor jouw lol over een triootje te piekeren. En de andere vrouwen die ik ken... zouden het gewoon nooit doen. Hoe dan ook, ik sta versteld dat je dit niet allang gedaan hebt.'

'Ja, dat verbaast mij ook,' zei hij glimlachend, 'maar ik ken niet één meisje dat voor zo iets in is. Jij kent *vast* wel iemand.'

'Nee, echt niet. Als je het zo graag wilt moet je het zelf maar regelen.'

'Ik zit er niet echt om te springen, ik zou het gewoon wel eens willen proberen.'

Verder dan erover praten was het nooit gekomen, maar het verbaasde haar dat zij de enige vrouw was die hij had kunnen vinden, die zelfs maar over zijn voorstel wilde nadenken. En de andere dingen die ze samen deden? Ze was er altijd van uitgegaan dat Joshua een aantal vrouwen had die bereid waren hem zijn fantasieën (en de hare) te laten verwezenlijken, net als zij zelf, alleen verdergaand. Ze beschouwde zichzelf als een betrekkelijke nieuweling op dit terrein.

Toen ze tegen Michael en tegen andere mannen was begonnen over het idee om het met zijn drieën te doen, gewoon om te kijken hoe ze zouden reageren, bleek dat zij er ook vaak over fantaseerden. Het was schijnbaar een universeel gegeven in de mannelijke psyche. Ze wilden het allemaal, maar ze kende niemand die het ooit voor elkaar had gekregen. Wat dus betekende, voor zover het dat krantebericht betrof, dat het iedereen kon zijn geweest. Ze bracht haar kopje naar de gootsteen en waste het af; toen ging ze terug naar de slaapkamer om zich aan te kleden. Ze pakte een schoon T-shirt uit haar kast en een lichte, ruime spijkerbroek. Ze trok het T-shirt dat ze aan had uit en pakte in haar blootje een onderbroek uit de la. Ze was bruin van de zon in Cornwall, op een klein driehoekje rond haar schaamhaar na, dat zwart afstak tegen de witte strook huid eromheen. Rachel voelde zich lekker als ze naakt was, ze hield van haar eigen lichaam, dat klein, compact en moeiteloos mager was. Ze bekeek zichzelf in de spiegel terwijl ze haar broekje aantrok en bedacht dat ze tevreden was over wat ze zag. Ze zag er goed uit, soepel en stevig, ze bezat *echt* het lichaam van een jonge vrouw, maar ze had ook helemaal niet het gevoel dat het er anders zou moeten uitzien. Zij vond niet dat haar vlees zou moeten uitzakken en haar spieren zouden moeten verslappen omdat ze nu vierendertig was. Ze bofte met haar lichaam, maar ze vermoedde dat lichamen op de een of andere manier altijd de verwachtingen van hun eigenaren waarmaakten. Het was nooit in haar hoofd opgekomen dat ze langzamerhand middelbaar en rimpelig zou moeten worden. Maar het verbaasde haar wel dat zij, die zich geestelijk zo oud voelde en eeuwig ontevreden over zichzelf was, zich zo prettig voelde in haar eigen vel. Psychologisch gezien zou ze van haar lichaam moeten walgen, dacht ze, het te dik of te dun moeten vinden, grotere borsten, een kleinere neus en steiler haar moeten willen. In werkelijkheid werd ze tevredener over haar uiterlijk naarmate ze ouder werd. Ze hield van haar wilde krulhaar en haar langwerpige, magere gezicht. Ze was blij dat ze er zo joods uitzag, met haar semitische neus, haar kleine, zwarte ogen en haar volle lippen. Ze

hield van de contouren van haar ribben en haar schouder-
bladen die duidelijk uitstaken toen ze zich zijdelings naar
de spiegel toe draaide, en van de manier waarop haar punti-
ge heupbeen vooruitsprong boven haar compacte, bruine
dij. Ze zag er min of meer uit zoals ze eruit wilde zien en ze
hunkerde niet naar steil blond haar en alle andere dingen
die ze niet had. Hoogst merkwaardig, om eens een keer
niet over iets in te zitten. Als ze in de spiegel keek deed ze
dat met opluchting, omdat ze er plezier aan beleefde.

Rachel trok haar kleren aan en draaide zich weer om
naar de spiegel. Joshua zou het T-shirt mooi vinden, maar
de slobberbroek niet. Als hij kwam kon ze wel een korte
broek bij het T-shirt aantrekken, dat was meer zijn smaak.

'Christus, ik wou dat ik hiermee kon ophouden,' mompelde ze voor zich uit, 'ik kan me niet eens aankleden zonder aan hem te denken.'

Waarschijnlijk was er per dag geen uur dat ze niet dacht
aan Joshua, die zelf, hield ze zich keer op keer heftig voor,
naar alle waarschijnlijkheid pas enkele minuten voordat hij
opbelde aan haar dacht. Hoeveel keer kun je in drie jaar
tijds de aard van je gevoelens voor iemand onder de loep
nemen? Talloze, talloze malen, naar het scheen. Het deed
er niet toe dat ze nooit tot een bevredigende conclusie
kwam, en dat het zoeken ernaar nauwelijks zin had. Ze was
kennelijk geobsedeerd, maar dat was waarschijnlijk wat
andere mensen liefde noemden. Zo kon zij het niet noemen; als het dat was had de wereld het mis. Geen redelijk
denkend mens zou lofliederen zingen op haar gevoel voor
Joshua. Niemand zou het in de hoogte steken, er songs
over schrijven, er romantische films over maken. Joshua
was een catastrofe die haar was overkomen; een woeke-
rend gezwel waar ze uiterst ongemakkelijk mee had leren
leven. Joshua was een ramp en zo ervoer ze het ook. Ze kon
niet pretenderen dat ze het prettig vond dat ze hem nodig
had of dat ze er enige verheffende emotie aan beleefde. Ze

begeerde hem, had hem nodig om mee te praten, om te neuken, om zich door hem te laten slaan, om hem aan het lachen te maken, maar houden van hem deed ze niet. En ze wilde immers ook zijn sokken niet wassen, voor hem koken of 's ochtends naast hem wakker worden? Dat wilde ze toch niet? Hoe zou dat trouwens kunnen, hij was er helemaal niet. Hij was helemaal uitgehold, een lege man.

'Wat je ziet is wat er is,' had hij een keer gezegd, om haar te waarschuwen voor dat, waaraan ze volgens haar eigen, zorgvuldige verklaring geen behoefte had.

Het was waar. Hij was een leeg omhulsel, dat in haar behoeften voorzag omdat het ook zijn behoeften waren. Verder was er niets. Maar als dit niets nu eens een verkrachter bleek te zijn, een werkelijk destructieve kracht in de ware wereld, wat betekende dat dan voor haar, wat zei dat over haar? Wat betekende het feit dat ze zelfs maar kon geloven dat het zo zou kunnen zijn? Ze wist niet eens of het iets uitmaakte of hij het echt gedaan had of niet.

De telefoon ging. Ze wist dat het Joshua niet kon zijn.

'Ik bel alleen maar even om te kijken of we nog op u kunnen rekenen, mevrouw Kee. Niet zwanger of op het punt op tweede huwelijksreis te gaan?'

Het was Donald Soames, de directeur van de gemeentelijke instantie voor huisonderwijs. Rachel was in dienst bij de afdeling onderwijs van de gemeente en gaf huisonderwijs aan kinderen die niet op school zaten. Meestal waren het adolescenten die van school waren gestuurd wegens onaangepast gedrag, soms zaten ze te wachten tot er een plaats vrijkwam op speciale scholen voor geestelijk of lichamelijk gehandicapte kinderen. Rachel kreeg meestal de onaangepaste kinderen toegewezen. Donald Soames vond dat ze goed om wist te gaan met moeilijke kinderen en gaf haar vaak de kinderen die door andere huisonderwijzers waren geweigerd. Soms pakte het gunstig uit, soms niet. Ze begon trouwens genoeg te krijgen van moeilijk opvoedbare kinderen; de fut was eruit; het was min of meer een manier om geld te verdienen en toch Carrie uit school te kunnen halen.

Ze voelde dat ze haar kiezen stijf op elkaar zette.

'Hallo Donald. Nee, alles is bij het oude.'

'Mooi zo. Je weet het maar nooit na die lange zomervakantie. Dus jij kunt je weer ontfermen over die kleine Michelle met haar afgrijselijke problemen?'

'Ja, ik ga er over een dag of wat wel naar toe om een werkrooster voor dit jaar met haar op te stellen.' Rachel deed altijd kortaf tegen Donald die, als hij maar even de kans kreeg, uren kon doorzaniken over 'die lui op het stadhuis', die geen idee hadden wat de 'veldwerkers' van het onderwijsstelsel allemaal meemaakten. In werkelijkheid bracht Donald al zijn tijd tot aan zijn knieën in de paperassen en aan de telefoon door. Hij zag maar zelden een leerling in levenden lijve.

'Mooi zo. Prima. Kom gerust langs op het instituut als je nog boeken nodig hebt. Tot ziens dan maar.'

Toen ze neerlegde voelde ze een zekere opluchting. Er begon zich een structuur af te tekenen; over een paar dagen zou Carrie terug zijn en weer naar school moeten en zij zou weer een paar uur per dag kinderen bijwerken. Gemengde gevoelens. Wanneer er betrokkenheid van haar geëist werd zag ze daar in het begin altijd tegenop, met een gevoel van intense onlust over iedere regelmaat, in het bijzonder wanneer het mensen waren voor wie ze zich moest inzetten. Maar ze wist dat ze daar doorheen moest. Lege, doelloze dagen waren op den duur gevaarlijk. In Cornwall, waar de officiële naam 'vakantie' dat toestond, had ze hele dagen in Laura's ongemaaide gras gelegen, de zon in zich opgezogen en de geuren en geluiden van het buitenleven in zich opgenomen. Als een steen. Meestal had ze een boek bij zich gehad en ze had zelfs twee romans uitgelezen, maar het werkelijke genot lag in de onbeweeglijkheid, het absolute nietsdoen. Ze dacht zelfs iets minder aan Joshua. Ze had een intense behoefte gevoeld om daar te blijven. Een loom, makkelijk leven. Praten met Laura, zich op haar gemak voelen, geaccepteerd. Het ritme van braakliggen beviel haar. Maar ze had Carrie, en ook de wetenschap dat deze indolentie op den duur slecht voor haar was. Ze twijfelde er geen moment aan dat ze weer aan de slag zou moeten, hoe verschrikkelijk ze er ook tegenop zag. En nu ze zag dat haar leven over een paar dagen weer een vast patroon zou krijgen voelde ze, door de verontrusting heen, een zekere energie die klaarlag om aangeboord te worden en enige voldoening om de orde die in aantocht was.

Maar die vage verontrusting was vermengd met ongerustheid over het krantebericht. De rest van de ochtend scharrelde ze rond in de flat, stofte af, poetste hier en daar iets op, en liep wel zes keer terug naar de krant op de tafel om naar het portret te kijken. Ten slotte haalde ze een schaar uit de la van de keukentafel en knipte het verslag eruit. Ze stopte het in de agenda in haar tas, draaide zich om en keek afwezig uit het raam. Er was nog steeds niemand bij het gat in de straat. Ze vroeg zich af hoe ze de rest van de dag moest doorkomen, want haar eerdere optimisme was vervlogen. Ik zou mijn tijd produktief kunnen maken en naar het instituut kunnen gaan om boeken uit te zoeken, dacht ze. Ze verwierp het idee op hetzelfde moment dat het in haar opkwam. Of met geld gaan smijten in Hampstead. Of thuisblijven en masturberen. Reuze grappig. Hoewel het daar zeker op zal uitdraaien als ik het huis niet uitga, peinsde ze. Waarom? Behoefte of troost? Allebei.

Joshua zweefde langs de rand van haar gedachten, als een rood flitslicht dat zich net aan de periferie van haar gezichtsveld bevond.

'Ik wil niet denken aan... nergens aan,' fluisterde ze tegen de straat buiten. Joshua, seks, haar behoeften en het kranteknipsel waren vanmiddag verboden terrein. Hampstead, kleren, geld uitgeven. Geen werk, geen gepieker, besloot ze. En dan krijg ik meteen mooi de kans om me diep schuldig te voelen omdat ik zoveel geld heb uitgegeven. Ik kan mezelf in één moeite door een lekker gevoel en een schuldgevoel bezorgen zonder dat ik het aan iemand anders dan mezelf te danken heb.

Vooruit joh, zei ze tegen zichzelf, laat het maar rollen, ga je gang, toe maar.

2

Drie jaar geleden, vlak nadat Michael bij haar was weggegaan, had Rachel Joshua tijdens een etentje leren kennen. Ze waren speciaal voor elkaar uitgenodigd. Molly Cassel, een oude schoolvriendin van Rachel, vond het leuk om mensen met elkaar in contact te brengen en toen ze hoorde dat Rachel en Michael uit elkaar waren, hing ze meteen aan de telefoon.

'Rachel,' had Molly enthousiast geroepen, 'je moet absoluut kennismaken met mijn vriend Joshua.'

'Waarom? Ik ben niet zo in de stemming om mannen te ontmoeten. Wat is er voor bijzonders aan hem?'

'Nou, het is een merkwaardige vent. Reuze intelligent, maar een tikkeltje zonderling. Niet iemand om een relatie mee te hebben, maar interessant.'

'Tot dusverre krijg ik niet het gevoel dat ik zo nodig hoef. Waarom is het niet iemand om een relatie mee te hebben? Niet dat ik op een relatie uit ben,' vervolgde ze haastig.

'Ach, hij gaat met iedereen naar bed, maar nooit meer dan één keer met dezelfde vrouw. Hij maakt mensen verschrikkelijk onzeker. Hij heeft twee kinderen uit een eerder huwelijk waar hij heel intensief mee omgaat, maar wat vrouwen betreft is hij een beetje eigenaardig.'

'Molly, je verkoopt hem ontzettend slecht. Ik ben helemaal niet uit op een éénnachts-relatie; ik ben eigenlijk helemaal nergens op uit. Wat heeft hij trouwens tegen vrouwen?' Dit was geen echte nieuwsgierigheid, louter conversatie.

'Dat weet ik niet. Eigenlijk is het een vriend van Tom. Waarschijnlijk verveelt hij zich gauw.'

'Buitengewoon gauw. Dit is de minst verleidelijke uitnodiging die ik in weken heb gehad. Bedankt hoor, maar ik voel er niets voor. Waarschijnlijk kan hij hem niet vaker dan één keer stijf krijgen. Undersexed type. Vrouwenhater.'

'Mmm. Ik vermoed dat dat heel aardig klopt, dat hij hem niet stijf kan krijgen bedoel ik. Maar hij is ontzettend intelligent, je zou het leuk vinden om met hem te praten.'

'Nee!'

Drie weken later, toen ze het telefoongesprek alweer vergeten was, had Molly haar te eten gevraagd. Rachel, die haar minnaar pas de laan uit had gestuurd en daarmee tegelijk haar laatste restje sociaal leven kwijt was, ging er met een minimum aan enthousiasme naar toe. Ze was te laat en toen ze kwam zaten Molly, Tom en Joshua al aan tafel, hummous te eten. Ze wierp Molly een boze blik toe toen die haar aan Joshua voorstelde en terwijl ze aan tafel ging zitten bereidde ze zich voor op de zoveelste avond zinloos gezellig doen. Ze wist meteen weer wat een tijdverspilling de omgang met andere mensen was en hoe graag ze haar avonden alleen doorbracht in haar flat. Ze wou dat ze daar op dit moment zat.

Joshua glimlachte tegen haar. Hij zond een flits van stralend witte tanden en superieure geamuseerdheid op haar af; hij blonk haar tegemoet.

O shit, dacht ze. Deze heb ik vaker gezien. De Charmeur.

Joshua schonk haar zijn volledige, onverdeelde aandacht en bleef één en al glimlach. Ze werd aan een spervuur van ongegeneerd persoonlijke vragen onderworpen, die door de stralend witte grijns van hun onbeschoftheid werden ontdaan. Het was een uitstekende act, maar *wel* een die ze vaker had gezien, en ze merkte dat ze zijn techniek met enige bewondering observeerde. Ze beantwoordde zijn vragen even openhartig als hij ze stelde, alsof ze geïnterviewd werd. Dus ze was van haar man af? Ja, kijk, ze hadden nooit een goeie manier ontdekt om elkaar op feestjes aan andere mensen voor te stellen – mijn man, mijn vrouw, was nooit vanzelfsprekend over hun lippen gekomen, dus hadden ze besloten dat mijn ex-man enzovoort hun veel makkelijker afging. Ze onderhielden nog steeds vriendschappelijke betrekkingen, voegde ze eraan toe. Maar waarom waren ze uit elkaar gegaan? Tja, seksueel gingen ze allebei al een tijdje hun eigen gang en het was steeds moeilijker geworden dat te regelen zolang ze in hetzelfde huis woonden, dus had Michael vlak om de hoek een andere flat gekocht. Waren ze nooit jaloers geweest op elkaars verhoudingen? Ja en nee, maar voornamelijk nee.

En zo voort. Voortdurend glimlachend en beleefd. Hij vroeg naar haar levensgeschiedenis en die kreeg hij te horen, met een aantal grote lacunes. Dus ze was geadopteerd? En kende ze Molly allang? Lerares? En wat deed ze het liefst?

'Dansen, lezen en neuken,' antwoordde Rachel met een beleefde, vriendelijke glimlach op haar gezicht.

Molly verslikte zich in haar vruchtensla terwijl Tom, een somber type, aandachtig zijn lepel bekeek om te zien of hij er bij de laatste hap wel alles van had afgegeten. Joshua's grijns werd zo mogelijk nog twee keer zo breed. Er was de hele tijd al een zekere verstandhouding tussen Rachel en hem; onder het praten keken ze elkaar recht in de ogen en wisten allebei dat de ander precies wist welk spel er werd gespeeld. Het was een mooie act, totale aandacht met een zweem van neerbuigendheid, genoeg om Rachel te vleien terwijl ze zich tegelijkertijd niet helemaal op haar gemak voelde, een beetje aangevallen. De bedoeling was dat zijn donkere, aandachtige ogen en de paradoxaal betoverende, moeiteloze lach haar zouden hypnotiseren. Ze moest van haar stuk gebracht worden maar tevens het gevoel krijgen dat hij zich op de een of andere manier werkelijk voor haar interesseerde, voor haar alleen. Een gebiologeerd konijn dat ernaar hunkerde te worden opgevreten.

Behalve dat ik je doorheb, lekker dier, dacht ze. Jij bent net iets te berekenend, of ik ben net iets te slim.

Aan het eind van de avond stond hij op en bood aan haar naar huis te brengen. Ze keek naar hem, naar zijn tweed pak: hij was goedgekleed, niet te opvallend. Hij was een forse man, mollig zelfs, maar lang genoeg om er niet absurd uit te zien. Ze hield van forse – dikke – mannen; kleine, magere mannetjes lieten haar letterlijk koud. Hij zag er volwassen uit, vervuld van zelfvertrouwen, met een breed vlezig gezicht dat iets massiefs kreeg door de diepe voren die zijn mond omlijstten en zijn brede voorhoofd doorploegden; zijn baard was er zo een die een afkeer van scheren moest suggereren maar in feite een permanent, gezichtveranderend iets was, zijn korte grijze haar was doorweven met het oorspronkelijke zwart. Hij zag er niet uit alsof hij op het seksuele vlak incompetent was, maar je wist het maar nooit. Meestal zat het zelfvertrouwen alleen maar aan de buitenkant, en als de kleren eenmaal uit waren verschrompelde het en kwam er toch weer een klein jochie te voorschijn. Maar misschien zou het interessant zijn om eens te kijken hoe het bij hem zat. Ze had zich nergens toe verplicht en op zijn ergst zou het uitdraaien op één saaie nacht, als Molly gelijk had. Ze voelde zich in geen enkel opzicht bedreigd door deze man, integendeel, ze had het gevoel dat ze de situatie beheerste. Ze had haar auto uitgeleend aan Michael, bij wie Carrie die nacht sliep, dus nam ze zijn aanbod aan.

Terwijl ze de lampen in de zitkamer aandeed, voelde ze zich opgelucht weer terug te zijn op haar eigen territorium. Joshua snuffelde een beetje rond, las de titels van de boeken op haar boekenplanken en bekeek de keuken die aan de zitkamer grensde. Het was een prettige, behaaglijke kamer; een oude sofa met een Noordafrikaans kleed erover, een fauteuil, geloogde houten ladenkasten die als ondergrond dienden voor stenen en schelpen die op verschillende stranden waren verzameld, en boekenplanken in de nissen. Rachels beperkte verlangens naar een landelijk leven werden bevredigd door massa's planten, die overal gedijden waar licht en plaats genoeg was. Ze deed het licht in de keuken aan om koffie te zetten; Joshua deed het weer uit.

'Ik wil niets meer hebben. Zet eens een muziekje op.'

O jee, dacht Rachel en voelde een lichte neerslachtigheid over zich komen. Als puntje bij paaltje kwam leek zelfs één vervelende nacht haar al te veel. Terwijl ze een bandje uit de glorietijd van Fred Astaire opzette, zag ze zichzelf al wakker liggen naast een slapende postcoïtale man, terwijl de uren langzaam voorbijsleepten. Hij zou ongetwijfeld snurken en zij zou in het donker liggen staren en willen dat hij er niet was, willen dat hij er nooit geweest was, het bed voor zich alleen willen, weer weten dat zomaar met iemand vrijen helemaal niet beter was dan niets.

Misschien moet ik hem nu maar wegsturen, peinsde ze, zo aantrekkelijk is hij ook weer niet. Ze voelde zeker niet die hunkering diep in haar buik die betekende dat ze hem begeerde. Maar hij had haar al beetgepakt en bewoog langzaam op de maat van de muziek met haar in zijn armen. Hij had alle andere lampen uitgedaan zodat het donker was in de kamer en terwijl ze zachtjes samen wiegden wist ze dat ze nu niet meer kon zeggen dat hij weg moest gaan. Ze besloot dat ze de nacht die voor haar lag maar moest zien door te komen; ze had geen zin in een scène en het was trouwens niet onplezierig, zo in het donker te wiegen. Joshua kuste haar langzaam en trok haar aan haar hand mee naar de donkere slaapkamer ernaast. Hij kleedde haar behendig uit en zij liet hem begaan en bestudeerde zijn gezicht, terwijl zijn vingers de knoopjes openmaakten van het T-shirt dat ze zelf altijd gewoon over haar hoofd trok. Toen ze naakt was liet hij zijn handen over haar rug glijden en toen langzaam over haar billen, legde haar vervolgens neer op het bed en trok zorgvuldig en op zijn gemak zijn eigen kleren uit. Ze lag naar hem te kijken en toen ze besefte hoe buitengewoon veel zelfvertrouwen hij bezat, begon ze de gevoelens te krijgen die hij onder het eten bij haar had willen wekken – geïmponeerdheid, opwinding, onzekerheid. Nu verlangde ze naar hem.

Joshua ging op zijn zij naast haar op het bed liggen, steunend op zijn elleboog. Zijn hand gleed over haar buik en naar boven om haar borst te strelen en toen, terwijl zijn hand in de richting van haar vulva gleed, boog hij zijn hoofd en zoog vluchtig aan allebei haar tepels. Toen hij zijn hoofd optilde keek hij aandachtig in haar gezicht en bestudeerde haar; een lange, koele, starende blik. Hij bleef haar al die tijd met een uitdrukkingsloos gezicht observeren, terwijl zijn vingers haar vulva vonden. Hij duwde haar schaamlippen uit elkaar en begon bedreven haar clitoris te masseren, terwijl hij aan één stuk door naar haar gezicht keek en haar reacties observeerde, als een monteur die bezig is met een nieuw model van een machine die hij zijn leven lang al in onderhoud heeft. De lange, langzame bewegingen maakten toen ze natter werd plaats voor een draaiende beweging en ze begon dieper en sneller te ademen terwijl hij de druk en de snelheid opvoerde. Haar ogen werden vaag en afwezig, geconcentreerd op de golven die opstegen uit haar natte, opgewonden kut en de plotselinge overweldigende behoefte om gepenetreerd, gevuld te worden. Hij duwde een vinger diep in haar en ze slaakte een zuchtje, ging zwaarder ademen en begon zachtjes te kreunen terwijl zijn duim over haar clitoris wreef en zijn vinger langzaam binnen in haar bewoog. Joshua keek strak naar haar terwijl ze haar bekken ritmisch op en neer begon te bewegen, tegen de beweging van zijn hand in om de druk te vergroten, en haar knieën tegen het bed duwde zodat ze wijd open was. Ze kwam klaar met kleine schelle kreetjes, terwijl ze haar heupen van het bed tilde, haar rug kromde en de arm die nog steeds met haar bezig was tussen haar dijen vastklemde, zich hard tegen de muis van zijn hand aan drukte op het ritme van de contracties die door haar heen gingen.

'O alsjeblieft... toe...' snikte ze en toen hield ze haar adem een lang moment in en ontspande zich naast hem, liet de lucht in haar longen los en voelde het bonken van haar hart. Joshua trok haar boven op zich en ze zag zijn gezicht beneden haar, de ogen die haar nog steeds gadesloegen, koud, maar ijzig glinsterend van opwinding. Hij legde haar hand op zijn penis zodat ze die bij zichzelf naar binnen kon brengen en toen begon hij haar met zijn handen op haar heupen heel langzaam op en neer te bewegen. Toen ze opnieuw klaar begon te komen, voelde en hoorde ze dat hij haar op haar billen sloeg, tamelijk zacht, bijna aarzelend, en toen hij zag dat ze bleef bewegen een beetje harder, niet zo hard dat het pijn deed, maar zo dat het geluid van iedere tik door de kamer galmde.

Christus, dacht ze, dit ken ik niet. Wat stelt dit voor?

Toen maakte het gevoel van zijn penis in haar, samen met dat geluid en het schrijnen van haar billen, dat ze klaarkwam met langgerekte, diepe kreungeluiden en ze hoorde en voelde hem grommend en schokkend klaarkomen.

Ze bleef een hele tijd slap op zijn borst liggen, terwijl ze weer op adem kwam en haar lichaam langzaam rustig voelde worden. In de stilte begon ze zich af te vragen wat die klappen hadden betekend. Ze had het nog nooit gedaan met iemand die 'sloeg' – want zo iets was dit toch. Ze voelde nieuwsgierigheid en een lichte gêne, maar het wond haar tevens op.

'Een nummertje maken?' zei Joshua vrolijk in haar oor,

met zijn aangename, aangeleerde Oxbridge-accent.

'Hoe zei je ook alweer dat je heette? Ach, laat maar zitten, we doen het gewoon!'

Hij rolde zich om zodat zij onder hem lag en ditmaal neukte hij haar hard en snel en fluisterde: 'Kun je me diep in je voelen? Zuig me naar binnen.'

Zijn ogen bleven de hele tijd open en keken haar nog steeds boos aan en toen ze allebei waren klaargekomen trok hij zich vrijwel meteen uit haar terug, zodat Rachels adem stokte door zijn abrupte weggaan. Toen bleef hij stilliggen met zijn armen om haar heen en met ogen die eindelijk gesloten waren.

Rachel lag in de donkere kamer naast de slapende man, die zwaar ademde.

Nou, daar hadden ze me niet op voorbereid, dacht ze. Over het geheel genomen was het wel een slapeloze nacht waard, was haar conclusie. Ze dommelde af en toe een beetje en werd vaak met een schok wakker. Een keer werd Joshua wakker toen dit gebeurde en fluisterde haar toe: 'Het is niets schat, ik ben het, Joshua, wees maar niet bang.'

Ze waren allebei vroeg wakker, zij een beetje eerder dan hij, en toen hij zijn ogen opendeed om zich te oriënteren zag ze dat hij indringend naar haar staarde voordat hij besefte dat zij ook al wakker was. Hij stond meteen naast het bed.

'Ik moet weg. Ik ga vandaag met de kinderen naar buiten. Nee, ik wil geen thee. Dank je.'

Hij was binnen enkele seconden aangekleed, keek haar vluchtig aan en knikte een kort, stuurs 'Dag' toen hij wegging, nauwelijks vijf minuten nadat hij wakker was geworden.

'Jezus,' fluisterde Rachel tegen de ijskoude, donkere wolk die in haar slaapkamer hing. 'Jezus Christus.'

Toen Joshua weg was voelde Rachel niets. Ze was moe en die dag stond in het teken van Carrie. Michael bracht haar en de auto thuis en ze gingen samen in de stad lunchen. Ze bracht Carrie naar pianoles en verlummelde de uren daarna redelijk aangenaam tot het tijd was om Carrie een verhaaltje te vertellen voor het slapengaan. Daarna zat Rachel in de zitkamer, dronk de stilte in en dacht terug aan de afgelopen nacht. Ze voelde niet echt niets; ze voelde zich verdoofd, verkild door de manier waarop Joshua was weggegaan. Ze verwachtte niet dat ze hem ooit terug zou zien, dit was de duidelijkste éénnachts-relatie die ze ooit had gehad. Het was onnodig en zinloos om aan hem te denken.

Maar toch zou ik nog wel een keer met hem willen, want het was fijn, dacht ze; waarom zou hij dan niet méér willen? Meer hoefde niet meer intensiteit in te houden, dat wilde ze trouwens niet, het kon ook gewoon *meer* betekenen. Na gisteravond geloofde ze niet wat Molly haar had verteld. Als hij nooit een tweede keer met een vrouw wilde, was dat waarschijnlijk eerder uit angst voor intimiteit dan wegens technische problemen. Ze stelde zich geluidsgolven voor die rond de planeet pulseerden, in de ruimte vervlogen en de boodschap van het mannelijk deel van de mensheid met zich meedroegen, de onvermijdelijke mannelijke jammerklacht: *Ik kan het niet uitstaan als mensen claims op me leggen!*

Ze zag De Man voor zich, liggend op een sofa, met de rug van zijn hand tegen zijn voorhoofd. Ze zag De Vrouw voor zich, slap van het lachen om zo iets absurds.

Hoeveel mannen hadden niet een of andere versie hiervan tegen haar uitgesproken, lang voordat zij de tijd kreeg om uit te leggen dat ze helemaal geen behoefte had aan een vaste band, aan huiselijk geluk of een vriend om mee samen te wonen? Op de een of andere manier allemaal. En nadat zij haar verklaring had afgelegd, hadden ze haar allemaal ongelovig aangekeken: dat zegt ze nu wel, maar ze meent het niet echt, het is tenslotte een vrouw, zeiden ze allemaal met hun ogen.

Er moet toch ergens een man rondlopen die me niet met zijn moeder zal verwarren, dacht ze. Al die jochies kunnen me gestolen worden, waar zitten de volwassen mannen? Natuurlijk was het waar dat de meeste vrouwen inderdaad een gezin wilden, kinderen met iemand wilden; de meeste mannen waarschijnlijk ook, want die trouwden tenslotte met die vrouwen. Waarom wilde zij dat dan niet? Nou ja, ze had het natuurlijk gedaan, maar niet met overtuiging. Zij en Michael hadden een contract gesloten voor Carries babytijd en de rest opengelaten. Ze had zich in haar gedachten nooit lang met iemand zien samenleven, zelfs als puber had ze geen fantasieën gekoesterd over lang en gelukkig. Dat werd waarschijnlijk verklaard door het kort en ongelukkig van haar eigen ouders, maar toch, alle conditionerende factoren, de sprookjes, de boeken, de songs, de opvoeding, leken nauwelijks hun stempel op haar te hebben gedrukt. Was dat echt waar? Of loog ze zich zelf maar wat voor? Je wist nooit definitief of je jezelf de waarheid vertelde, maar het was werkelijk waar dat een leven alleen haar makkelijker af leek te gaan en meer bevrediging schonk dan iedereen die ze kende. Ik ben gewoon door de mazen van het net geglipt, concludeerde ze. Ze had behoefte aan seks en aan vriendschap, maar die twee hoefden niet samen te gaan.

Toch voelde ze zich nu ellendig na een nacht van bevredigende seks. Ze voelde zich echt verschrikkelijk, neerslachtig. Eénnachts-relaties – ze had gehoord dat er vrouwen bestonden die nooit meer terugdachten aan de vreemde met wie ze de vorige avond naar bed waren geweest. Zo was het bij haar nooit geweest en ze had ook nog nooit een vrouw ontmoet die daartoe in staat was – had alleen maar gehoord dat ze bestonden. Soms, op zijn ergst, was er walging, of spijt; soms wilde ze dat een man haar zou opbellen, contact met haar zou opnemen; of ze fantaseerde, haalde herinneringen op. Allerhande reacties, maar de ervaring, wat voor een het er ook was, goed of slecht, viel nooit zonder meer van haar af zodra de man de deur uit was.

Mannen konden het waarschijnlijk wel. Mannen zeiden van wel en dat vond ze fascinerend. Ze kon zich niet voorstellen dat zij niet zou terugdenken aan iemand met wie ze zo juist naar bed was geweest, hoe terloops ook. Als het waar was dat er mensen waren die dat konden, benijdde ze die enorm. Misschien was het alleen maar grootspraak. Maar misschien had ze het ook nodig om hen niet te geloven, omdat ze anders zoveel kwetsbaarder was dan zij. Niets was zo vernederend als zitten denken aan iemand van wie je wist dat hij niet aan jou dacht.

Ze kon de twee gedachten niet met elkaar in overeenstemming brengen. Ze wist dat ze zelf ook aan grootspraak deed, heel effectief de indruk wekte dat ze stoer en onafhankelijk was. Geloofden andere mensen haar? Dat was hoe ze *wilde* zijn. Een behoefte bevredigen en die vervolgens vergeten. Ze dacht ook niet meer aan eten als ze het eenmaal op had. Was het zo iets bij mannen? Een hevige honger in de zaadballen, die hun niet langer interesseerde zodra ze bevredigd waren. Somber dacht ze na over de biologische feiten. De amorfe behoefte van de vrouwelijke seksualiteit: hoeveel orgasmen waren genoeg? Mannen pompen zich leeg; vrouwen kunnen altijd doorgaan. Dat je niet voor iemand wilde koken, betekende niet dat je niet méér van van dattem zou willen. En nog meer. Gulzig kreng. Veroordeeld door je eigen gulzigheid en door de biologische feiten.

Waar zij behoefte aan had was een volstrekt emotieloze (ha!), seksuele relatie. Dolle pret in bed. Als ze naar de film wilde kon ze dat met haar kennissen doen, ze had geen behoefte aan een sociale relatie, alleen twee gelijkwaardige, volwassen mensen die bijeenkwamen (hi!) om op een aangename manier seks te bedrijven. Geen serieuze relatie. Was dit waar? Jawel, jawel. Maar toch schenen lichaam en verstand het niet helemaal met elkaar eens te zijn. Niet onoverkomelijk, verzekerde ze zich zelf.

Maar Jezus, wat voelde ze zich beroerd.

Twee weken later belde Joshua.

'Ben je vanavond vrij?'

'Sorry, nee. Waarom kom je morgen niet bij me eten? Om een uur of acht.'

Ze had die avond niets te doen, maar ze wilde tijd hebben om erover na te denken.

'Goed. Tot dan.'

Zo. Het was dan wel niet precies een snelle reactie, maar het was *wel* meer dan één keer; Molly was kennelijk verkeerd ingelicht en zij, Rachel, had hun nacht goed geëvalueerd. Het was aangenaam genoeg geweest om naar meer te smaken. Hij wilde meer; hij had haar lekker genoeg gevonden om een tweede portie te willen. Ze was tevreden over zich zelf, hoewel een zacht, spottend stemmetje in haar hoofd zei dat ze niet zo verrekte dankbaar moest zijn. Doe niet zo zielig, waarom verbaast het je altijd zo als een man je nog een keer wil zien?

Maar hoe dan ook, morgenavond. Ze glimlachte voor zich uit. Eten. Ze zag zichzelf tegenover hem aan de tafel in de woonkamer zitten eten – wat? – en wijn drinken, zich verheugend op een aangename vrijpartij. Ze zou dat Griekse lamsvlees maken en een vruchtensla van vers fruit. Niets ingewikkelds, en ze zou een echt mooie fles wijn kopen. De rest van die avond deed ze zich te goed aan de volgende avond. Zelfingenomen.

Plotseling herinnerde ze zich dat hij haar had geslagen en ze vroeg zich af hoe ze zich zou voelen als het weer gebeurde. Ze begreep het niet helemaal; het was agressief geweest, daar moest ze wel van uitgaan. Je slaat iemand als je kwaad op hem bent, en ze herinnerde zich zijn ogen toen hij met haar vrijde. Nou, als Joshua een vrouwenhater was, had hij de vijand in elk geval grondig bestudeerd. Wat zij voor zich zag bij mensen die 'sloegen', als ze daar überhaupt ooit over nadacht, waren Engelse mannen die op kostschool hadden gezeten, mannen die op het seksuele vlak onder de maat waren en het afschrikwekkende van echte seks vervingen door een zitvlakfetisj. Mannen die van zich zelf niet wisten dat ze homo waren en die mamma straften omdat ze een hoer was. Slapjanussen, magere, bleke mannen die soms de krantekoppen haalden en het hele volk de slappe lach bezorgden. De Engelse Ziekte. Wat hoorde daarbij? Zwarte kousen en jarretelles; dienstbodenkostuumpjes. Gênant.

Niets van dit alles kwam overeen met haar indruk van Joshua. De signalen die ze van hem had opgevangen waren die van boosheid en autoriteit, hij was geen slappeling. Haar gedachten dwaalden af naar Sade, *Justine, L'Histoire d'O*. Dat kwam meer overeen met haar indruk; maar tenslotte had hij haar alleen maar op haar billen geslagen en nog vrij zacht ook. Tenzij dat natuurlijk uitproberen was geweest, een testen van haar reactie voordat...

Voordat wat? Ze zette haar gedachten in die richting stop. Dat slaan was raar geweest, een kleine afwijking in een overigens voortreffelijke minnaar, niets belangrijks. Niet meer aan denken. Morgen zouden ze samen eten en daarna gingen ze neuken, net als andere keren met andere mannen. Ze had een fantastische minnaar gevonden die niet te opdringerig zou worden. Gefeliciteerd, Rachel!

Joshua bracht een uitstekende fles wijn mee. De kurketrekker lag op de gedekte tafel in de zitkamer en hij maakte de fles open, schonk een glas in voor allebei en ze dronken ervan, Joshua in de fauteuil, Rachel liggend op de sofa, terwijl de geur van knoflook, tijm en lamsvlees door de kamer zweefde.

'Over een minuut of vijf kunnen we aan tafel,' zei ze.

'Ik heb niet zo'n honger. Het bederft toch niet?'

Met een chagrijnig gevoel draaide ze de oven laag. Haar hele schema voor die avond werd in de war gegooid; gingen ze voor het eten al neuken? Dat zou dan wel; zij had het liever erna gedaan en voelde zich op een onduidelijke manier van haar stuk gebracht en geïrriteerd. Het was haar flat, haar eten, hij was haar gast; maar dat wuifde hij allemaal opzij en de verrukkelijke geuren deden hem niets. Godverdomme, als iemand te eten werd gevraagd, dan at hij wanneer hem dat gezegd werd. Ze had nog helemaal geen zin om met hem te neuken, ze wilde eten en drinken en spelletjes spelen met zijn ogen. Ze was nog niet in de stemming. Ze liep terug naar de sofa en nam nog een slok wijn. Hij zag er niet uit alsof hij op het punt stond haar te verkrachten; hij zat met zijn benen over elkaar geslagen en zijn wijnglas in zijn hand en hij keek haar aan met koele, kalme ogen.

'Vertel me je fantasieën,' zei hij, flauw glimlachend achter zijn wijnglas.

Dat kon ze niet, dat was te moeilijk. Misschien als ze dronken of opgewondener was geweest, maar zelfs dan zou ze het moeilijk hebben gevonden.

'Nee. Vertel jij de jouwe maar, misschien krijg ik dan inspiratie.'

Ze was niet van plan zijn spel mee te spelen, althans niet louter op zijn voorwaarden. Ze zat nog steeds over het eten in.

'Als je zomaar wat verzint heb ik er niets aan. Ik wil weten waaraan je denkt als je in het donker in bed ligt en jezelf streelt. Nou... de mijne is dat ik een heel jong meisje verleid, een onschuldig kind, een puber. Ik ben de eerste man die haar ooit heeft opgewonden en heel langzaam, heel geleidelijk, begint ze klaar te komen.'

Rachel was een beetje teleurgesteld; het was niet bepaald

de briljantste of origineelste fantasie die ze ooit had gehoord.

'Nou, dat vind ik een tikkeltje exclusief.'

'Hoezo exclusief?' vroeg hij, een beetje verbaasd.

'Omdat het niets met mij te maken heeft,' lachte Rachel. 'Ik ben eenendertig en geen maagd meer.'

Joshua begon te lachen, een echte lach waarbij hij zijn ogen toekneep van plezier.

'Nu jij,' zei hij.

'Ach, de gewone verkrachtingsfantasieën en over slaan.'

Joshua's gezicht werd op slag uitdrukkingsloos en zijn ogen keken weer ernstig.

'Daar heb ik niets aan. Ik wil bijzonderheden horen,' zei hij kortaf.

Het kostte Rachel moeite zich de gedachten die ze had, de taferelen die ze verzon, te herinneren; het was alsof ze uit haar herinnering werden weggezogen terwijl zij ze zich voor de geest trachtte te halen. Waarom deed ze trouwens zo haar best om haar echte fantasieën te vertellen, waarom zou ze niet iets verzinnen? Maar ze voelde zich toch verplicht hem iets te vertellen dat de waarheid benaderde.

'Eh... nou, er komt iemand, een man, door het raam naar binnen terwijl ik in bed lig te slapen. Hij, nou, hij bindt me aan het bed vast, hij is heel sterk en dan verkracht hij me. Ach, ik weet het niet. Iets in die trant.'

Ze vond het zeer onbevredigend klinken. En waarom zou ik hem verdomme überhaupt iets vertellen, hield ze zich voor, laat staan dat ik me nog zorgen over de kwaliteit maak ook?

Hij keek haar kalm aan.

'Heeft iemand je in het echt wel eens vastgebonden?'

Ze begon te lachen.

'Ja, dat is inderdaad een keer gebeurd. Alleen vond ik het zo idioot dat ik begon te lachen. Dus toen was er niets meer aan.'

Ze herinnerde zich nog hoe bedacht, hoe absurd het geweest was, die man die zo ernstig had gekeken terwijl hij ingespannen bezig was haar te knevelen.

'Dan wist hij kennelijk niet wat hij deed,' Joshua deelde haar plezier om deze herinnering niet, maar keek heel ernstig. *Ik* wel, bedoelde hij, als ik het gedaan had zou je niet gelachen hebben.

Rachels glimlach verflauwde en ze keek hem even aan voordat ze haar hoofd abrupt omdraaide naar de keuken. Ze knipperde met haar ogen en stond op.

'Zullen we aan tafel gaan? Ik zal even de vinaigrette voor de sla maken.'

Ze liep naar de keuken en pakte een kommetje. De keuken werd van de zitkamer gescheiden door een lage muur met een menigte planten erop. Aan de keukenzijde van de muur stond de tafel waarop ze voorbereidingen voor het eten trof en waaraan ze ontbeet met Carrie. Nu klopte ze olie en azijn voor de vinaigrette, met de kom op tafel, terwijl ze Joshua aankeek over de muur heen, die net iets hoger was dan haar middel. Joshua stond op en kwam naar de keuken toe.

'Ik heb nog altijd geen honger.'

'Bedoel je dat je helemaal niet wilt eten? Ik dacht dat je hier vanavond zou komen eten.'

Terwijl ze het zei verbaasde ze zich over de domheid van die laatste opmerking.

'Nee, ik heb geen zin om te eten. Misschien krijg ik straks trek. Wat ben jij een conventioneel meisje. Ik ben helemaal niet gekomen voor het eten en eten interesseert me niets.'

Terwijl hij met zijn glas in zijn hand dichterbij kwam kreeg Rachel een zenuwachtig gevoel, als een schoolmeisje dat geen idee heeft hoe ze zich moet gedragen. Ze voelde zich zo belachelijk zoals ze daar stond, met de kom in haar ene hand en de vork in haar andere, ingespannen kloppend; zo hulpeloos en idioot, terwijl ze doorging met kloppen.

'Nou, dan verpietert het eten. Ik zie het gebruiken van een maaltijd niet als een conventie. Het is geen politieke daad, alleen maar eten.'

Ze wauwelde maar wat, totaal in paniek, en voelde hem dichterbij komen terwijl haar blik gevestigd bleef op haar bezige handen. Hij kwam achter haar staan en schoof zijn hand onder haar rok.

Ze had een zijden chiffon jurk aan die rond 1940 duur en elegant was geweest. Een eerdere man in haar leven had er lachend over gesproken als haar crisislorren. Nu was hij van een verschoten lichtblauw, hier en daar op de naden versleten, met een wijde, zwierende rok. Zoals Rachel hem droeg was het een geestige jurk, te mooi als hij nieuw was geweest, maar omdat hij duidelijk tweedehands was een amusant contrast vormend met haar interessante maar onmooie gezicht en haar slordige haar. Hij vloekte nadrukkelijk met haar nuchtere stoerheid; de jurk van een flirt, gedragen door een niet-flirterige vrouw. Ze droeg hem graag omdat de stof verrukkelijk aanvoelde tegen haar huid.

Joshua's pols tilde de zwaarte van de rok op terwijl zijn vingers de binnenkant van haar blote dij streelden en omhoogkropen om haar kruis te zoeken. Rachel werkte verder aan de toch al goed gemengde dressing. Er was niets aan de hand. Er stond een man vlak achter haar met zijn hand onder haar rok, maar Rachel deed alsof er niets aan de hand was. Ze was zenuwachtig en hield zich van den domme. Waarom ben ik zo? vroeg ze zich af. De eerste stadia van het liefdesspel verliepen altijd zo; ze erkende nooit dat het gebeurde, gedroeg zich altijd alsof zij en de man voor iets anders bij elkaar waren. Seks? Het laatste waaraan ze dacht. Wat kwamen ze hier verdomme anders doen? Ze wilde toch zo graag een louter seksuele relatie? Nou, hou dan op met die onzin en doe gewoon. Omring het niet met al die knussigheid. Had ze er ambivalente gevoelens over? Ja. Wilde ze bij verrassing genomen worden? Ja. Jezus, zei ze tegen zich zelf, je bent *echt* eenendertig en bij lange na geen maagd meer. Maar ze reageerde nog altijd niet.

Joshua zei: 'Buig je over de tafel.'

Zijn stem klonk kalm maar gedecideerd. Het was een bevel. Ze draaide zich om, keek hem aan, schoof toen langzaam de kom en de vork opzij en boog zich over de tafel, steunend op haar onderarmen. Joshua tilde de achterkant van haar rok omhoog en legde die voorzichtig op haar rug zodat ze in haar blote benen en haar onderbroekje stond. Hij schoof het broekje voorzichtig naar beneden met de toppen van zijn wijsvinger en zijn duim, en ze tilde haar voeten één voor één op toen hij het uittrok en even naar haar bleef staan kijken. Hij streelde zacht haar billen, stak toen zijn vinger tussen haar benen en streelde haar clitoris tot die nat was. Plotseling begon hij haar te slaan, met korte, harde tikken, en na iedere tik hield hij even op. Zes, acht tikken, zo hard dat ze haar adem inhield.

Rachel zag zich zelf voor zich zoals ze over de keukentafel gebogen stond in haar blote achterste en geslagen werd door een man die al zijn kleren aan had. Dit was belachelijk, zo weggelopen uit een pornoblaadje. Waar ben ik mee bezig, dacht ze, waarom vind ik dit goed? Maar dat deel van haar dat niet toekeek kromde haar rug, hief bij iedere klap haar billen om die te ontvangen.

'Goed zo. Brave meid,' zei hij sussend, maar zijn toon was hard. 'Nu moet je je rug nog krommer maken. Doe je billen omhoog. Ja, zo.'

Weer een reeks klappen, ditmaal behoorlijk hard, zodat Rachel telkens een gilletje gaf. Toen ritste hij zijn gulp open en legde zijn gezwollen lid tegen de gleuf tussen haar billen.

'Waar wil je hem hebben?' vroeg hij.

Paniek. Waar wil je hem hebben? Ik wil hem hebben

waar hij hem wil hebben. Ik wil het niet zeggen. Ik wil het niet hoeven vragen.

'Doet er niet toe,' fluisterde ze.

'Waar?' herhaalde hij boos.

'Doe maar wat jij wilt.' Ze wilde alleen maar dat hij haar nam. Ze verlangde naar hem.

'Waar, vroeg ik? Wil je mijn lul in je kut of je kont?'

Heel boos, ijskoud.

'O alsjeblieft... in mijn kont, in mijn kont.'

Hij bleef achter haar staan, terwijl hij haar vasthield bij haar heupen en haar naar zich toe trok en zachtjes, voorzichtig, bij haar naar binnen drong. Ze gaf een gil van pijn, het deed pijn, echt pijn toen hij dieper en dieper doorstootte. Ze had ineens het gevoel dat ze moest poepen en ze gaf een gil van schrik en toen was hij helemaal in haar en ze voelde hoe haar spieren zich ontspanden, zodat hij diep, helemaal in haar kon komen. Ze kreunde ergens achter in haar keel en hoorde hem zuchten.

'Is dat fijn? Is dat een fijn gevoel?'

Ze zei: 'Ja', en haar stem klonk zacht en omfloerst, vermengd met haar gekreun, en ze duwde zich tegen hem aan, voelde zijn zachte buik tegen haar billen. Hij legde zijn armen vaster om haar heen en bewoog langzaam in haar, luisterend naar de zachte, genietende geluidjes die ze maakte. Ze voelde zich van alles: verkracht, bevrijd, enorm en geheimzinnig opgewonden. Ze wilde hem helemaal in haar. Ze was boos en voelde zich hulpeloos omdat ze dit meer dan wat ook wilde. Ze werd zich bewust van zijn opwinding, zijn enorme genot en merkwaardig grote opluchting; het was alsof hij thuis was gekomen, eindelijk was waar hij thuishoorde. Haar boosheid werd getemperd door zijn genot en de lichamelijke opwinding die ze voelde toen hij nog dieper doorstootte. Terwijl ze zwaarder begon te ademen beroerde hij haar clitoris en ze kwam klaar met langgerekte, hortende kreungeluiden, steeds maar door, tot ze ineens driftig door haar op elkaar geklemde tanden siste: 'Klootzak!'

En nog een keer: 'Klootzak!'

Toen kwam hij klaar, alsof het bij verrassing gebeurde, hijgend en zich tegen haar aan persend, terwijl het was alsof hij leegstroomde.

Even bleef hij roerloos staan, toen ging hij uit haar weg en ze voelde hoe haar lichaam zich sloot terwijl ze met haar hoofd op haar armen, snel ademend, tegen de tafel aan lag.

Joshua maakte zijn kleren in orde en Rachel ging overeind staan, zodat haar rok weer naar omlaag viel. Ze wist niet hoe ze de stilte moest verbreken en wachtte af totdat hij iets zou zeggen. Ze wilde getroost worden, vastgehouden worden.

'Laten we aan tafel gaan,' zei Joshua, volkomen beheerst, met een stem die kalm en vermaakt klonk, terwijl er een lichte, ironische glimlach om zijn lippen speelde.

Ze haalde het lamsvlees uit de oven, dat droger was dan het hoorde te zijn maar toch nog lekker, en ze aten het op aan de keukentafel, zo uit de braadpan, prikten het vlees en de groente aan vorken en messen, reten het uit elkaar en stopten het zo in hun mond. Die sla kan hij vergeten, dacht Rachel terwijl ze een knorrige blik op de vinaigrette op de tafel wierp.

Joshua at rumoerig en zonder iets te zeggen, hij had honger, het eten smaakte hem. Rachel at bijna niets. Ze was nat en beurs – en ze voelde zich heerlijk. Ze had haar broekje niet meer aangetrokken, was er overheen gestapt toen ze het eten uit de oven haalde en het lag nog steeds op de grond. Ze voelde dat haar jurk nat was onder haar billen.

'Wil je nog wijn?' vroeg ze.

'Mmm. Wat is dit lekker. Je kookt goed, maar je vindt het vast afschuwelijk als iemand dat zegt,' zei hij grijnzend tussen twee happen door.

'Inderdaad.' Ze schonk zijn glas nogmaals vol en nam

zelf ook nog een beetje. Ze aten de vruchtensla, die verrukkelijk was, precies goed, fris van smaak.

'Ik ben gek op passievruchten,' kirde Joshua. 'Hoe wist je dat?'

'Dat wist ik niet.' Op een toon die suggereerde dat ze zeker niet in de sla zouden hebben gezeten als ze het had geweten. 'Die doe ik altijd door de vruchtensla.'

Hij keek haar aan en grijnsde breed, met al zijn witte tanden bloot. Ze grijnsde terug. Ze waren weer twee volwassenen.

Rachel wilde naakt in bed liggen met Joshua. Ze voelde zich loom en sensueel en kwam traag overeind om een grammofoonplaat op te zetten. Ze zaten weer zoals eerst, op stoel en bank.

'Ik ben van plan te gaan rentenieren als ik vijfenvijftig ben. Dan ga ik in de Provence wonen,' zei Joshua lui.

'O ja, is dat een dagdroom van je?' Rachel glimlachte.

'Helemaal niet. Het is een tienjarenplan. En mijn plannen slagen altijd. Tegen die tijd heb ik een hoop geld verdiend met mijn aandelen. Daarom doe ik het, het is heus geen roeping.'

Joshua had zijn baan als econoom bij binnenlandse zaken opgegeven toen hij een erfenis had gekregen die groot genoeg was om ermee op de beurs te gaan speculeren. Tijdens Molly's etentje hadden Rachel en hij een rollenspel gespeeld, hij als liberale kapitalist, zij als gematigd communist.

'Een goeie kapitalist bestaat helemaal niet. Per definitie,' had ze zalvend gezegd, om hem te ergeren.

'Onzin, want ik ben er een. Die radicalen van tegenwoordig kunnen alleen maar in stereotypen denken,' had hij gereageerd, om haar te ergeren. Zo was het gesprek doorgegaan, ironisch van toon, geen van beiden werkelijk overtuigd van wat hij/zij zei. Nu strekte Rachel haar benen.

'En wat ga je doen als je eenmaal rentenier bent, O Kapitalistisch Zwijn?'

'Ik ga in een beeldschoon huis in de Provence wonen, filosofische werken lezen en genieten van mijn hofhouding van jonge meisjes. Twee allerliefste jonge meisjes, die mij zullen aanbidden en jou ook. Jij houdt de conversatie en het huishouden op gang, je zorgt dat de meisjes zich gedragen en brengt ze het een en ander bij. Ik zal voor het onderhoud van de apparaten zorgen.'

'*Ik* zorg wel voor de apparaten, doe jij dat stomme huishouden maar. Ik geloof dat je me voor iemand anders aanziet, lekker dier. Ik ben niet huishoudelijk aangelegd en groepsverbanden liggen me niet.'

Joshua moest lachen.

'Nou, dat zien we nog wel.'

Het was scherts, maar toen Rachel hem aankeek geloofde ze dat hij niet alleen maar schertste. Hij had die fantasie werkelijk in zijn hoofd zitten en leek haar eventueel de rol van oudere vrouw in die menage te willen geven. Tegen die tijd zou ze eenenveertig zijn, rekende ze uit. Hij ziet het echt als een mogelijkheid, besefte ze, en voelde zich opeens niet op haar gemak bij hem, en ook een beetje blij omdat hij haar erbij wilde hebben.

'Ik moet er vandoor. Ik verwacht om elf uur een telefoontje uit de States,' zei Joshua ineens en hij stond op. Het was kwart voor elf. Hij woonde vrij dicht in de buurt.

'Je mag gerust weggaan, telefoontje of niet,' reageerde ze afgebeten, woedend over deze onzin en verrast doordat er zo'n abrupt einde aan de avond was gekomen. Nu kreeg ze het gevoel, of dat werd haar opgedrongen, dat ze tussen twee afspraken door was afgehandeld. Hij verwachtte helemaal geen telefoontje uit de States. Ze was beledigd omdat hij zo'n zwak excuus had aangevoerd om weg te komen en omdat hij verwachtte dat ze hem geloofde. Ze was geen veeleisende vrouw die met beleid moest worden aangepakt.

'Dank je voor het eten,' zei hij, zich niets aantrekkend van haar kilheid.

'Geen dank,' zei ze koel en stond op van de sofa.

Hij ging weg en riep nog 'Dag' tegen haar terwijl hij zich zelf uitliet.

Ze ging weer op de sofa zitten in de lege kamer.

'Klootzak,' fluisterde ze zacht.

Ze liet haar gedachten terugdwalen naar die avond en vroeg zich allereerst af of ze hem nog een keer terug zou zien; ze dacht waarschijnlijk van wel, maar was er niet helemaal zeker van. Toen dacht ze na over de manier waarop hij haar had gemanipuleerd, de hele avond in elkaar had gezet alsof hij bij zijn komst al een plan had gehad, een fantasie die hij van tevoren had uitgewerkt en vervolgens gestalte had gegeven. Hij had de avond geregisseerd alsof hij een script in zijn hand had. Er was over de hele linie een volslagen gemis aan spontaniteit in hem. Toen de seks. Sodomie. Ze dacht erover na wat het betekende. Volgens alle aanvaarde ideeën over het onderwerp was het een vernederende handeling. Een vrouw van achteren neuken hield verachting in; de beeldspraak voor stront, ontkenning van het vrouwelijke – hij had geen behoefte aan wat essentieel vrouwelijk aan haar was, haar kut, maar nam net zo lief genoegen met het gat dat iedereen bezat. Het was mannelijk machtsvertoon en agressiviteit, een poging om te vernederen. Zeker, dat was waarschijnlijk allemaal waar, maar er was meer. Er was bij voorbeeld het feit dat ze het gewild had; dat het pijn had gedaan en dat ze dat prettig had gevonden; en dat het haar seksueel bevredigd had. Niemand praatte over sodomie, zelfs niet in een wereld waarin mensen over weinig anders dan seks leken te praten. Taboe. Misschien. Waren er maar weinig mensen die het deden? Ze wist het niet, maar er moesten er toch zijn die het deden. Schaamte. Vieze seks. Tussen heteroseksuelen was het officieel nog altijd verboden. Maar wat ze echt vreemd vond, wat verhinderde dat ze er de voor de hand liggende etiketten op plakte en het daarbij liet, was de bijna tedere manier waarop hij het gedaan had. Het was onzinnig, wist ze, maar er was *werkelijk* een buitengewone warmte in hem geweest toen hij haar sloeg en van achteren neukte en dat kon toch niet het gevoel zijn dat ze aan dergelijke louter agressieve handelingen moest overhouden. Ze had van zijn kant iets gevoeld dat nauw aan dankbaarheid verwant was, toen hij in haar kwam. Krankzinnig. Maar als iemand je toestaat iets te doen dat je werkelijk wilt, is het dan nog een agressieve daad?

En vanuit haar gezichtspunt had deze manier van vrijen iets heel bijzonders. Het ging verder dan vaginale seks. Tijdens dit laatste samenzijn had ze zich oneindig veel meer gekend, meer gepenetreerd, meer bezeten gevoeld. Het was de duistere, geheime weg waarlangs hij werkelijk bij haar kwam, een labyrint zonder grenzen dat leidde naar de verborgen plek, de kern die ze zelf nauwelijks kende. Daarmee wilde ze bekend raken, daar wilde ze gekend worden.

Er was een onmogelijke discrepantie tussen wat ze gevoeld had en wat ze wist dat ze hoorde te voelen. Een vrouw van in de dertig, na twee decennia vrouwenbeweging, die uitging van gelijkwaardigheid en op gelijke voet leefde met mannen, hoorde niet toe te geven dat ze verkrachtingsfantasieën had en hoorde zich niet over te geven aan het machtsspel van een geperverteerde mannelijke seksualiteit, laat staan dat ze het prettig mocht vinden. Dat was het; ze was ontzet omdat ze ervan had genoten zich te laten bevelen, verkrachten en vernederen. Ze dacht niet dat ze dit aan een van haar vriendinnen zou kunnen beschrijven. Zelfs als die in staat waren het aan te horen zouden ze het vol woede afkeuren. Van hem, natuurlijk, net zoals zij zou doen; maar impliciet ook van haar. Hoe had ze kun-

nen toestaan dat hij zich zo gedroeg, hoe kon ze ervan genoten hebben? Ze was *zelf* geschokt over zich zelf, maar
kon niet vergeten dat ze het heerlijk had gevonden. Nog
afgezien van haar principes, wilde ze niets te maken hebben met dat meelijwekkende wezen dat instructies had op-
gevolgd, dat had gehoorzaamd, dat erom had gesmeekt.
Dat was niet iemand die ze ooit had ontmoet – althans niet
in de ware wereld van de daad, weg van nachtelijke dromen
en duistere gedachten. Je wordt niet geacht van zo iets te
genieten, zei het strenge stemmetje in haar hoofd. 'Nou,
toch is het zo,' zei ze hardop en ging naar bed.

Er gingen verscheidene weken voorbij voordat ze Joshua
weer zag, weken die Rachel doorbracht in een duistere,
seksuele droom waarin ze voor haar gevoel steeds dieper
doordrong in een gebied dat tot die tijd alleen bestaan had
uit symbolen op een landkaart. Het was alsof er een sleutel
was omgedraaid en ze, of ze wilde of niet, de gangen en de
smoezelige kamers moest verkennen die nu toegankelijk
waren geworden. Het zichtbare deel van haar leven bracht
ze er overtuigend af, meende ze, maar ze voelde zich als een
geheim agente voor wier eigenlijke werk de dagelijkse dingen, die louter ogenschijnlijk de essentie van het leven
vormden, alleen maar een dekmantel waren. Carrie kwam
niet te kort op het gebied van eten, kleren en emotionele
aandacht en leek niet te merken dat haar moeder er met
haar hoofd niet bij was. Rachel deed boodschappen, kookte eten, streek de was en glimlachte tegen de andere moeders bij het hek van de school, waar ze Carrie knuffelde en
een prettige dag toewenste. Dan had ze tot ze haar moest
afhalen de tijd om haar onverkwikkelijke ontdekkingsreis
voort te zetten. Ze reed naar huis, zette de wasmachine aan
en dankte god dat ze momenteel geen leerlingen had. In die
dagen was haar hele lichaam loodzwaar, alsof het bloed
was veranderd in een gesmolten metaal dat traag door haar

aderen klokte. Soms waren haar armen zo zwaar dat ze ze bijna niet kon optillen en haar oogleden deden pijn van de inspanning om haar ogen open te houden. De meeste ochtenden ging ze in het bad nadat ze Carrie naar school had gebracht, terwijl ze zich zelf wijsmaakte dat ze zich dan beter zou voelen en dat ze daarna boodschappen zou gaan doen of iets lekkers zou klaarmaken voor Carrie, bij de thee. Onveranderlijk was ze na het bad nog uitgeputter en had nog net voldoende energie om vochtig op bed te liggen met de handdoek losjes om zich heen. Zelfs dan maakte ze zich nog wijs dat ze zich zou gaan aankleden en voortmaken zodra ze was opgedroogd.

Terwijl ze daar lag begon ze de bijzonderheden van haar twee avonden met Joshua steeds weer door te nemen en er thema's uit te lichten. Het wond haar ontzettend op om zijn zelfverzekerde toon op te roepen, het gezag van zijn vingers terwijl die haar tot een orgasme brachten, de klank en het gevoel waarmee zijn minachting gepaard ging, en ze gebruikte die dingen om verder te gaan dan in werkelijkheid gebeurd was, om volledige drama's van gewelddadigheid en gedwongen onderworpenheid te bedenken. De hand die haar sloeg werd een zweep, een leren riem, hij bond haar eerst vast en sloeg haar vervolgens; de stem, zo zelfverzekerd, gaf haar bevelen om deze of gene houding aan te nemen, op haar knieën, op handen en voeten, om zich zelf te strelen, waar en hoe; begon scheldwoorden in haar oor te zeggen, hoer, slet, smerige trut; de penis verkrachtte en schond haar, liet haar gillen om nog meer pijn, liet haar smeken om meer, meer, meer.

Ze lag op bed met haar ogen dicht en gunde ieder tafereel zijn volle omvang, zodat het de volgende scène en die daarna kon oproepen. Ze hoefde haar ogen maar dicht te doen en de scènes begonnen. Het leek alsof ze hadden liggen wachten, ergens in haar op een zacht pitje hadden gestaan, wachtend op hun bevrijding. Nu stormden ze op haar af,

verdronken haar in hun behoefte zich uit te drukken, pin-
den haar vast aan het bed. Ze bevredigde zich zelf en zag
alles voor zich, Joshua die haar sloeg, een vrouw die haar
sloeg terwijl Joshua toekeek, Joshua die iemand van de
straat oppikte om haar te verkrachten terwijl hij toekeek.
Ze doorliep alle mogelijke combinaties, was zelfs een keer
of wat zelf de agressor, die wraak nam voor pijn en vernedering, maar dat eindigde er altijd net als de rest mee dat zij
zelf definitief overweldigd en dubbel gestraft werd. Ze
kwam twee, drie, vier keer klaar, en bleef dan uitgeput op
bed liggen, walgend van zich zelf. Ik doe dit niet meer, ik
doe het niet meer, zei ze tegen zich zelf. Maar ze wist dat ze
het weer zou doen. Ze was eraan verslaafd. Het was een
drug, ze voelde zich letterlijk bedwelmd. Ze was gedwongen de ontaarding en het geweld voor haar eigen ogen te
laten voorbijtrekken om te kunnen zien wat ze in zich had.
Wie ze werkelijk was.

Iedere keer weer stond ze doodongelukkig en be-
schaamd op. Ze verspilde haar tijd, ze deed niets. Nou ja,
ze kwam iets over zich zelf te weten; maar ze wist dat dat
niet waar was, althans niet waar genoeg. Ze had geen beheersing over dit proces, kon er niet naar kijken en zeggen:
ja, dit ben ik ook, en dan een andere kant van zich zelf zien,
positiever, meer verbonden met het leven. Er was niets,
niets dat goed was, de moeite waard was, alleen die dromen
over straf en pijn.

In het verleden had ze vluchtige fantasieën gehad zoals
deze, zo vluchtig dat ze haar nauwelijks waren opgevallen,
en ze gingen altijd over een man zonder gezicht. Nu hadden Joshua's gelaatstrekken zich in het gezicht van die
anonieme held gegrift en de dromen werden werkelijk
tastbaar, hoorden bij haar in plaats dat ze door de lucht
voorbij leken te zweven. Haar avonden bracht ze door met
wachten tot de telefoon zou gaan, terwijl Carrie boven lag
te slapen. Ze ging niet uit; ze nam zelfs geen bad zonder

zich ervan te vergewissen dat de telefoon op een plaats stond waar ze hem kon horen. Als ze las of televisie keek was een deel van haar altijd bezig met luisteren, wachtend op een telefoontje. Ze begon het gevoel te krijgen dat de immense kracht van haar fantasieën, van haar behoefte, voldoende was om Joshua op te roepen, dat hij wist hoe het met haar gesteld was, dat hij het zich op deze manier liet ontwikkelen.

Dit moet ophouden, hield ze zich zelf keer op keer voor. Dit overkomt mij niet.

Ze was wel in de ban van andere mannen geweest, maar nooit zo. Niet zonder regelmatig contact en nooit lang. Meestal voedde ze haar behoefte, zag de man in kwestie zo vaak dat de opwinding er na de eerste paar weken afging en ze de details begon te zien die haar onveranderlijk zo irriteerden dat haar obsessie voorbijging. Er was niet veel voor nodig; de manier waarop hij at, of dronk, de terloopse opmerking die hem voorgoed bestempelde tot dom, niet slim genoeg. Alles was genoeg om haar belangstelling te doen tanen en een snelle dood te laten sterven. Dan weg ermee. Afgelopen. Dat was tot nog toe het patroon van al haar verhoudingen geweest, zodat ze vanaf het eerste moment zat te wachten, opzag tegen het moment waarop het verkeerde zou worden gezegd of gedaan. Eerst deed ze haar best het niet op te merken, maar ze wist dat het onbegonnen werk was, dat de irritatie zou uitgroeien tot verachting, dan minachting en gêne louter om zijn aanwezigheid. Hij moest weg.

Nu was ze doodsbang dat dit proces zich niet zou voltrekken, of beter gezegd dat Joshua's sporadische bezoeken dat zouden verhinderen.

'Een paar dagen met hem samen, meer heb ik niet nodig.' En ze begon te vermoeden dat dat precies was wat ze niet zou krijgen, te begrijpen dat Joshua heel erg op haar leek en haar kon bespelen zoals ze nog nooit bespeeld was.

Ze dacht terug aan het telefoongesprek met Molly, en het etentje. Ze was toen zo zeker van zich zelf geweest. Wat was er gebeurd? Hoe had ze zo'n slachtoffer kunnen worden? Goddelijke vergelding was waarschijnlijk overdreven, maar Nemesis klonk precies goed. Ik zit in de nesten, dacht ze, ik zit tot over mijn oren in de stront. En dat is precies goed voor je, fluisterde de stem van haar andere ik, op het moment dat de telefoon ging.

'Hallo, mevrouw Kee? Ik heb een knaap die geknipt voor je is, als je denkt dat je het aankunt.'

Het was Donald Soames, besefte ze terwijl haar hart op hol sloeg van teleurstelling. Ze haalde diep adem.

'Ik geloof dat ik mijn buik vol heb van knapen die geknipt voor me zijn, Donald. Kun je me voor de verandering niet eens een aardige, rustige, gemotiveerde knaap sturen?'

'Sorry, die willen de scholen absoluut zelf houden. Ik vrees dat wij met het afval zitten.'

Donalds misselijke verachting voor zijn pupillen maakte zowaar dat Rachel een beetje enthousiast werd, meer omdat ze boos op hem was dan omdat zij zelf enige echte zendingsdrang bezat.

'Goed, wie is het?'

'Een jongen van zestien die in een tehuis zit. Door zijn moeder in de steek gelaten bij zijn geboorte. Hij is opgevoed in tehuizen, als je het tenminste zo kunt noemen. Heeft een aantal behoorlijk zware problemen waar je zelf achter mag komen. Maar hij is heel slim. Een IQ van 120. Dat is tegenwoordig niet niks. Het schijnt dat hij een paar deelcertificaten wil halen voor hij de wijde wereld intrekt. Hij heeft in geen jaren op school gezeten, maar hij kan wel lezen en schrijven. Wat denk je ervan? Ik ben bij hem geweest. Het leek me een heel aardige jongen.'

'Als hij zo aardig en intelligent is, waarom zit hij dan niet gewoon op school? Goed, laat maar, waar is het ergens?

Dan ga ik er vanmiddag naar toe.'

God zij dank, dacht ze, werk. Het was een gevoel alsof iemand haar een touw had aangereikt op het moment dat ze door een peilloze spleet in de aardkorst zakte. Misschien kon ze zich zelf eruit trekken en weer mens worden. Misschien waren de afgelopen weken gewoon alleen maar iets voorbijgaands geweest waar ze overheen kon komen door gewoon verder te gaan met leven, net als iedereen.

Wentworth House was een klein eiland van misdeeldheid in een niet al te grote zee van welvaart. Het vierkante, kantoorachtige gebouw stond te midden van stijlvolle, gerestaureerde herenhuizen van het soort dat in heel Londen te zien valt, van Blackheath tot Islington. Mensen met een filosofische inslag konden hier zien hoe ongelijk het op de wereld verdeeld was. Aan weerszijden geflankeerd door 'thuizen' stond daar het 'Tehuis', helemaal niet lelijk overigens, in een stille, lommerrijke, een beetje landelijke straat. Waarschijnlijk vonden de progressieve plannenmakers van de gemeente dat het voor iedereen goed was om te moeten erkennen dat het leven een scala van mogelijkheden bood. En waarschijnlijk hadden ze gelijk.

Rachel belde aan, zag door de glazen deur dat er niemand aankwam en morrelde aan de deurknop. De deur zat niet op slot, dus ging ze naar binnen. De grote keuken, tevens eetkamer, waar voor zo'n twintig mensen eten gekookt en opgediend kon worden, was leeg. Een reusachtig fornuis, massa's kasten en een doorgeefluik naar een ruimte met linoleum op de vloer, zes formica tafels en gegoten plastic stoelen. Een schoolkantine in het klein. De tuindeuren stonden open en maakten de kamer licht en fris, zij het niet gezellig. Een man van even in de twintig kwam de trap af en glimlachte tegen haar. Ze stelde zich voor; hij was kennelijk geen pupil maar hij zag er toch heel jong uit, met blond, tamelijk lang haar, een strakke spijkerbroek en een zwart T-shirt met korte mouwen.

'O ja, Rachel Kee. We verwachtten je al. Meneer Soames heeft gebeld dat je zou komen. De kinderen zijn allemaal naar school, behalve Pete natuurlijk. Die zit boven in de recreatiezaal op je te wachten. Ik denk dat het reuzegoed voor hem zal zijn om geregeld les te hebben. Ga even mee kennis maken.'

Ze liep achter hem aan naar boven, naar de haveloze recreatiezaal. Verscheidene plastic stoelen met stoffen zittingen lagen ondersteboven op de grond, terwijl andere stoelen in groepjes van twee en drie rond tafeltjes gerangschikt waren. In alle stoelen zaten scheuren waar klonters grijs schuimplastic doorheen staken. Damstenen, dominostenen en schaakstukken lagen overal verspreid, sommige op de grond, andere op de tafeltjes, alsof aan alle spelletjes in die kamer een eind kwam doordat iemand het bord omkeerde. In het midden van de kamer stond een kamerbiljart en in een hoek van negentig graden eroverheen gebogen stond een jongen met zijn keu in de aanslag. Er viel geen biljartbal te bekennen.

'Dit is Pete,' zei de jongeman en klopte de jongen zachtjes op zijn rug.

Pete was een verschijnsel van zijn tijd: heel lang, één meter tachtig op zijn minst en broodmager, het hoofd kogelvormig, het haar afgeschoren tot op een halve centimeter zodat de neus, kin en adamsappel zeer in het oog sprongen; de voeten gehuld in reusachtige zwarte laarzen met glimmende kappen, strak dichtgeregen over de enkels om de lompe vorm van de voet te accentueren die, leek het, verder naar voren stak dan een voet ergonomisch naar voren kon steken. Daartussenin werd een nauwsluitende, verschoten spijkerbroek met zorgvuldig aangebrachte scheuren bekroond door een strak T-shirt en een spijkerjack dat zo klein was dat de manchetten bijna op zijn ellebogen zaten. Op de rug van zijn ene hand was met inkt een kleine swastika getekend. Hij deed Rachel denken aan Olive Oyle uit de Popeye-tekenfilms, een lange sliert met knobbelige uitsteeksels.

'Hallo. Donald Soames zegt dat je volgend haar in een paar vakken staatsexamen wilt doen. Ik ben Rachel Kee.'

Op Pete's stereotiepe skinhead-gezicht verscheen een flauwe, verlegen glimlach terwijl hij iets bromde bij wijze van bevestiging en begroeting. Rachel lachte terug.

'Luister eens, ik wil het liefst dat je bij mij thuis komt voor je lessen. Het is niet zo ver. Het houdt in dat je van maandag tot en met vrijdag elke dag twee uur bij me komt, tenzij je wiskunde wilt doen, wat je echt moet doen als het even kan. In dat geval moeten we voor één dag in de week iemand anders zien te vinden, want ik ben hopeloos in wiskunde. De uren kunnen we de eerste keer dat je komt afspreken. Wat vind je ervan?'

Pete bromde weer iets. Dit scheen te betekenen dat hij het tot dusver niet volstrekt oneens met haar was.

Rachel zag meteen dat er achter de stereotype waaraan zoveel zorg was besteed een gevoel voor humor en een intelligentie schuilgingen die hem tot een interessante kandidaat maakten. Ze vond hem aardig en keek hem net zo vriendelijk en geamuseerd aan als hij haar. Er was voldoende herkenning tussen hen om haar het idee te geven dat ze hem het een en ander zou kunnen bijbrengen. Ze had vaak het gevoel gehad dat het voor de huidige subculturen erg moeilijk moest zijn om zich zelf in stand te houden zoals ze gezien wilden worden. De punkers van enkele jaren geleden met hun prachtige, veelkleurige, lichtgevende haar verraadden zich zelf door hun norse, alledaagse straatgezichten. Wanneer ze gewoon zich zelf waren, zag dat haar eruit als een overblijfsel uit gelukkiger dagen. Niemand kon het voortdurend eer aandoen. In het echte leven werd die kleurige tooi uiteindelijk tot een last. En voor de skinheads gold het omgekeerde. Het gruwelijk schokkende van die geschoren hoofden, de swastika's, het concentratiekampuiterlijk waar oude dametjes op straat zich kapot van schrokken, werd als je ze eenmaal leerde kennen vaak tegengesproken door de doodgewone menselijkheid van de jongens die zich op die manier toetakelden. Er was een jongen die ze vaak op straat tegenkwam en die zich net als Pete letterlijk moorddadig kleedde. Zijn tamelijk donkere gezicht – hij was een halfbloed – was bedekt met nazi-emblemen, bliksemschichten, zinnebeelden van het National Front. Zijn kleren waren gescheurd en behangen met kettingen en veiligheidsspelden. Hij zag er angstaanjagend uit, als een gruwelijk voorteken van wat ging komen; en hij liep dagelijks over straat achter een wandelwagentje met een vrolijk, lachend kind van twee erin. Hij liep langs haar raam met loodzware boodschappentassen, soms samen met de moeder van de peuter en soms alleen, kletsend en lachend met het kind. Een hypermoderne vader, deze duivel. Rachel genoot intens van dit absurde contrast; zijn smaak bewonderde ze niet, maar zijn stijl vond ze grandioos.

Ze realiseerde zich natuurlijk dat er andere jongens waren die er precies zo uitzagen als haar skinhead en Pete en die wel degelijk aan hun reputatie beantwoordden, de straten onveilig maakten en iedereen die van de verkeerde leeftijd, huidskleur of sekse was terroriseerden. Er waren wel *degelijk* kinderen die die laarzen gebruikten om tegen hoofden te trappen en levens te verwoesten en wier maskerachtige gezichten zo werden doordat hun hersencellen het begaven en afstierven na een overdosis acetondamp. Maar er waren ook mensen die er heel fatsoenlijk uitzagen en die toch bedreven waren in het kapotmaken van andere mensen, en mensen wier hersencellen het niet beter verging door het innemen van gigantische hoeveelheden alcohol. En zo voort. Wat zijn we toch ruimdenkend, zei ze spottend tegen zichzelf.

Maar het deed haar werkelijk genoegen wanneer ze ontdekte dat het imago niet hoefde te beantwoorden aan de verzameling vooroordelen die het automatisch opriep; wanneer ze zich genoodzaakt zag de ondoordachte clichés te herzien die zomaar omhoogborrelden – waarvandaan? Ze vond het prettig wanneer ze onverhoeds uit haar luiheid werd wakker geschud. Goed/slecht, zwart/wit, liefde/haat, komisch/triest, ziek/gezond. In het werkelijke leven was niets zo exclusief als de stoffelijke verbeelding ervan verkondigde. Wij verkiezen zo globaal te denken; in werkelijkheid was alles veel rommeliger en veranderlijker.

Ik ben een van de meest radicale relativisten van de hele wereld, dacht ze.

'Mooi zo. Dan beginnen we aanstaande woensdag. De eerste paar dagen kom ik je wel halen, totdat je de weg kent. Laten we zeggen tien uur.'

Terwijl ze de trap afliepen vroeg Pete: 'Wat voor auto heb je?'

Rachel grijnsde tegen hem. 'Een 2 cv.'

'Zo'n Citroën? O ja,' lachte hij breed, 'zo eentje heeft mijn maatschappelijk werkster ook.'

Rachel trok een quasi zielig gezicht. 'Ik kan ook niets goed doen. Nou ja, hij brengt me waar ik wezen wil en hij zal jou woensdag naar mijn flat brengen. Ik verheug me erop.'

Ze lachten tegen elkaar.

'Tot kijk,' zei Pete terwijl hij haar naar de auto bracht, een stomp op het zachte dak gaf en Wentworth House weer binnenslenterde.

De volgende avond belde Joshua.

'Ben je alleen?' vroeg hij. Hij begroette haar niet; hij ging ervan uit dat ze zijn stem zou herkennen.

'O hallo. Ja.' Haar kalme, effen stem, vriendelijk, nietszeggend, verbaasde haar.

'Mooi zo. Over zo'n drie kwartier ben ik bij je.'

Ze legde neer en glimlachte. Ik wist wel dat hij weer zou komen. Ze controleerde de flat – die was redelijk opgeruimd – trok haar trainingspak uit en ging naar de badkamer. Ze haalde haar pessarium uit het kastje, smeerde gel langs de rand en bracht het in, terwijl ze zich vluchtig afvroeg of ze het nodig zou hebben. Toen waste ze zich in het bidet, poetste haar tanden en bolde met haar vingers haar verwarde haren op. In de slaapkamer stond ze voor de spiegel te bedenken wat ze aan zou trekken. Niets bijzonders. Geen duidelijke poging om te behagen. Ze trok haar trainingspak weer aan; daar voelde ze zich lekker in, het was mooi genoeg. Ze zag er mager, atletisch, ontspannen uit. Ze zag eruit zoals ze er had uitgezien voordat Joshua belde.

Rachel had nog een half uur over toen ze klaar was en ging in kleermakerszit op de sofa een sigaret zitten roken. Ze zette een plaat op, een strijkkwartet van Mozart, en schonk zich zelf een glas whisky in. In de regel dronk ze heel weinig, maar deze borrel had ze nodig om zich te ontspannen. Toen ging ze zitten luisteren naar de muziek, terwijl ze haar whisky dronk en rookte. Toen de bel ging was ze kalm en helemaal niet opgewonden. De marteling van de afgelopen paar weken, de zweterige fantasieën, de begeerte, het was allemaal weg. Ze zag er kalm en beheerst uit en zo voelde ze zich ook. Terwijl ze de trap afging om open te doen had ze tijd genoeg om zich erover te verbazen dat ze zo makkelijk kon omschakelen. Ze voelde zich werkelijk ontspannen, als een vrouw die op het punt stond een terloopse minnaar te begroeten aan het begin van een aangename avond. Wie had er verdomme al die weken op haar bed liggen lijden? Waar was die vrouw gebleven? Ze knipte het ganglicht aan en deed open.

Joshua stond in de deuropening, opgewekt lachend, mollig en voorkomend. Dit was niet de Joshua uit haar dromen en nachtmerries. Ze besefte dat hij een spook was geworden, dat ze hem in haar dagdromen van de afgelopen weken van zijn vlees-en-bloed-werkelijkheid had ontdaan en in plaats daarvan een mythologische man had neergezet. Een fantasiewezen, een droom-Joshua. De Joshua die nu voor haar stond was een en al oppervlakkige charme, innemend, niet bedreigend, terwijl hij met een tas van Harrods in zijn hand stond te wachten tot ze hem zou begroeten. Het was onmogelijk om zich anders dan vriendelijk gestemd te voelen jegens hem, een kennis, zomaar een minnaar. Twee gelijken die elkaar weer ontmoetten na een redelijke spanne tijds; mensen die een heleboel dingen te doen hadden maar van elkaars gezelschap genoten als de tijd en de verplichtingen des levens dat toelieten.

Dat was de werkelijkheid terwijl ze allebei glimlachend bij de deur stonden, en de waanzin van de afgelopen weken vervloog als een wolk. Rachel was een slaapster die ontwaakte uit een nachtmerrie, die ze zich bleef herinneren totdat de gewone, dagelijkse dingen hem uit haar bewustzijn deden wegvagen.

'Hallo. Kom binnen,' grijnsde ze en ging hem voor naar boven.

Ze pakte twee wijnglazen uit de kast terwijl hij een fles wijn uit de draagtas haalde, die hij in een hoek van de keuken neerzette. Ze gingen tegenover elkaar aan de tafel in de woonkamer zitten, wijn drinkend en genoeglijk pratend. Na een poosje besefte ze dat ze niet eens bijzonder opgewonden was. Er was niets te bespeuren van die misselijk makende begeerte die ze voor sommige mannen voelde terwijl ze over koetjes en kalfjes praatte en wachtte tot de seks zou beginnen. Deze Joshua, deze Rachel, hadden niets te maken met de twee mensen die sodomie gepleegd hadden op de keukentafel.

Het gesprek was amusant. Rachel had maar heel zelden het gevoel dat het 'klikte' met iemand; nu was dat tastbaar, ze genoot ervan, baadde zich in het welbehagen dat haar beving door de geestige, een beetje plagerige, een beetje behoedzame scherts die over de tafel heen en weer vloog. Ze voerden een gewoon gesprek, gaven elkaar de gewone informatie. Rachel vroeg naar zijn gezin, de vrouw, de kinderen.

'Carol en ik zijn vijftien jaar samen geweest. Ik ben erg dol op de kinderen, in het begin van de avond ben ik daar bijna altijd en één keer in de week logeren ze bij me. Mijn gezin neemt een hoop van mijn tijd in beslag.'

Het klonk Rachel redelijk vertrouwd in de oren, niet zo anders dan haar verhouding met Michael, die ze aan Joshua beschreef.

'En je familie?' vroeg ze.

'Ik heb een Moeder,' antwoordde hij onheilspellend, met een hoofdletter, 'die meer kannibaal is dan moeder en die me ongetwijfeld zal overleven. Het is een soort degeneratieziekte – iemand die afhankelijk van me is, geen ouder. Daar schijn ik er een hoop van te hebben – mensen die afhankelijk van me zijn, bedoel ik, niet ouders.'

'Wat een belasting. Waarschijnlijk geeft het je een kick als mensen afhankelijk van je zijn?' informeerde Rachel liefjes.

'Ik zou dolgelukkig zijn als ze allemaal in rook opgingen – behalve de kinderen. Ik geniet niet van mijn verantwoordelijkheden, ik onderga ze alleen morrend.'

Ze geloofde hem niet, maar ze liet het maar zo.

'Dat heb ik gemerkt. Maar alle moeders zijn afgrijselijk. Dat spreekt vanzelf. Is de jouwe echt nog afgrijselijker?'

'Jij zou haar waarschijnlijk aardig vinden,' grijnsde hij en toen keek hij weer ernstig. 'Ze is hard, inhalig, gemeen. Er is niets, maar dan ook niets sympathieks aan haar. Een gemene, kleinzielige, domme vrouw.'

'En je vader?' vroeg Rachel, een beetje onthutst door zijn woede.

'Heb ik nooit gekend. Alleen ik, die moeder en een oom

en tante die bij ons inwoonden en ons onderhielden. Ik ben op mijn vierde het huis uit gegaan.'

'Wat voorlijk. Ik had niet anders verwacht, jij bent geen type dat ergens lang blijft hangen,' knikte Rachel.

'Ze hebben een familieberaad gehouden. Tegen de tijd dat ik vier was, was ik er al zo goed in de volwassenen naar mijn hand te zetten dat ze besloten hebben om me weg te doen. Ik was uitermate slim. Dus toen hebben ze me op kostschool gedaan.'

'Op je vierde?' Rachels mond viel open. Ze had het gevoel dat ze verder eigenlijk niets meer hoefde te weten om te begrijpen hoe Joshua in elkaar zat. Op zijn vierde het huis uit gedaan omdat hij te slim was. Dan kon hij toch niet anders dan manipulatief en woedend zijn?

'Arme ziel. Wat afgrijselijk.' Ze had werkelijk medelijden met het kind dat ze heel duidelijk voor zich zag.

'Ik heb het overleefd,' antwoordde hij kortaf.

Ja, dacht Rachel, maar tegen welke prijs?

'Ik heb ook een moeder,' zei ze hardop.

'En?' informeerde Joshua.

'Een socialistische heilige. Professor is ze. Ontzettend Hampstead, zeer hoogstaand. Lang geleden heilig verklaard.'

'Ah,' zei Joshua. 'Dus jij hebt ook een degeneratieziekte.'

'God nee. Ze trapt gezwellen dood zodra die hun lelijke, onredelijke kopjes opsteken. Plats! en weg zijn ze! Jullie mogen niet bestaan, roept ze, jullie zijn onredelijk en onlogisch en daarom schaf ik jullie af. En dan verdwijnen ze met hun staartjes tussen hun foute chromosomen.'

'Klinkt doodeng,' zei Joshua met een grimas.

'Ja, maar dat is het niet, als je er eenmaal aan gewend bent. Ze is echt heel aardig, maar moeilijk. Het is trouwens mijn moeder niet. Ze heeft me geadopteerd toen ik twaalf was. Dat maakt wel verschil, er zijn niet zoveel dingen van vroeger om mee af te rekenen.'

'Dat klinkt niet gek. Zou ze mij ook willen adopteren als je het haar vriendelijk vroeg?'

'Geen sprake van. Ze heeft genoeg te stellen gehad met *enfants terribles*. Jij zou te veel van het slechte worden.'

'Je weet het nooit,' glimlachte Joshua, met glinsterende tanden. 'Ik kan heel charmant zijn.'

'Ja, dat heb ik gemerkt,' glimlachte Rachel terug, 'soms knisper je bijna van de charme.'

Hij keek haar scherp aan en boog toen zijn hoofd, alsof hij haar hatelijkheid registreerde. Toen veranderde hij van onderwerp.

'Waar is je dochtertje?'

'Boven, ze slaapt.'

'En kunnen jullie goed met elkaar opschieten?'

'Mmmm. Erg goed. Ze is heel aardig, erg verstandig. Kijk eens, we hebben vandaag een vis gekocht. Of eigenlijk hebben we een aquarium gekocht en toen moesten we er wel een vis voor kopen.'

Ze knikte in de richting van de afscheiding met de keuken, waarop tussen de planten een aquarium stond op een sokkel van spiegelglas. Afgezien van de vis bevatte het een perspex tafel met twee stoelen.

'Een vissenflat. Carrie moest en zou hem hebben dus nu betalen we hem samen. Ieder de helft. Ze zegt dat de bovenste helft van haar is, ik mag de sokkel hebben. De vis heet Rosemary – deftig hè? Ik wou hem Gefilte noemen maar Carrie zegt dat ik niet serieus genoeg ben, dus is het Rosemary geworden. Maar als hij doodgaat, wat vissen onvermijdelijk doen, is het toch weer gewoon een dooie vis. God, niets is zo dood als een dooie vis, vind je ook niet?'

'Ik ken ook wel een paar mensen die aanspraak op de titel kunnen maken. Ze lijkt me aardig. Is ze intelligent?'

'Voldoende. Wie zal het weten? Er zijn nog meer dingen

in het leven behalve intelligentie, heb ik me laten vertellen, een aangeboren talent om vissen namen te geven bij voorbeeld. Of de indruk wekken dat je normaal bent terwijl iedereen om je heen één voor één gek wordt. Is er een vrouw in je leven?' vroeg ze ineens.

'Er is een vrouw die ik af en toe zie, maar het is niet serieus. Ik doe niet aan gevoelsrelaties.'

Hij wachtte af of ze nog meer zou vragen.

'En?' zei ze gehoorzaam.

'Het is de vrouw van mijn accountant.' Hij lachte beminnelijk terwijl hij haar koel gadesloeg. 'Als hij naar zijn werk is ga ik soms naar haar toe om met haar te neuken. Het is een reuze goeie accountant, een aardige kerel. Sympathieke vent.'

Rachel staarde hem aan.

'Zit je er niet over in dat hij erachter zal komen? Hoe hij zich dan zal voelen?'

'Nee. Het is een erg goed huwelijk. Er is geen enkel probleem. Ik hou ze allebei bezig. Niets aan de hand.'

'Je bedoelt dat jij de situatie beheerst?' opperde Rachel effen.

'Precies.'

Er viel een korte stilte terwijl Rachel deze informatie tot zich liet doordringen. Geen man om als vriend te hebben; deze figuur kon je beter als vijand hebben. Maar merkwaardiger was, dat hij haar dit verteld had. Op zakelijke toon. Misschien met een zweem van uitdagendheid: hoe zou ze reageren? Wat voor indruk dacht hij dat dit op haar maakte? Dacht hij dat ze hem erom zou bewonderen? Stellig niet. Of interesseerde het hem helemaal niet wat ze dacht? Maar waarom vertelde hij het haar dan? Ze begreep er niets van. Het maakte hem ineens onaantrekkelijk, dit verhaal. Besefte hij dat niet? Ze bedacht dat ze geen idee had hoe hij de wereld zag.

Joshua verbrak de stilte.

'Kom hier.'

Een bevel. Alsof er een knop was omgedraaid veranderde zijn houding, zijn stem werd koud en dwingend. En bij het horen van die gebiedende stem werd er in haar ook iets omgezet. De persoon die zoveel afkeer voelde van zijn verhaal vervaagde. Rachel deed wat haar gezegd werd, een beetje terughoudend misschien.

'Haal die draagtas die ik heb meegebracht. Ga naar de slaapkamer en wacht op me.'

Enkele ogenblikken later kwam hij binnen met een leren riem.

'Ik ga je slaan,' zei hij rustig. 'Ga voorover staan.'

En daar was hij, de leren riem waarvan ze had gedacht dat hij alleen maar in haar verbeelding bestond.

Hij trok haar trainingsbroek en haar onderbroek naar beneden en zei op vriendelijk verklarende toon: 'Ik ga je nu zes klappen met deze riem geven. Het zal pijn doen en als je het uitgilt van de pijn zal ik daar enorm van genieten.'

Hoewel de woorden beschreven wat er van haar verwacht werd, wonden ze haar ook op. Eerst hield ze haar adem in van de pijn, toen gilde ze het uit. Het deed inderdaad pijn, maar de pijn werd beheerst, hij sloeg haar zorgvuldig, met een nauwkeurig bepaalde mate van kracht, niet zo hard dat het ondraaglijk was. Toen hij klaar was huilde en snikte ze, evenzeer vanwege de vernedering als van de pijn zelf. Hij trok haar zachtjes overeind en zei: 'Wat wil je dat ik met je doe?'

'Dat je met me neukt,' fluisterde ze door haar snikken heen.

'Netjes vragen.'

'Wil je alsjeblieft met me neuken?' En sla alsjeblieft je armen om me heen, fluisterde ze inwendig.

Toen ze klaar waren lagen ze op haar bed, dicht tegen elkaar aan en zwijgend. Hij had haar telkens weer laten klaarkomen, alsof hij haar orgasmen net zo nodig had als haar pijn. Uitgeput en lichamelijk bevredigd lag ze daar, een beetje bang omdat nog meer van haar eenzame fantasieën weer zo werkelijk waren geworden met hem. Het slaan en de manier waarop hij met haar geneukt had, het was allemaal precies zo geweest als ze het zich had voorgesteld, dezelfde woorden, hetzelfde ijzige, woedende verlangen van zijn kant, hetzelfde afbrokkelen van haar zelfbeheersing.

Nadat ze zo een tijdje hadden liggen zwijgen begon Joshua te praten met zijn gewone stem, de stem die hij gebruikt had toen ze aan tafel wijn zaten te drinken. Het leek zelfs alsof hij het gesprek van daarnet voortzette.

'Van kinderen kun je op een fantastische manier leren wat eerlijkheid is. Mijn dochter heeft laatst tegen een vriend gezegd dat ze te veel van me hield. Toen hij vroeg waarom, zei ze omdat haar pappie te oud was en binnenkort wel dood zou gaan. Dat het niet verstandig was om van iemand te houden die op het punt stond dood neer te vallen. Natuurlijk had ze gelijk.'

Waar was de man die haar zo juist nog had geslagen en 'smerig klein kreng' in haar oor had gesist toen ze klaarkwam?

'O, en waar zal die ontijdige dood van jou een gevolg van zijn?'

Waar was het slachtoffer, het kind dat gehuild en gejammerd had?

'Van irrelevantie. Ik zal overlijden aan irrelevantie,' zei Joshua tegen het donker, en zijn toon was grappig, ironisch.

Rachel zoog lucht naar binnen en liet die los in een kort, hard lachje.

'Joshua, ik vermoed dat jij en ik allebei allang zijn overleden aan irrelevantie. Het enige dat ons nog rest is lichamelijk verval, en dat is niets in vergelijking daarmee.'

Joshua wierp haar weer zo'n scherpe, bevestigende blik

toe waarvan Rachel inmiddels begreep dat die betekende: 'Volkomen waar, maar nu ophouden.' Nu al dood zijn, irrelevant zijn, bevatte een harde kern van waarheid die zwaar in de lucht hing. Ze wist dat hij dat ook wist. Het was hun geheim, dat hun cynisme en hun seksuele gedrag verklaarde en in stand hield. Rachel begon in te zien dat Joshua een man was die diep teleurgesteld was in zich zelf en zijn leven gebruikte om wraak te nemen. Een soort nihilist in een wereld die ontdaan was van negentiende-eeuwse romantiek. Hij moest alles kapotmaken omdat hij op zijn vierde jaar uit zich zelf was gestapt. Geen liefde, het huis uit gedaan, gebroken – maar intelligent. En wat kun je met alleen maar intelligent beginnen? Je kunt het gebruiken om andere mensen pijn te doen. En je kunt voorkomen dat zij jou pijn doen, door niets te voelen. Je kunt anderen laten zien dat je iemand bent om rekening mee te houden. Intelligent jochie, veelbelovend, maar van binnen leeg. Beurzen gekregen, in Cambridge gestudeerd. Veelbelovend, maar het is er niet uitgekomen. Misschien niet intelligent genoeg. De prestigieuze banen gingen naar anderen – misschien wel naar mensen die van binnen minder leeg waren. Het intelligent jongetje kreeg wel een goede baan, maar niet fantastisch genoeg om de wereld (wie eigenlijk?) versteld te doen staan, zich zelf het gevoel te geven dat hij iets anders was dan leeg, irrelevant. Dus geeft hij er de brui aan en gaat geld verdienen: er zijn nog andere wegen naar de macht. Hij is nog altijd slimmer dan de meeste mensen, dus hij kan zich superieur voelen; en hij gebruikt zijn gave om te manipuleren, die hij als kind ontwikkeld heeft, om te verwoesten. Hij spint webben, deze handige spin, en trekt de draden aan om mensen kleine schokjes te bezorgen, zodat ze zich zelf steeds verder verstrikken. De charme druipt van hem af, hij brengt mensen in zijn ban en houdt ze vervolgens precies lang genoeg aan het lijntje of speelt ze tegen elkaar uit. Hij heeft zijn intelligentie en zijn inzicht gericht op het doorzien van de zwakheden en de behoeften van anderen, en hij gebruikt zijn inzichten om pijn te berokkenen. Rachel zag dit allemaal duidelijk en begreep dat hij werkelijk ieder gevoel uit zich zelf had weggebannen. Deze kikvors zou altijd een kikvors blijven, er zat geen prins in die op bevrijding wachtte. Zij noch iemand anders zou hem tot leven kunnen wekken; zijn degeneratieziekte had hem van binnen opgevreten.

Plotseling voelde ze een diep verdriet om hem, en bezorgdheid.

Maar dat, zei het stemmetje in haar hoofd, is alleen maar de manier van het slachtoffer om iets terug te doen.

Misschien. Maar verdomme, nee! Ze voelde zich *wel* bezorgd en bedroefd om hem. Als ze dat ontkende zou ze precies zo zijn als Joshua. Ze voelde dit werkelijk en wilde het op zijn minst tegenover zich zelf erkennen, dat was het verschil tussen hen beiden. Zij wilde hard en gevoelloos zijn, maar ze was het niet door en door. Ze zag Joshua nu als haar zelf, maar dan tot een logische conclusie gebracht. Hij was wat zij zou kunnen worden; een spiegel die een waarschuwing terugkaatste. Hoe duidelijker ze hem zag, des te duidelijker zag ze zich zelf en ze wist dat ze hoe dan ook haar menselijkheid niet door Joshua mocht laten blokkeren omdat die, hoe zwak ook, het enige was dat zij bezat en hij onherroepelijk miste.

Ik ben een aardiger mens dan hij, dacht ze, omdat ik mijn pijn heb vastgehouden en hij de zijne heeft afgeschaft. Daarom kan ik verdriet om hem hebben en daarom is de pijn van andere mensen de bron van zijn genot. Hij heeft zich zelf buiten de gewone, maatschappelijke wereld geplaatst, het leven kan voor hem niet meer betekenen dan een strategie om te winnen of te verliezen.

Waarom stuur je die dodelijk gewonde man dan niet weg uit je leven? zei de stem.

Dat kan ik niet, nu nog niet, zei ze tegen zich zelf; ik

moet ermee doorgaan, er is hier iets aan de hand dat ik helemaal moet doormaken.

Je bent ontzettend goed in het begrijpen van andere mensen, zei de stem en liet de rest van de zin in de lucht hangen.

'Ik moet weg,' zei Joshua, terwijl hij uit bed stapte.

Na zijn vertrek lag Rachel nog een tijdje wakker en dacht terug aan de avond; hoe onschuldig hij er had uitgezien toen ze de deur opendeed; hoe hij ineens de duistere minnaar uit haar dromen was geworden; de ongedwongen, vanzelfsprekende manier waarop ze tussen de bedrijven door gepraat hadden. Maar nu was het net alsof hij er helemaal niet echt was geweest; ze herinnerde zich de gebeurtenissen, maar die waren niet werkelijker of onwerkelijker dan haar fantasieën wanneer ze alleen was. Hij had niets van zich zelf achtergelaten. Ze rolde zich om naar het kussen waarin nog steeds een afdruk van zijn hoofd zat, maar hij had zelfs geen geur achtergelaten. Misschien is het helemaal niet gebeurd, misschien heb ik het allemaal verzonnen, peinsde ze terwijl ze in slaap viel.

Toen ze de volgende ochtend wakker werd, was het eerste dat ze zich herinnerde dat ze Pete om tien uur moest ophalen voor zijn les. Pas toen ze uit bed stapte en merkte dat ze spierpijn had herinnerde ze zich Joshua's bezoek. Ze draaide zich om, bekeek haar achterste in de spiegel en schrok toen ze grote blauwe plekken op haar rechterbil zag. Hij had dus toch iets achtergelaten. De plekken wonden haar op en ze bleef er een paar ogenblikken naar kijken totdat ze bedacht dat Carrie zo meteen op zou staan, en haastig trok ze een onderbroek aan.

De man heeft dus zijn stempel op me gedrukt, dacht ze, maar meer ook niet. Het teken van Zorro. Ze kon de afgelopen avond maar niet werkelijk maken in haar gedachten. Hij loste op als een suikerspin. De herinnering aan de ge-

beurtenissen was aanwezig maar niet als ervaring, niet alsof ze haar gisteravond werkelijk waren overkomen. Het
had iets kunnen zijn dat ze gelezen had, of in een film gezien. Het was een herinnering aan een toneelstuk, aan een
verhaal dat ze gehoord had, geen onderdeel van de structuur van haar bestaan.

Nou, het zij zo. Als de film bij haar kwam in plaats dat
zij naar de film moest, wat had ze dan te klagen? Sommige
mensen hadden video, zij had Joshua. Zij had een echte le-
vende fantasie om van tijd tot tijd mee te spelen. Kon toch
geen kwaad! Bofte zij even. De dame met de duivelse minnaar. Geen voorwaarden, geen verplichtingen. Als je maar
lang genoeg wacht, krijg je je zin wel een keer.

Ze voelde zich vanochtend sterk en zelfverzekerd en
trok een strakke spijkerbroek aan, een overdreven slobberig sweatshirt en een paar pseudo-rijlaarzen, die erop gemaakt waren om met grote stappen door de wereld te
struinen. Door de broek die om haar lichaam spande was
ze zich zeer bewust van haar slanke, energieke figuur terwijl ze door de flat liep en zorgde dat Carrie zich klaar-
maakte voor school, bacon grilde en thee inschonk. Ruim
op tijd zaten ze in de auto op weg naar Carries school. Onderweg zongen ze samen Carries favoriete song uit Oliver:

> As long as he needs me
> I know where I must be
> I'll cling on steadfastly
> As long as he needs me

'Waarom houdt Nancy van Bill Sykes terwijl hij zo gemeen is en zulke afschuwelijke dingen met andere mensen
doet, mam?' vroeg Carrie halverwege de vierde reprise.

'Tja, ze kan het gewoon niet helpen. Ze houdt van hem,
het maakt niet uit wat hij allemaal doet,' zei Rachel weifelend. Het klonk zelfs haar volstrekt onzinnig in de oren.

'Soms houden mensen van andere mensen ondanks hun slechte eigenschappen.' Dieper en dieper het moeras in. 'Misschien was ze het gewoon gewend dat andere mensen gemeen deden. Misschien dacht ze dat er niets beters bestond, of ze dacht dat er voor haar niets beters was weggelegd.'

'Waarom niet?' wilde Carrie weten, die vijf was en dus echte antwoorden op haar vragen verwachtte en minstens zo verbaasd was als Rachel over wat die daarnet gezegd had.

'Omdat het haar hele leven al zo was. Dat was wat ze verwachtte. Mensen wennen aan dingen, zelfs aan akelige dingen en die willen ze dan. Eerlijk Carrie, ik weet het niet.'

Het was te vroeg op de ochtend voor zo'n gesprek.

Carrie zei: 'Ik begrijp niet hoe je van iemand kan houden die niet lief voor je is. Als jij niet lief voor me was zou ik helemaal niet van je houden. Soms ben je niet lief, als je tegen me schreeuwt. Maar dan vind ik je ook een rotmens – en toch hou ik nog van je.'

'Verdomd ingewikkeld, hè?' Rachel lachte in het achteruitkijkspiegeltje.

'Nou, verdomd ingewikkeld,' grijnsde Carrie terug.

Rachel zette Carrie af en ging naar het café in High Street. Het was een zeer opzettelijke kopie van een Parijs café, met muren die zorgvuldig in een smerige kleur waren geverfd om de indruk te wekken dat er tabaksrook en vuil van vele decennia aan kleefden. Ze ging in een gammele rieten stoel zitten en bestelde een cappuccino, stond weer op en pakte *The Times* uit het krantenrek. Ze hield zich net als iedere ochtend voor dat ze de krant moest opzeggen omdat ze die toch altijd hier las, behalve in de schoolvakanties. Het was een prettige manier om de dag te beginnen, ze hield van de anonimiteit van cafés, maar ook van het vertrouwde gevoel een vaste klant te zijn en vriendelijk te knikken tegen andere mensen die er zaten te ontbijten. Soms kwam Becky langs, op weg naar de stad. Rachel en Becky hadden bij dezelfde scholengemeenschap in East End gewerkt voordat Rachel Carrie kreeg. Becky was later weggegaan en werkte nu als free-lance journaliste en ze waren door de jaren heen met elkaar bevriend gebleven. Becky was een van Rachels weinige vriendinnen, een van haar weinige echte vriendinnen. Als ze zich dikwijls afvroeg waarom, was dat omdat ze heel weinig met elkaar gemeen leken te hebben. Het was niet zozeer dat ze tot verschillende conclusies over het leven waren gekomen, als wel dat ze er *altijd* verschillende conclusies over hadden gehad. En hoewel ze ontdekte dat ze niet in Becky *geloofde*, in haar altijd zo andere kijk op het leven, werd ze toch gefascineerd door haar optimisme en het feit dat ze haar emoties telkens weer in de waagschaal stelde.

Op deze ochtend kwam Becky juist het café binnen toen Rachels koffie werd neergezet en ze zag er zoals gewoonlijk onberispelijk uit. Haar coupe soleil was in een vlijmscherpe pagekop geknipt, die recht en glad afhing tot haar kaaklijn en haar opvallend knappe gezicht omlijstte. Ze had een hoog, bol voorhoofd en enorm grote, lichtblauwe ogen, als een vrouw op een Vlaams schilderij, terwijl haar mond klein en fijn belijnd was. Achter de knapheid en de slimme make-up zetelde een intelligentie die na vele jaren aarzelen had besloten zich aan de wereld te laten zien. Becky droeg mooie kleren; gedempte kleuren, klassiek goed van snit en duidelijk duur; je zag meteen dat de naden van binnen afgewerkt waren en dat alles degelijk gevoerd was. Rachels ongelijke zomen waren daarentegen met veiligheidsspelden vastgezet; als het effect hetzelfde was, interesseerde het haar niet zo erg hoe dat bereikt werd.

Als je die twee daar samen zag zitten – Rachel donker, met een slordige elegantie; Becky blond, verzorgd, heel erg *jolie madame* – drong het gevoel zich aan je op dat je een keuze werd geboden, dat je een selectie werd getoond; en de beide vrouwen waren zich ook zeer bewust van het contrast dat ze vormden en genoten van de manier waarop de een de kwaliteiten van de ander accentueerde, terwijl ze zich toch volstrekt bij elkaar op hun gemak voelden.

'Hallo,' zei Becky met een glimlach. 'Hoe staat het leven? Je ziet er vanochtend ontzettend assertief uit.'

Rachel verwijderde haar gelaarsde benen van de stoel tegenover haar en schoof hem naar haar vriendin toe.

'Best. Gisteravond laat geworden. Vanochtend een nieuwe leerling. Druk, druk.'

'Is je duivelse minnaar weer geweest? En? Hoe gaat het daarmee?' Becky's grote ogen werden nog groter van nieuwsgierigheid.

'Goed. Volgens mij zijn we op weg naar een fantastische verhouding. Hij blijft natuurlijk om de paar weken komen en het wordt allemaal dolle pret.'

'Maar als je hem tussendoor wilt zien?' informeerde Becky.

'Mag niet. Het is contractueel vastgelegd dat hij belt en ik wacht.' Rachel trok een grimas. 'Ja, het stuit me wel tegen de borst om er niets over te zeggen te hebben, maar aan de andere kant heb ik er de pest aan het heft in handen te nemen. Ik bel toch nooit zelf mannen op, dus voor mijn neurose komt het goed uit. Op deze manier hoef ik niets te vragen en niemand zal nee zeggen.' Rachel hoorde zelf wel dat ze niet helemaal overtuigend klonk.

'Dat vind ik helemaal niets voor jou.'

'Nee, hè? Ik zal er kennelijk nog een minnaar bij moeten zoeken; dat houdt de situatie luchtig en op die manier kan ik toch nog ja of nee zeggen. Wat ik hier heb is een ideale, seksuele relatie. Niemand pretendeert dat er zwaarwichtige emoties in het spel zijn, we genieten van elkaars gezelschap, we hebben het leuk samen. Het is de eerlijkste relatie die ik ooit heb gehad. Dat is zo'n opluchting.'

'Ik geloof niet dat een relatie zo kan blijven. Het moet wel ingewikkelder worden naarmate je elkaar beter leert kennen. Een van beiden zal meer willen.'

'Of minder,' zei Rachel grijnzend.

Rachel was de cynica, Becky de romantische van hen beiden. Ze had Rachels bewering dat ze *echt* geen intense verhouding met iemand wilde nooit geloofd.

'Volgens mij lijken mijn Duivel en ik erg op elkaar,' zei Rachel nadenkend terwijl ze van haar koffie dronk. 'Als we allebei een verhouding willen waarin seks van vriendschap wordt gescheiden zou het kunnen werken, en dat is wat we allebei willen. Ik weet dat jij gelooft in de Grote Liefde als eindpunt van alle verhoudingen, maar ik niet. Echt niet. In elk geval is dit wat ik liever wil dan wat ook. Hij is fantastisch in bed. Er moet ergens een vrouw rondlopen die een hoop tijd en energie in hem heeft gestoken. En daar ben ik haar dankbaar voor.' Rachel tilde haar kopje op bij wijze van saluut. 'Maar het is *wel* een tikkeltje eigenaardig.'

Rachel zei dit om te kijken of Becky erop in zou gaan. Ze wist zelf niet zeker of ze erover wilde praten, maar ze was zo verbaasd over hetgeen ze bezig was bij zich zelf te ontdekken, over wat ze kon toelaten en waarvan ze kon genieten, dat ze het iemand wilde voorleggen. Om te zien hoe het in het nuchtere daglicht klonk.

'Hoezo – merkwaardig?' Becky's voelsprieten trilden, haar ogen waren nu zo groot als schoteltjes.

'De handboeken zouden het sadomasochistisch noemen. Hij sado, ik maso. Iedereen zou het sadomasochistisch noemen. Hij – eh – slaat me. Gisteravond met een leren riem.' Rachel had het gevoel dat ze zo juist in een onverwarmd zwembad was gedoken; ze wachtte met ingehouden adem op de koude plens.

'Wat?' zei Becky geluidloos. 'Je houdt me voor de gek. Rachel?'

'O shit. Nee, ik hou je niet voor de gek. Het vreemde is dat het helemaal niet wreed aandoet. Het is uiterst ceremonieel, een soort ritueel. Koude woede, geen hete razernij. Het doet niet echt pijn, hij is ongelofelijk beheerst. Dat is het idiote – ik voel me volstrekt veilig bij hem. Hoe dan ook, feministische beginselen of niet, ik word er geil van en het heeft geen zin om te doen alsof het niet zo is. Dus waarom zou ik er dan niet mee doorgaan? Misschien leer ik er nog iets van. Kijk, we weten allemaal dat ik psychologisch bekeken een masochiste ben, op zoek naar pappie enzovoort. Nou, nu heb ik iemand met wie ik daar bewust vorm aan kan geven. Wat is daarop tegen?' Rachel bewoog onrustig op haar stoel, ze had het gevoel dat ze zich moest verdedigen. Ze vervolgde: 'Moet je horen, ik heb laatst gelezen over een sadomasochistische lesbische commune in San Francisco. Die mensen hebben pas een manifest uitgegeven waarin staat dat zij elkaar gerust verrot mogen slaan omdat er geen misbruik van vrouwen door mannen aan te pas komt. Wie is er hier gek, als ik vragen mag? Ik ben me volledig bewust van wat ik doe. En als hij mij gebruikt, gebruik ik hem. Misschien is het wel de meest wederkerige, gelijkwaardige relatie die ik ooit heb gehad. Het is eerlijk, Becky.'

Becky schudde langzaam haar hoofd, zodat het fijne gordijn van haar zachtjes heen en weer deinde. 'Rachel, je bent krankzinnig, met zulke dingen kun je niet spelen. Ik weet dat je altijd denkt dat je je gevoelens in bedwang hebt, maar hoe kun je er zeker van zijn dat hij de zijne in bedwang kan houden? Misschien doet hij je nog een keer iets aan. En hoe zit het met warmte, lief zijn voor elkaar?'

'Misschien is het lief van ons dat we elkaar toestaan vorm te geven aan onze fantasieën. Zo voelt het in elk geval. Ja, ik weet het wel, ik ben niet zeker van mijn zaak. Ik ben in de war. Maar ik weet dat ik het wil en dat weten is op zich zelf al iets bijzonders voor mij. Als hij weer opbelt zal ik niet nee zeggen. Als ik dat deed zou het uit principe zijn, niet omdat ik niet naar hem verlangde.'

Becky dronk haar koffie op. 'Wat mankeert er aan principes?' zei ze uitdagend.

Rachel was geïrriteerd. 'Er mankeert niets aan principes, maar als je iets niet op wilt geven wil je dat niet, en dat is dat. Nee zeggen uit principe is alleen iets onderdrukken waarvan ik ontdekt heb dat het bij me hoort. Is dat niet net zo gevaarlijk als het laten gebeuren? Seks *is* nu eenmaal potentieel gewelddadig en het heeft zeker een hoop met macht te maken. Dit is in elk geval openlijk. We weten allebei wat er aan de hand is. Het is heel bewust. Hoe dan ook, ik heb jarenlang mannen uit mijn leven verwijderd omdat ze te veel willen, eisen stellen, intensiviteit willen. Jij zegt voortdurend dat ik die dingen altijd afkap omdat ik bang ben voor betrokkenheid. Dus dit kap ik nu eens niet af omdat ik niet betrokken hoef te raken en mijn duivelse minnaar is zeker niet van plan bij mij betrokken te raken. Ik mag dus van twee walletjes eten.'

'Maar het kan op den duur nooit iets worden.'

'Het hoeft op den duur ook niets te worden. Natuurlijk kan dat niet. Jij wilt gewoon niet van me aannemen dat ik geen langdurige verhouding wil. Ik neem van jou aan dat getrouwd zijn is wat jij wilt. Dat ik dat toevallig niet wil betekent niet dat het geen voordelen heeft. In beide gevallen moet je een prijs betalen. Je kiest wat je je kunt veroorloven. Ik kan goed alleen zijn, ik ben er niet bang voor; maar dat komt alleen doordat ik er ervaring mee heb, het is een gewoonte geworden. Jij wilt niet alleen zijn omdat je dat nooit geweest bent. Het is geen van beide verschrikkelijk belangrijk. De meeste mensen leven met iemand samen om elkaar warm te houden op een koude, griezelige planeet en als je dat aankan heeft het zin. Ik kan het niet, maar ik zeg toch niet de hele tijd tegen jou dat jij in je hart *eigenlijk* alleen wilt zijn, of zou moeten zijn.'

Becky ging nu helemaal op in wat een van hun standaardgesprekken was geworden.

'Ja, maar je laat de liefde buiten beschouwing. Ik ben verliefd en dat ben ik al vijf jaar, sinds ik met William getrouwd ben. We hebben onze ups en downs en de glans is eraf, en soms is de seks niet veel – op het ogenblik trouwens beslist wel – maar jij bent degene die romantisch is. Zodra de eerste opwinding eraf is maak je een eind aan een verhouding. Jij bent het die in sprookjesland leeft – en op het ogenblik schijnen we midden in 'Beauty and the Beast' te zitten.'

Rachel glimlachte. Becky beschouwde de wereld vanuit een standpunt dat haar geheel vreemd was, maar slaagde er soms in een spijker op de kop te slaan waarvan Rachel het bestaan niet eens wist.

'O Wijze Vrouw, er schuilt zeker waarheid in uw woorden, maar die waarheid bevalt me niet. Hoor eens, we zijn nu eenmaal zoals we zijn. Dat is de schuld van iemand anders, althans tot op zekere hoogte, dus we moeten ermee leven. Er is altijd een prijs te betalen. Jij betaalt met periodieke verveling, ik betaal met een zekere mate van isolement. Nou en? Ik ben hier niet werkelijk zo optimistisch over als het lijkt, maar wat moet ik anders? En wat moet jij anders, Becky?'

Rachel keek op haar horloge, terwijl Becky antwoordde: 'Goed, maar hou me op de hoogte. Misschien zit er wel een artikel in voor me. En ik wil in elk geval de onsmakelijke details van je horen. Maar laat het niet te ver gaan. Je kunt niet *L'Histoire d'O* spelen en tegelijk Rachel Kee zijn, dan raak je in de war.'

'Maak je geen zorgen, mams, het is louter een kwestie van fantasie en werkelijkheid uit elkaar houden.'

Becky wees met een nadrukkelijke vinger naar Rachel. 'De psychiatrische inrichtingen zitten vol met mensen die dachten dat ze dat konden en die zich vergist bleken te hebben.'

Rachel pakte haar spullen bij elkaar en legde geld op tafel. 'Maar ik sta erom bekend dat ik de werkelijkheid recht in de ogen zie. Ik zou niet anders kunnen, ook al wilde ik. Volgens mij is het gebrek aan fantasie. Ik moet er vandoor. De werkelijkheid is op dit moment een jongen van zestien die al zijn hele leven in tehuizen zit en nu een paar zinloze deelcertificaten wil halen om behalve werkloos ook nog half ontwikkeld te worden. Ik bel je wel. Blij dat het in bed zo lekker gaat overigens. Dag.'

Rachel liep het café uit en reed heuvelafwaarts naar Wentworth House, waar ze Pete in de keuken aantrof met Dick, het staflid dat ze bij haar eerste bezoek had ontmoet.

'Hier heb je hem,' lachte Dick, terwijl hij zijn arm om Pete heen sloeg en hem in haar richting duwde, 'en je mag hem voorlopig houden! Zorg maar dat hij hard werkt, hij heeft veel te goeie hersens om niets te doen, hoewel je dat uit dat gebrom nauwelijks kan opmaken.'

'Ha ha ha,' mompelde Pete, met een grijns naar Dick.

'Misschien kun je hem ook nog even wat respect voor volwassenen bijbrengen, als je toch bezig bent.'

'Nou, ik zal mijn best doen. Maar ik kan niets beloven,' zei Rachel. Ze lachten alle drie nerveus. 'Wat ruik ik daar?'

'Hachee, dat was het tenminste voordat Pete er zijn culinaire gaven op botvierde,' antwoordde Dick.

'Culi... wat?' vroeg Pete.

'Koken bedoelt hij,' zei Rachel. 'Vind je koken leuk?'

'Ja, best wel. Ik zou best kok willen worden,' mompelde Pete tegen de vloer.

'Hij is er echt goed in,' zei Dick. 'Hij helpt heel vaak met het eten.'

'Mooi,' zei Rachel. 'Dan zetten we dat op het rooster. Ik kan thuis ook wel iemand gebruiken die me helpt met koken.'

'Ik dacht dat ik les zou krijgen, niet dat ik voor dienstbode moest spelen.'

'Dat noemen ze tegenwoordig stage lopen. Er is geen enkele reden waarom je niet ook een paar dingen zou leren die je leuk vindt. Kom op, laten we gaan.' Rachel ging hem voor naar de auto.

Pete propte zich in de 2 CV, die niet voor langbenige mensen van een meter tachtig was ontworpen, en ze reden weg. Onder het rijden merkte Rachel een muffe lucht op in de auto, een lucht die ze half herkende maar net niet wist thuis te brengen. Ze vroeg zich af hoe de kleren in het tehuis werden gewassen, herinnerde zich toen dat ze een grote wasmachine in de keuken had zien staan. Ze had zin om het raampje open te doen om de auto een beetje te laten doorluchten, maar dacht dat dat te veel zou opvallen. Ze prentte zich in dat ze eraan moest denken om op de terugweg het raampje open te doen zodra ze waren ingestapt.

Shamus, de poes, kwam hen op de trap tegemoet. Pete bukte zich om hem te aaien en deed toen alsof hij hem een schop wilde geven, waarbij de punt van zijn schoen de kat zorgvuldig miste.

'Heb het lef niet,' waarschuwde Rachel, half voor de grap.

'Rotbeesten, katten,' zei Pete terwijl hij Shamus nogmaals aaide.

Pete ging aan de eettafel zitten en Rachel liep naar de keuken. 'Wil je thee?' vroeg ze over het lage muurtje heen.

'Ja, drie scheppen suiker.'

'Help me onthouden dat ik een dubbele voorraad suiker moet inslaan als ik boodschappen ga doen,' zei Rachel, terwijl ze de ketel inschakelde.

Pete keek de kamer rond, bekeek de grammofoonplaten, die hij als ouderwets en duf bestempelde en inspecteerde haar boekenplanken.

'Heb je die allemaal gelezen?' vroeg hij.

'De meeste wel. Maar ik heb er ook een hele tijd over gedaan. Hou jij van lezen?'

'Nee, niet zo. Ik lees wel kookboeken en ik hou van detectives. Ed McBain en zo.'

'Nou, misschien kunnen we dan iets van Chandler lezen. Als je van misdaadverhalen houdt is hij de beste,' stelde Rachel voor.

Rachel bracht de thee binnen en zette een bord met koekjes op tafel. Toen hij ze allemaal achter elkaar opat maakte ze in gedachten een aantekening dat ze ook een dubbele voorraad koekjes moest inslaan. Ze vroeg zich af of hij nog in de groei was; waarschijnlijk had hij altijd honger, hoeveel hij ook at. Ze zaten tegenover elkaar aan tafel en Rachel praatte over het staatsexamen, welke vakken hij kon en moest nemen als hij plannen had om verder te leren.

'Als je werkelijk kok wilt worden, zou je kunnen overwegen om volgend jaar een vakopleiding voor restaurateur te gaan volgen. Ik denk dat je daar op zijn minst Engels en wiskunde voor moet hebben en waarschijnlijk huishoudkunde. Ik zal eens een brief schrijven om daarachter te komen.'

'Meende je het echt toen je zei dat we samen zouden gaan koken? Ik maakte maar een grapje toen ik dat zei van die dienstbode,' vroeg Pete.

'Weet ik wel. Ja. Ik vind het een goed idee. Misschien moet je maar eens een lijst maken met gerechten die je wilt klaarmaken. Dan kunnen we uitzoeken welke ingrediënten we nodig hebben en die gaan kopen enzovoort. Wat we gekookt hebben kun je mee naar huis nemen en met de anderen delen.'

'Met dat zootje? Ik pieker er niet over. Nou, misschien dat ik Dick laat proeven. En het geld?'

'Maak je daar maar geen zorgen over. Ik zal het met Dick bespreken; waarschijnlijk hebben zij wel wat geld en misschien wil het huislerareninstituut ook wat bijdragen.'

'Het lijkt me wel wat. Kunnen we morgen beginnen?'

'Okee,' stemde Rachel toe, 'maar het andere werk moet

je ook doen. Ik vind dat je op een hogere beroepsopleiding moet mikken. Dat betekent wel dat je op vervelende dingen moet blokken en je erg moet inspannen. Maar het is gewoon iets dat moet als je werkelijk wat wilt bereiken. Je moet besluiten dat je echt gaat werken omdat het voor je eigen bestwil is, en dan doe je het gewoon. Maar misschien zijn er zelfs wel dingen bij die je leuk vindt. Projecten waaraan je kunt werken en zo.'

'Okee, mij best.'

De energie waarmee mensen aan iets nieuws beginnen, dacht Rachel, terwijl ze zich afvroeg of het zo zou blijven, of hij het zelfvertrouwen en de ruggegraat zou hebben om bestand te zijn tegen de lome saaiheid van elke dag voor het staatsexamen werken. Dat zou de tijd leren.

'Ik vind dat je een leuke flat hebt, maar wel een beetje klein,' zei Pete.

Rachel begon te beseffen dat Pete hem piepklein moest vinden. Het was geen grote flat: de woonkamer was ongeveer vier bij vier, groot genoeg; maar voor iemand van Pete's formaat zag alles er waarschijnlijk kleiner uit dan voor haar, die maar een meter vijfenzestig was; en omdat hij zijn hele leven in tehuizen had doorgebracht die, hoe huiselijk ze ook zijn ingericht, toch altijd tot op zekere hoogte institutioneel zijn en per definitie meer mensen moeten herbergen dan een gezin, moest haar appartement, een deel van een klein rijtjeshuis, wel een poppenhuis lijken. Ze vroeg zich af of hij last had van claustrofobie, of dat de huiselijkheid van het geheel hem naar de keel vloog. Waarschijnlijk wel. Hoe vaak was hij bij iemand thuis geweest, in een normale huiselijke omgeving? Misschien maar heel zelden; als hij al in geen jaren meer op school had gezeten zaten al zijn vrienden natuurlijk ook in tehuizen. Misschien was hij in geen jaren in een gewoon huis op bezoek geweest.

Hij vroeg naar haar gezin en ze vertelde hem over Carrie

en dat ze niet samenleefde met Carries vader. Ze voelde zich een beetje opgelucht omdat ze hem geen beeld van huiselijk geluk hoefde te schetsen. Maar tegelijk hoorde ze zich zelf uitleggen dat zij en Michael goeie vrienden waren en dat hij Michael een dezer dagen waarschijnlijk wel zou ontmoeten. Ze wilde hem verwelkomen in een echt thuis, een welkome bezoeker van hem maken in een huis waar, al was alles er niet precies in overeenstemming met het landelijk gemiddelde, de situatie toch vriendelijk was en bestendig genoeg om hem een veilig gevoel te geven.

In godsnaam zeg, dacht ze, ik ben niet van plan hem te adopteren. Kijk uit. Ze begon weer over het werk.

'Ik ga vanmiddag naar meneer Soames om wat oude examenopgaven en leerboeken op te halen, dan kunnen we morgen aan de slag. Stel jij maar een lijst op van de de dingen die je wilt koken, dan maken we morgen ook nog een boodschappenlijstje. Goed?'

'Okee. Waarom eet je kat die vis niet op?' vroeg hij.

'Omdat hij niet slim genoeg is om te bedenken hoe hij erbij kan komen,' antwoordde ze.

'Stom rotbeest.'

Hun verhouding was nu al ongedwongen en vol grapjes. Haar plagen met haar genegenheid voor Shamus zou kennelijk een leidmotief worden. Ze was blij dat hij in staat was zijn genegenheid vor dieren duidelijk te laten zien, door de oppervlakkige scherts heen. Hij bezat een warmte en een tederheid die onder een heel dun, hard laagje weggestopt waren. Dat was heel bijzonder. Wat het werk aanging, daar was ze nog niet zeker van, maar ze wist wel dat ze het goed met elkaar zouden kunnen vinden.

3

Het winkelen werd geen succes. Rachel slenterde op en neer en keek bij vertrouwde winkels naar binnen, in de hoop dat haar oog op iets zou vallen dat absoluut onweerstaanbaar was. De kleren zagen er allemaal te gewoon uit. Ze kon zich niet indenken dat iemand speciaal een van deze kledingstukken zou uitkiezen omdat ze het gevoel had dat dit nu net was wat ze zocht, dat dit nu precies het verlangde imago zou projecteren. Alles was grijs – letterlijk alles; afschuwelijk grijs, na het groen van Cornwall. De inmiddels bewolkte middag werd gecompleteerd door uniform saaie etalages waarin jurken, sweatshirts, rokken en schoenen lagen in alle voorstelbare schakeringen en combinaties van grijs. Misschien is het alleen maar verbeelding van me, dacht ze. Maar de kleur klopt wel degelijk. Ze vroeg zich af hoe iemand die in een andere stemming verkeerde dan zij het zou zien. Zou je het contrast tussen lichtgrijs en donkergrijs schitterend en boeiend vinden als je door deze straat slenterde met een hoop geld op zak en je op je gemak voelde op deze wereld?

Voor Rachel was het uitzonderlijk om niet in kleren geïnteresseerd te zijn. Ze had een klerenkast die uitpuilde van de overbodige aankopen die ze tijdens onnodige strooptochten had gedaan. Vaak kreeg ze ineens zin om kleren te kopen en als dat gebeurde was het alleen maar een kwestie van tijd voordat ze ernaar op zoek ging. Ze voelde zich achtergesteld als ze 's ochtends niet iets kon aantrekken dat naar haar gevoel opwindend was. Het hoefde niet nieuw te zijn, maar wanneer nieuwe, interessante combinaties van oude kleren niet meer werkten, was het tijd om iets anders aan te schaffen.

Ze kleedde zich voor zich zelf, daar was ze van overtuigd. Hoe anderen vonden dat ze eruitzag was een bijkomstigheid. De laatste tijd droeg ze, in overeenstemming met de mode en haar eigen voorkeur, vele lagen volumineuze, alles verhullende kleren over elkaar heen. Gigantische slobberige overalls, ettelijke maten te groot, zwierden losjes om haar lichaam en ze hing zich vol met merkwaardig gevormde sjaals en polswarmers. Ze verdween in haar kleren als een weeskind dat onderdak zoekt. Haar kroezige haar, dat ze borstelde met haar hoofd naar omlaag om het nog meer te laten kroezen, verborg het grootste deel van haar gezicht zodat ze dikwijls door de pony heen moest turen om te kunnen zien tegen wie ze praatte. Ze kocht Amerikaanse spijkerbroeken die gemaakt waren voor mannen met gigantische buiken, rolde de pijpen op, trok haar stoere laarzen aan en struinde door Londen als een ondermaatse Huckleberry Finn, waaraan alleen het strootje om op te sabbelen ontbrak. Becky zei: 'Je bent gek. Als ik zo'n lichaam had als jij droeg ik kokerrokken en strakke truitjes. Dan liep ik ermee te koop.'

'Veel te gemakkelijk,' antwoordde Rachel. 'Alleen iemand met zo'n lichaam als ik waagt het in kleren rond te lopen die drie maten te groot zijn. Je suggestief kleden, heet dat.'

Wat maar gedeeltelijk waar was. Als ze zich al kleedde om aantrekkelijk te zijn, wilde ze aantrekkelijk zijn voor iemand die door de lagen heen kon kijken. Dat was een uitdaging waar weinig mannen op in zouden gaan, dus het gaf haar nog veiligheid bovendien. Ze had er genoeg van haar kleren uit te trekken en dan te ontdekken dat het eigenlijk de moeite niet waard was geweest om ze uit te doen; niet voor lang. Dus trok ze de ene laag over de andere aan; hoe meer moeite het betekende om haar kleren uit te doen, des te minder behoefte had ze eraan. Op de lange duur voorkwam het teleurstellingen.

Maar vandaag was een fiasco. Er was niets wat ze wilde hebben. Niet eens iets waarvan ze zich zelf kon wijsmaken dat ze het wilde hebben, om er later spijt van te krijgen. Het moest wel erg met haar gesteld zijn als ze niets kon vinden.

Het was ook erg met haar gesteld. Ze moest onder ogen zien dat ze nog even gedeprimeerd was als voordat ze naar Cornwall ging. De vakantie was een onderbreking geweest, geen verandering. De enige man in haar leven was een sadist, die misschien ook nog een verkrachter was. Er zat een godvergeten groot, diep gat in de straat voor haar voordeur.

Ze had ook een stem in haar hoofd, die in haar rechteroor fluisterde: 'Waarom pleeg je geen zelfmoord?'

Niet dat dat iets nieuws was. De stem stelde die toonloze vraag al jaren, zolang ze zich kon herinneren. Het was net een geluidsbandje dat telkens opnieuw begon. Gewoonlijk negeerde ze het, veegde het automatisch weg zoals een koe met haar staart zwiepte naar de vliegen die eeuwig om haar heen gonsden. Als haar depressie op zijn ergst was, wanneer ze erdoor geveld was zoals voor Cornwall het geval was geweest, verdween de stem omdat die, zoals ze was gaan begrijpen, haar zelf werd: het geniepig boosaardige *ding* dat wilde dat ze doodging kwam uit de periferie vandaan en nam bezit van haar hele wezen. Ze vermoedde, ze was ervan overtuigd, dat *dat* depressie was.

Maar de stem kwam terug, dus ze leefde in elk geval nog. Het kon erger, dacht ze. Maar de angst dat hij weer bezit van haar zou nemen was aanwezig. Omdat ze er zo kort geleden nog door uitgeschakeld was geweest dacht ze niet dat ze genoeg kracht over had om ertegen te vechten.

Depressies maakten al zo lang deel uit van haar leven. Ze herinnerde zich hoe ze als klein kind opgesloten zat in zich zelf, niet bij machte antwoord te geven op het 'Wat is er?' van haar vader of moeder, omdat ze geen antwoord te bedenken wist. Dan zeiden ze dat ze 'chagrijnig' was. 'Ze heeft weer zo'n bui.'

Nu besefte ze dat ze depressief was geweest, toen een net zo werkelijke en duidelijke ziekte als nu, maar onaanvaardbaar bij een kind. 'Chagrijnig' maakte dat het op de een of andere manier haar schuld was, dat het in haar karakter zat; zo was ze nu eenmaal. Ach, en misschien was dat nog waar ook.

Ze had alle reden gehad om gedeprimeerd te zijn. Het leven was niet leuk. Tijdens de eerste tien jaar van haar leven hadden haar ouders een oorlog gevoerd waarbij geen onschuldige toeschouwers bestonden. De verwoesting was totaal, slachtoffers onder de burgerbevolking vielen te verwachten. Zij was verwekt als een soort vredesmacht van de VN en had net zo volkomen gefaald als die andere, in de echte wereld. Terwijl de gevechten woedden holde zij door de kleine flat heen en weer en bracht boodschappen, ultimatums over. Mamma zegt... pappa zegt... Heel in het begin waagde ze wel eens een poging om vrede te stichten.

'Maken jullie alsjeblieft geen ruzie. Laten we het goedmaken. Laten we gelukkig zijn.'

Maar dat was altijd het sein tot een stroom van scheldwoorden en verwijten.

'*Ik* wil helemaal geen ruzie. Hij/zij begint. Ga maar met hem/haar praten als je wilt dat er een eind aan komt. Hoe durf je mij de schuld te geven van de manier waarop hij/zij zich gedraagt. Die klootzak/dat kreng wil ermee doorgaan, wil me gek maken, wil me doodmaken...

En zo voort... en zo voort...

Het lukte niet, ze raakte er alleen maar verder bij betrokken. Dus hield ze ermee op. En dat vergaf in het bijzonder haar moeder haar nooit.

'Lelijk, hard, wreed klein loeder. Jou kan het niets schelen. Je houdt niet van me. Als ik vandaag wegliep zou je geen vinger uitsteken om me tegen te houden. Je bent net als hij – waardeloos. Als ik geweten had dat je zo zou worden had ik je bij je geboorte meteen gewurgd.' Deze aanklacht werd vele malen, soms dagelijks, tegen Rachel gegild. Als kind had Rachel een voorstelling van kraamzalen als lange rijen bedden waarin vrouwen zaten met hun handen om de halsjes van hun baby's, die ze wurgden. Ze dacht min of meer dat dit een keuzemogelijkheid was van alle jonge moeders.

Een paar keer was haar moeder werkelijk weggelopen, nooit lang, maar lang genoeg om te bewijzen dat Rachel geen vinger had uitgestoken om haar tegen te houden. Ze zat tegen haar vader aan op de bank als de deur dichtsloeg en de galmende voetstappen in de gang wegstierven. Ze zei inderdaad nooit 'Ga alsjeblieft niet weg' wanneer haar moeder steeds weer dreigde dat ze weg zou lopen totdat ze ten slotte met haar rug tegen de muur stond, geconfronteerd met haar dochters weigering om te smeken of ze wou blijven of zelfs maar te huilen, en er niets anders voor haar op zat dan de deur van de flat achter zich dicht te smijten.

Ze kwam altijd terug, ze kon immers nergens naar toe.

Tegen de tijd dat Rachel vijf was had haar moeder al hun familieleden en kennissen van zich vervreemd door ruzie te zoeken, hen ervan te beschuldigen dat ze lelijk over haar dachten of gemeen tegen haar waren, en hen de deur uit te zetten. 'En je hoeft hier nooit meer te komen met die zogenaamde vriendschap van je, begrepen?'

Ze kwamen ook nooit meer. Toen de laatste, moedigste niet verdween, verdween daarmee ook het laatste restje van een normaal sociaal leven. Er kwam nooit iemand op bezoek. Zondagen, Kerstmis, verjaardagen, Pesach, het waren allemaal grimmige driepersoons-aangelegenheden waarover de loodzware last lag van de spanning om niet het verkeerde te zeggen hoewel het, als iemand – meestal

Rachel – dat ten slotte deed, bijna een opluchting betekende om een eind te maken aan die schijnbare feestelijkheid.

Rachel had wel vriendinnetjes in de flat met wie ze speelde in de trappenhuizen en op de gangen en bij wie ze soms ook thuis kwam, maar ze vroeg bijna nooit of zij bij haar kwamen spelen omdat ze dan onvermijdelijk zouden worden ondervraagd over hoe zij *hun* moeder behandelden en vervolgens zouden worden vergast op een lijst van Rachels tekortkomingen. Ze speelde veel in haar eentje en gebruikte iedere centimeter van de gangen en de brandtrappen als labyrinten en bergen. Grootse, heroïsche avonturen werden daar verbeeld en ze herinnerde zich die tijden als gelukkig, zelfs opwindend. Het landschap van het gebouw was weelderig en mysterieus – voortrappen, achtertrappen, branduitgangen, liften, eindeloze verdiepingen met gangen – en de mensen raakten eraan gewend haar daar te zien, geheel in beslag genomen door haar fantasie van dat moment. Soms waren er die mee gingen doen en dan raakte haar landschap bevolkt met reizigers, heksen en tovenaars, die haar de weg wezen naar grotten vol goud of prinsessen die opgesloten zaten in sprookjeskastelen (gewoonlijk was ze zowel de prinselijke redder als het meisje dat in nood verkeerde). Soms vroegen ze haar op bezoek en dan ging ze stiekem naar hun flat om koekjes te eten en nieuwe manieren te leren om patience te spelen, of gewoon een praatje te maken over hun levens en wat zij zelf van plan was met haar eigen leven. Ze deed altijd alsof ze uit een gelukkig gezin kwam, hoewel sommige volwassenen waar ze op bezoek kwam en die op dezelfde verdieping woonden, haar spottend aankeken vanwege het geschreeuw en gegil dat ze uit haar flat hadden horen komen. Rachel deed altijd alsof ze het niet zag.

Een onschuldig slachtoffer was ze nooit. Als zo iets al bestaat. Ze hield wanhopig van de een en niet van de ander. Ze trok partij en werd uitverkoren. *Hij* hield van haar, maakte haar aan het lachen, nam haar mee uit, sloeg zijn armen om haar heen wanneer de voetstappen wegstierven op de gang of de deur van de slaapkamer dichtviel en ze samen achterbleven in de giftige lucht die in de flat hing en door de kier onder de slaapkamerdeur sijpelde – Rachels slaapkamer, want daar sloot haar moeder zich onveranderlijk op, zodat Rachel dikwijls bij haar vader in het tweepersoonsbed sliep. Zelfs als ze in haar eigen bed was gaan slapen werd ze 's nachts dikwijls wakker gemaakt door haar moeder, die zei dat ze maar in hun bed moest gaan liggen, want dat *zij* niet van plan was nog een minuut langer naast *hem* te blijven liggen. Dan duwde Rachel de dekens van zich af en wankelde slaperig de andere kamer binnen, waar haar vader op zijn rug lag te roken in het donker. Ze klom in het grote, warme bed en ging dicht tegen hem aan liggen, keek naar de gloed van zijn sigaret en luisterde naar het geluid waarmee hij inhaleerde en de lange zucht waarmee hij de rook uit zijn longen liet ontsnappen; en hij hield haar in zijn armen, streelde haar en wiegde haar weer in slaap.

Op een keer had ze slaperig tegen haar moeder gezegd, voordat ze zich kon inhouden: 'Het lijkt net of dit niet echt gebeurt. Het is net een verhaal in een boek.'

Om de een of andere reden was dit voor haar moeder een mokerslag geweest, die ze nooit meer kon vergeten. Na die tijd was het geregeld in haar aanklacht opgenomen: 'Een verhaal in een boek, verdomme! Dacht je dat dit rotleven op een verhaal leek? Nou, het is echt, het is verdomme maar al te echt. Als je eens wist hoe jij en hij mijn leven hebben verziekt. Als ik dood ben zul je nog wel eens spijt krijgen. Als ik had geweten wat voor iemand jij zou worden had ik je...'

Rachel was meestal heel voorzichtig met wat ze zei, maar soms konden de onschuldigste dingen zo'n aanklacht op gang brengen. Je wist het nooit, dus je moest voorzichtig doen alsof je op eieren liep. Dingen van buitenaf waren ook gevaarlijk. Als iemand op de televisie in woorden of muziek zijn liefde voor zijn moeder uitte, begon het al: 'Zie je wel, zie je dat? Zij houdt van haar moeder... dat is nog eens wat anders dan jij.'

De gevaren van buitenaf kon je niet beheersen, kwam ze te weten, maar je kon wel heel goed nadenken voordat je iets zei. En altijd was er dat sluipende vermoeden dat haar moeder ten slotte toch gelijk had. Rachel wist toen nog niet wat een selffulfilling prophecy was, maar ze wist wel dat ze niet van haar moeder hield en daar voelde ze zich schuldig over. Ze wist eigenlijk niet precies wat het betekende om van je moeder te houden, of wat voor gevoel het was, maar haar constante falen – haar weigering – om te zijn wat er van haar verlangd werd, was voor beiden voldoende bewijs dat ze niet van haar hield. Ze wist heel zeker dat ze van haar vader hield, maar dat was op zich zelf al een bewijs dat ze te kort schoot tegenover haar moeder. Rachel en haar vader waren 'van hetzelfde laken een pak', allebei 'waardeloos', dus van hem houden betekende verraad. Dat was het ook, want hij was *echt* een rotzak.

'Het is een rat,' zei haar moeder altijd. 'Als ik hem dood in de goot zag liggen zou ik over hem heen stappen. Ik kan niet huichelen, dat weet je.'

Rachels vader was galant, glad en zeer aantrekkelijk voor vrouwen. Hij was een type dat in die tijd thuishoorde, een kopie van de beminnelijke Engelsman van de jaren veertig en vijftig, een mengeling van George Sanders en Errol Flynn, op wie hij leek. In het jargon van die dagen was hij een ploert; nu leek ritselaar haar een beter woord. Hij kwam altijd pas laat op de avond thuis, vertelde leugens, had de ene verhouding na de andere, was twee keer enige weken van huis geweest en één keer, herinnerde Rachel zich, was er een vrouw uit Plymouth op bezoek gekomen die aan haar moeder vertelde dat hij er met enige duizenden ponden van *haar* moeder vandoor was gegaan, nadat hij haar in de terminologie van die dagen had verleid. De vrouw was ongeveer van dezelfde leeftijd als Rachels moeder, dus *haar* moeder moest dik in de zestig zijn geweest. Hij was een slimme jongen uit East End geweest, haar vader, een veelbelovend jongetje dat beurzen kreeg, maar uiteindelijk had hij zich er vanwege zijn knappe uiterlijk en zijn charme op toegelegd een soort oplichter te worden.

Terwijl hij zich met zijn vriendinnen bezighield had Rachels moeder, zoals ze vele malen nadrukkelijk had gezegd, voor Rachel gezorgd, aan haar bed gezeten als ze ziek was, zijn afwezigheid goedgepraat, althans in het begin – gekookt, schoongemaakt, 'voor hem gesloofd' zoals zij het noemde. Ze was *inderdaad* de martelares geweest die ze volgens haar eigen beschrijving was. Haar beschuldigingen waren gerechtvaardigd, hij was geen goede echtgenoot, hij had haar echt een ellendig leven gegeven. Zijn enige deugd was dat hij van Rachel hield. Dat zei hij en dat geloofde Rachel. Zelfs haar moeder erkende het – benadrukte het. En Rachel hield van hem, die zo duidelijk niet goed voor haar moeder was en niet van haar hield. Ze begreep hoe oneerlijk dit was, hoeveel verdriet dit haar moeder moest hebben bezorgd. Ze hadden een verbond, Rachel en haar vader, maar uiteindelijk bleek ze geen macht over hem te hebben. Niet de macht om te zorgen dat hij bleef, niet de macht om te zorgen dat hij van haar bleef houden.

Toen ze tien was ging hij ineens weg, voorgoed. Rachel bleef alleen achter met haar moeder, die schold en vloekte op hem en haar en het leven zelf. Hij, Rachel, hun familie, hun vroegere vrienden, de joden, de wereld, hadden haar leven verziekt – niemand gaf ook maar een greintje om haar. Ze hoorden niets van hem en ontvingen geen geld. Rachels moeder had nooit gewerkt, had geen enkele opleiding omdat ze op haar twaalfde van school was gegaan om voor haar broers en zusjes te zorgen. Ze had haar hele leven in de huishouding gewerkt, eerst voor haar moederloze broers en zusjes en toen voor Rachel en haar vader. Ze kon en wilde niet overwegen te gaan werken; ook wenste ze geen bijstand aan te vragen; 'zo diep wenste ze niet te zinken', zei ze. Dus hadden ze niets, geen spaargeld, niet meer dan een paar centen. Ze leefden op aardappels en de rekeningen bleven onbetaald liggen. Ze raakten achter met de huur en uiteindelijk werd de deurwaarder gestuurd om beslag te leggen op hun meubilair. Na die tijd liepen ze op blote voeten door de flat omdat Rachels moeder bang was dat de benedenburen zouden horen dat ze geen kleden op de vloer hadden. Op school mocht Rachel aan niemand vertellen wat er gebeurd was; als iemand ernaar vroeg moest ze zeggen dat haar vader dood was. Schaamte en woede waren het grondthema van die tijd. Ten slotte kwam het zover dat ze uit de flat gezet zouden worden.

Op een ochtend, twee weken voor de uitzetting plaats zou vinden, liep Rachel de slaapkamer van haar moeder binnen en trof haar naakt in bed aan, als een bezetene heen en weer rollend. Speeksel droop uit haar mondhoeken terwijl ze onbegrijpelijke dingen jammerde en kreunde tegen iemand, die Rachel nergens zag staan toen ze om zich heen keek. Eerst was ze doodsbang toen ze geconfronteerd werd met dat krankzinnige wezen en liep naar het bed toe om haar moeder aan te raken, meer om getroost te worden dan om te troosten. Ze legde haar hand op haar schouder en zei: 'Mammie, wat is er?'

Haar moeder hield even op met heen en weer rollen en staarde haar zonder herkenning aan. 'Wie ben je?' vroeg ze. 'Ga weg. Ik ken je niet.' Toen rukte ze haar schouder los en ging verder met haar bezeten gerol, terwijl ze haar stroom van klachten en ellende eruit jammerde en gilde.

Rachel deed een stap naar achteren en bleef een langdurig ogenblik naar haar kijken, totdat er iets vreemds gebeurde met haar gezichtsvermogen en het bed waarop haar moeder lag te kronkelen ongelofelijk ver weg leek. Zo iets als een bewegende stip, heel, heel in de verte. Toen ging ze rechtop staan als een soldaat, met haar schouders naar achteren, haar hoofd precies op één lijn met haar ruggegraat, en draaide zich kordaat om op haar hak, om vervolgens rustig en met een uitdrukkingsloos gezicht de kamer uit te lopen. Ze klopte kalm aan bij de buren en legde beleefd uit dat er iets mis was met haar moeder, dat het haar speet dat ze hen lastig kwam vallen maar of ze alsjeblieft wilden komen kijken. Zonder iets te voelen, ijskoud, deed ze wat kennelijk noodzakelijk was. Terwijl ze stonden te kijken hoe haar moeder werd weggehaald op een brancard, zeiden de buren fluisterend tegen elkaar dat ze maar een vreemd kind was; keihard, zonder tranen en zonder vragen.

Ze brachten haar moeder naar een ziekenhuis en Rachel werd gestuurd naar – god mag weten waar. Ze zeiden dat het een tante was, maar het was niet een tante die ze ooit gezien had en de omgeving was haar volkomen onbekend. Later, toen ze volwassen was, besefte ze dat het een pleegtehuis moest zijn geweest, maar op dat moment was het er alleen maar vreemd en onbekend. Ze woonde er maandenlang, ongelukkig, met het gevoel dat ze daar niet hoorde, een volkomen, eenzame buitenstaander. Er waren nog andere kinderen, kinderen van de vrouw die voor haar zorgde, maar die kende ze ook niet, hoewel ze soms meedeed met hun spelletjes. Ze had daar niets van zich zelf, alleen wat kleren, en er was niemand met wie ze zich verbonden voelde of kon praten. Ze was rustig en beleefd en ze ging elke dag naar de plaatselijke school. Het moest in de herfst geweest zijn, want ze herinnerde zich dat ze tijdens de dagopening op de grond had gezeten onder het zingen van 'We ploegen de akkers en strooien het goede zaad uit over het land'. De woorden konden haar niet boeien, maar de melodie had iets vreemds, waardoor ze moest denken aan ruimte, aan eindeloze leegte en dat gaf haar een pijnscheut ergens in haar middenrif. Niemand scheen te merken dat ze van binnen helemaal bevroren was, een klein, hoekig blok ijs.

Toen, na wat een eeuwigheid leek maar in werkelijkheid een paar maanden waren, was haar vader ineens komen opdagen – waarschijnlijk opgespoord door de sociale dienst. Toen hij de kamer binnenkwam, overwacht, onaangekondigd, was het voor Rachel alsof ze alle happy endings van alle sprookjes die ze ooit had gelezen beleefde. Plotseling was alles weer goed. Ze ontdooide meteen. Ze vielen elkaar in de armen, klampten zich aan elkaar vast en kusten elkaar. Ze huilde: 'Pappie, pappie, pappie,' terwijl ze haar armen stijf om zijn nek klemde en voor het eerst sedert lange tijd zijn ruwe wang tegen de hare voelde. De 'tante' keek verbaasd toe bij een dergelijk vertoon van genegenheid van het gereserveerde meisje dat aan haar zorgen was toevertrouwd. Toen lag haar vader tot haar ontzetting ineens voor haar op zijn knieën en de tranen stroomden over zijn gezicht. 'Vergeef het me schat, vergeef het me alsjeblieft. Hoe heb ik je dit kunnen aandoen? Ik zweer dat ik nooit meer weg zal gaan.'

De tranen maakten haar doodsbang en de verontschuldigingen waren nog erger. Ze smeekte hem op te houden en er was iets heimelijks en afschuwelijks in haar binnenste dat hem erom haatte, maar ten slotte stond hij op en ze hielden elkaar vast en omhelsden elkaar en raakten elkaar aan terwijl de 'tante' hun thee gaf, en de boosheid die haar plotseling had bevangen toen hij op zijn knieën lag was vergeten. Alles was weer goed, haar pappa was terug, de enige mens van wie ze hield en die ook van haar hield.

Maar het bleek dat hij niet gekomen was om haar daar weg te halen; hij zou elke week naar haar toe komen, zei hij, en dan zouden ze samen bij haar moeder op bezoek gaan. Ze was teleurgesteld, maar het vooruitzicht dat ze hem geregeld zou zien en later weer bij hem zou mogen wonen stelde haar tevreden. Nu had ze een toekomst om naar uit te kijken.

Hij kwam één keer in de week en dan nam hij haar mee naar het ziekenhuis om haar moeder op te zoeken, die hen altijd met een verdoofd, afstandelijk stilzwijgen ontving. Ze herinnerde zich hoe ze de lange oprijlaan opliep en haar vaders hand vasthield totdat ze op een binnenplaats kwamen, met asfalt en aangelegde, kleurige bloemperken. Haar moeder zat op een houten bank te wachten met een verpleegster en wanneer ze in zicht kwamen liet ze niet blijken dat ze hen zag. Rachel legde de bloemen die haar vader voor het hek van het ziekenhuis had gekocht op haar moeders schoot, tussen haar slappe handen, waar ze onopgemerkt bleven liggen totdat de zuster ze oppakte en zei dat het prachtige, vrolijke bloemen waren en dat ze ze in het water zou zetten. Heel geleidelijk, in de loop van een aantal maanden, begon haar moeder te laten blijken dat ze hen herkende, begon zeer vermoeid te reageren op wat ze zeiden en stelde af en toe een vraag, zij het met weinig enthousiasme. Hoewel deze bezoeken betekenden dat ze haar vader zag, was Rachel er verschrikkelijk bang voor. Ze verafschuwde het onbehaaglijke gevoel dat haar beving wanneer ze daar bij haar stille, afwezige moeder zat en haar best deed de opgewekte conversatie te voeren die haar vader met haar instudeerde terwijl ze naar het ziekenhuis reden, haar best deed om te doen alsof ze een echte dochter was. Rachel vond het überhaupt verschrikkelijk om haar moeder te zien, ziek of gezond; ze voelde zich niets gelukkiger toen het gezicht van haar moeder ten slotte vertrok in iets dat op een glimlach leek; ze had alleen maar de herinnering aan glimlachen herwonnen, de spieren wisten weer hoe dat moest, het betekende niets. Rachel gaf niets om haar, wilde haar niet zien, wilde haar bestaan niet eens erkennen. Haar moeder opzoeken was de prijs die ze moest betalen om haar vader te zien. Rachel had allang met haar gekapt, op die ochtend dat ze de slaapkamer binnen was gelopen en daar een bizarre vreemde had aangetroffen.

Toen verdween haar vader weer, net zo plotseling als hij was teruggekomen. Een verklaring werd niet gegeven; hij kwam gewoon een weekend niet opdagen en dat was dat. De 'tante' zei alleen maar dat ze het niet wist en Rachel informeerde niet verder. Opnieuw in de steek gelaten veranderde ze in een gesloten, kil, onsympathiek eilandje. Haar moeder wilde ze niet en aan haar vader weigerde ze te denken – er vielen geen vragen te stellen waarop bevredigende antwoorden zouden komen, dus stond ze zich zelf gewoon niet toe eraan te denken. Ondertussen bleef ze beleefd en deed wat er van haar verwacht werd.

Ten slotte ging ze weg bij de 'tante', die haar kennelijk niet mocht, en werd ondergebracht in een kindertehuis terwijl haar nog broze moeder in een pension werd geïnstalleerd. Van tijd tot tijd waren er bezoeken waaraan geen van beiden plezier beleefde. Het tehuis was op zich zelf niet zo verschrikkelijk, de mensen waren aardig genoeg, maar ze was er alleen en kon nergens naar toe. Het was een gigantisch Victoriaans huis dat erop berekend was om onderdak te bieden aan veel mensen en waar in Rachels tijd veertig of vijftig kinderen waren ondergebracht, die permanent of tijdelijk niet thuis konden wonen. Er werd geen moeite gedaan om het op iets anders te doen lijken dan het was – het had niet die halfslachtige huiselijkheid van Wentworth House.

Inmiddels was ze elfeneenhalf en zat op een middelbare school in de buurt van het tehuis. Ze slaagde erin te overleven doordat ze stoer, alleen en slim was en hoewel ze zich volstrekt afzijdig hield van haar klasgenoten wist ze de belangstelling van de docenten te wekken met haar vroegwijze, cynische opmerkingen over het leven. Ze trok alles in twijfel, van de inhoud van hun lessen tot hun recht op het gezag dat ze zich aanmatigden, en ze ging met woorden om alsof het bommen waren die alles om haar heen moesten aanvallen en vernietigen – maar zorgvuldig, accuraat, zodat er tegen haar logica irritant genoeg nooit iets viel in te brengen. Ze was interessant maar niet sympathiek; een spits, mager wezen met een gespannen, veel te oud gezicht en een tong zo scherp als een scheermes. Haar docenten herkenden iets in haar dat ze als 'bijzonder' definieerden, maar voelden tegelijk dat er een verschrikkelijke, verterende hunkering van haar uitging, waarvan Rachel zich in het geheel niet bewust was, waardoor ze geen toenadering tot haar zochten. Ze zag de afstand die ze bewaarden maar had geen idee waarom en soms snakte ze ernaar dat iemand van hen zijn arm om haar heen zou slaan, maar ze had natuurlijk geen idee hoeveel pijn ze hun zou hebben berokkend als ze het hadden gedaan.

Wat Rachel zelf van binnen beleefde was een kosmisch gevoel van er niet bij horen. Ze was overal op de verkeerde plaats, bij de verkeerde mensen, hoewel dat alleen maar in het verlengde lag van hoe ze zich altijd gevoeld had. Vroeger, als het thuis bij haar ouders beroerd ging, had ze inwendig getierd omdat het zo oneerlijk was dat ze bij deze mensen 'in huis was gedaan', dat ze de ellende moest doormaken die zij veroorzaakten, want ze had niets met hen te maken. Het waren de verkeerde mensen, er was ergens een fout gemaakt, ze hoorde niet bij hen en *het was niet eerlijk*. In het kindertehuis had ze last van heimwee en kon absoluut niet begrijpen waarom. Heimwee naar wat? Naar wie? Ze wilde terug naar... maar ze had geen idee naar wat. Niet naar haar moeder, niet naar vroeger toen ze met hun drieën ongelukkig waren geweest. Ze wilde alleen maar terug naar iets vertrouwds. Ze hunkerde naar haar moeder, maar niet naar de moeder van vlees en bloed die ze gekend had en van wie ze niet had gehouden. Ze hunkerde alleen maar en kon niets reëels bedenken waarnaar ze hunkerde.

Er is dus niets veranderd, dacht Rachel, toen ze in het café zat nadat ze het zoeken naar kleren had gestaakt. Ik hunker nog altijd; ik weet nog altijd niet waarnaar ik hunker.

Ik hunker naar Joshua. Die geen moer om me geeft. Wiens foto ik in een krant zie waarna ik onmiddellijk weet dat hij dat had kunnen doen, een kind van zestien verkrachten en mishandelen en bang maken. Op wiens opzettelijk infrequente telefoontjes ik wanhopig zit te wachten. Daar hunker ik naar, zei ze bij zich zelf, zover heb ik het de afgelopen vijfentwintig jaar gebracht. Je reist ook niet bepaald met de snelheid van het licht, zuster!

Toen ze thuiskwam pakte ze het knipsel uit haar agenda en draaide het nummer dat de politie had gegeven voor mensen die inlichtingen konden geven. De elektronica rinkelde en echode terwijl die haar weg vond naar het politiebureau van Inverness, en haar hart bonkte terwijl ze zich afvroeg wat ze van plan was. Zekerheid krijgen. Inlichtingen vragen. Zij had inlichtingen nodig.

'Hallo, met het politiebureau van Drumnadrochit. Waarmee kan ik u van dienst zijn?' zei de stem met het zwaar Schotse accent.

'Ja, dat weet ik niet. Het gaat over die man die u zoekt wegens verkrachting...'

'Ja mevrouw. Kunt u ons daar inlichtingen over geven?'

Nee. Ze wilde zelf ingelicht worden. Ze kon geen inlichtingen geven.

'Ik weet het niet. Ik bedoel, ik kan niet... Die man, was dat een Schot?'

Haar hoofd raakte gevuld met beelden uit politieseries op de televisie terwijl ze zich plotseling afvroeg of ze konden nagaan waar het telefoontje vandaan kwam, en ze ziftte alle onzin om te zien of ze over enige feitelijke wetenschap beschikte. Ze voelde zich nu niet veilig anoniem

meer. Hoe lang hadden ze nodig? Bezaten plaatselijke po-
litiebureaus dat soort apparatuur?

'Ik kan weinig over die man zeggen. Wat wilde u ons
vertellen, mevrouw?'

'Ik kan u niets vertellen tenzij ik weet of het iemand uit
de omgeving was of niet,' zei ze. Ze wilde uitleggen dat ze
geen inlichtingen kon geven over iemand, die niet de man
was die ze zochten als ze op zoek waren naar een Schot. Ze
wilde dat de politieman aan de andere kant van de lijn dat
zou begrijpen. Dit is krankzinnig, dacht ze.

De politieman zei voorzichtig: 'We geloven niet dat het
iemand uit deze omgeving was. Wat –'

'Mooi zo. Dank u. Sorry.'

Ze legde gauw de hoorn neer. Ze konden haar telefoontje in die tijd nooit hebben nagetrokken. Maar wat was ze
te weten gekomen? Niets. Wat betekende uit de omgeving? De omgeving van Drumnadrochit? Inverness? Heel
Schotland? Zij bedoelde: had hij een Schots accent of een
bekakt Oxbridge-accent? Maar wat dan nog? Dat BBC-En-
gels van Joshua was toch maar aangeleerd, hij zou goed genoeg een Schots accent hebben kunnen nabootsen om een
angstig klein meisje voor de gek te houden. Het was een
zinloze vraag. Wat dacht ze eigenlijk wel? Stel dat die politieman had gezegd: 'Nou mevrouw, hij had een Oxbridge-
accent.' Wat zou ze dan gedaan hebben? Neergelegd. Stel
dat ze zeker wist dat het Joshua was, wat zou ze dan doen?
Inverness bellen en zeggen: 'Hallo agent, ik ken sinds drie
jaar een man, en ik denk dat hij degene is die u zoekt. Hij
heet Joshua Abelman en zijn adres is...'

Dat was ondenkbaar. Maar waarom? Ze keurde het niet
goed dat mannen die een gevaar voor vrouwen betekenden
zomaar vrij mochten rondlopen. Ze zou met Joshua kunnen praten, laten blijken dat ze het wist (slimme meid,
machtige meid!) en hem laten beloven dat hij naar een psychiater zou gaan. Bij die gedachte begon ze spontaan te la-

chen. Van voren af aan. Denk nu eens realistisch, Rachel. Maar hoe kun je realistisch denken over zo iets? Het was niet reëel. Het kon niet waar zijn. En als zij het waar maakte door haar angsten openbaar te maken, wat deed ze dan? Wraak nemen op die klootzak. Interesseerde de verkrachting van een zestienjarige haar werkelijk meer dan louter theoretisch? En als het waar was wat ze dacht, hoe zat het dan met die zestienjarige zelf? Hoe was ze eigenlijk bij die twee in de auto terechtgekomen? Vrijwillig, naar binnen gelokt door Joshua's charme. Naar binnen gezogen. Was ze een onschuldig slachtoffer? Dat is niemand ooit helemaal. Ze kon zich haar voorstellen als opgewonden en gewillig – tot op welk punt? Wanneer was ze precies bang geworden? Rachel herinnerde zich dat ze onlangs over een andere verkrachting had gelezen waarbij het meisje een beschrijving had gegeven van wat de kranten haar 'verschrikkelijke ervaring' noemden: 'Hij legde uit dat hij me ging vastbinden,' zo werd het meisje geciteerd, 'en dat deed hij heel zorgvuldig. Toen heeft hij me verkracht. Hij zei dat hij me geen pijn zou doen als ik maar precies deed wat hij zei. Hij heeft me geen pijn gedaan toen hij me verkrachtte. Hij was bijna vriendelijk. En toen hij klaar was nam hij afscheid van me en ging weg.'

Als Rachel dat gelezen had voordat ze Joshua leerde kennen, zou het de zoveelste beschrijving van weer zo'n smerige verkrachting zijn geweest. Haar boos hebben gemaakt, zoals iedere verkrachting. Maar nu meende ze in het verhaal van het meisje bijna iets smachtends te horen. Seks zal nooit meer hetzelfde voor haar zijn, had Rachel gedacht, niet omdat ze verkracht is maar omdat ze die klank in zijn stem heeft gehoord. Ze zal er haar hele leven schuldig naar blijven terugverlangen, zij het niet bewust. De werkelijke verkrachting is dat iemand haar nu *die* kant van haar zelf heeft laten zien. De werkelijk verschrikkelijke ervaring is dat dat knopje in haar binnenste is omgedraaid.

Dit was natuurlijk projectie van Rachel. Het arme kind had het waarschijnlijk van begin tot eind vreselijk gevonden. Verkrachting is verkrachting. Het is volstrekt onaanvaardbaar. Maar al was dat waar, toch bleef er in Rachels gedachten op zijn minst een vraag over haar zelf hangen. Als die man dat haar had aangedaan, zouden haar gevoelens niet onvermengd zijn geweest. Als zij die woorden had uitgesproken, zou er *wel* een smachtende klank in hebben gelegen, een gevoel dat niets ooit meer hetzelfde zou zijn. Dat beschreef tenslotte precies wat haar met Joshua was overkomen. Was zij dan uniek? Natuurlijk niet, Joshua had het in haar herkend, zij had impliciet toestemming gegeven. Zij was *geen* onschuldig slachtoffer.

Maar Joshua deed wat hij met haar deed niet tegen haar wil. Ze had altijd het gevoel gehad dat hij zou ophouden als ze op enig moment 'nee' zou zeggen (op een toon die klonk alsof ze het meende). Op een bepaald moment had het meisje in de auto nee gezegd en toen was de man niet opgehouden. Het deed er niet toe op welk moment ze het had gezegd. Nee betekent nee. Het meisje was verkracht, gedwongen te doen wat ze niet wilde doen. Dat was dat. Wie dat deed was gevaarlijk en gewelddadig en zou het weer kunnen doen. Of nog iets ergers.

Er was nog iets anders, iets dat ze in de verwarring van haar gedachten als 'verraad' identificeerde. Afgezien van een natuurlijke tegenzin om de politie wat dan ook over wie dan ook te vertellen, had ze vaag het gevoel dat dit verraad zou betekenen, dat ze hem dat niet kon aandoen. Maar wie was deze man jegens wie ze zo'n beschermend gevoel had? Iemand die opzettelijk mensen pijn doet? Er zat iets kinderlijks achter, een gevoel van niet mogen klikken. Het was hetzelfde verbod dat van kracht was in het begrip 'beroepsethiek', waardoor nietsnutten hun baantjes konden houden hoewel hun collega's wisten dat ze slechte prestaties leverden, soms zelfs gevaarlijke dingen deden.

Hoe zat dat dus met Joshua? Nou, ze kon haar zwijgen rechtvaardigen omdat ze de waarheid niet kende, niet dat soort ravage in iemands leven kon aanrichten als hij onschuldig was. Ze was er niet zeker van dat ze het wel zou kunnen als ze zou weten dat hij schuldig was. Wat ben je toch een *aardige* vrouw, Rachel, hoorde ze haar vernietigende stem zeggen. En als je het niet deed, en hij deed het nog een keer en beschadigde werkelijk iemand, wat dan, teerhartige vriendin van me?

Ze besloot niets te doen voordat ze van Joshua hoorde; hij kon elke dag terugkomen en dan zou hij wel contact opnemen. Ze zou wachten tot Joshua belde, zoals ze al drie jaar deed. Onzekerheid was als altijd de basis van het spel dat ze samen speelden.

4

De drie jaar van Rachels verhouding met Joshua werden gekenmerkt door wachten.

In verschillende periodes van haar leven was de tijd verdeeld in segmenten die elkaar naar gelang de omstandigheden afwisselden. Op school en later, toen ze lerares was, wisselden de trimesters en de vakanties elkaar af en ging het één onstuitbaar over in het ander; een periode van activiteit en routine werd gevolgd door vrijheid, en beide waren op hun tijd welkom. De verandering was welkom.

Dan was er de periode in het kindertehuis, toen de tijd eindeloos had geleken en ze ergens op wachtte waarvan ze wist dat het niet zou gebeuren; omdat het tehuis nu eenmaal was wat het was, kreeg je het gevoel dat het een tijdelijke oplossing vormde voor een onmiddellijk probleem, en toch wist iedereen dat er geen zicht was op een werkelijke oplossing. Ze had geen idee waarop ze wachtte, alleen dat er iets *moest* gebeuren omdat niemand kan leven zonder verwachtingen, zonder enig idee over een toekomst. En uiteindelijk hield ook die tijd op toen ze twaalf was en Isobel, op zoek naar een intelligent, interessant kind, haar als door een wonder had uitverkoren en een thuis gegeven.

Tijd. Periodes van wachten op de volgende episode. Misschien is verandering een definitie van tijd. En in de beste tijden is er nog altijd de verwachting – noem het maar de vrees – dat ook die periode voorbij zal gaan en dat alles wat er mooi aan is een herinnering zal worden, begrensd door een begin en een einde.

De drie jaar van Rachels leven die de tijd van Joshua waren, werden doorgebracht met wachten; de segmenten werden begrensd door zijn bezoeken. Het leven kreeg een ander ritme, een contrapuntische begeleiding van de afwisseling tussen Carries schoolgaan en haar vakanties, de lessen die ze zelf gaf, de dagelijkse noodzaak om boodschappen te doen en te koken en de flat schoon te maken. Onder die bezigheden verscholen, in al die drie jaren met hun dagelijkse sleur, was het ritme van Joshua voortdurend en krachtig aanwezig. Het leven bestond uit een reeks van grotere en kleinere waarschijnlijkheden. Als Joshua pas geweest was kwam er een periode van een week of tien dagen waarin ze wist dat het uitgesloten was dat hij zou opbellen, hoewel die zekerheid afnam naarmate de dagen verstreken en geleidelijk overging in verwachting. De beste, de rustigste tijden beleefde ze in de week nadat hij geweest was; dan hoefde ze niet voortdurend in spanning te luisteren of de telefoon zou gaan en zich af te vragen wanneer hij zou bellen. Met het verstrijken van de tijd, wanneer die de grens van twee weken bereikte, begon ze zich af te vragen wanneer, en vervolgens of hij zou bellen. Misschien was het voorbij. Misschien zou hij nooit meer komen, en de spanning veranderde in angst wanneer ze twee weken niets van hem had gehoord. Waar andere vrouwen last hadden van het premenstruele syndroom, had zij Joshua om de eb en vloed van haar stemmingen te beïnvloeden.

Hij kwam zowat eenmaal in de veertien dagen; er zat nooit minder dan tien dagen tussen en meestal tussen de twaalf en vijftien dagen. Hoewel de tussenpozen soms langer waren. Soms drie weken, een enkele keer vier. (En dat verschrikkelijke hiaat van een half jaar, toen ze wist dat ze in alle redelijkheid diende te erkennen dat hij nooit meer zou komen maar op de een of andere manier zeker wist van wel. Wishful thinking, hield ze zichzelf steeds weer voor, maar uiteindelijk had hij toch gebeld.)

'Hangt ervan af wanneer ik zin heb,' legde hij uit, 'zo

eenvoudig is het. Ik bel je gewoon wanneer ik zin heb. Als je beschikbaar bent en me wilt ontvangen kom ik.'

Zo eerlijk, zo open, hun verhouding. Maar als Rachel ineens zin had? Daar stond niets over in het contract. Ze had hem een keer op een avond opgebeld, toen ze een beetje aangeschoten was.

'Joshua, ik heb zin om te kletsen.'

Leugenaarster, ze belde omdat ze wilde dat hij met haar kwam neuken.

'Een andere keer misschien. Ik ben doodmoe. Dag.'

Met een stem die zo ijzig klonk dat ze letterlijk gerild had toen ze neerlegde. Daarna had hij drie weken niet gebeld. Contracten hoeven niet op papier te staan, ze kunnen door kleine, ijzige ervaringen in het brein gekerfd worden.

Maar hoewel alles dus officieel van zijn toevallige opwellingen afhing, was de werkelijkheid niet zo eenvoudig. Joshua zinspeelde van tijd tot tijd op de toevalligheid van zijn bezoeken en als het ter sprake kwam ook op het feit dat hij 'zowat een keer in de maand' naar haar toe kwam. Ze plaatste daar nooit vraagtekens bij, afgezien van de kortstondige, geamuseerde blik die iedere keer tussen hen werd gewisseld; ze wist, en ze nam aan dat Joshua het wist, dat hij in feite met verbazingwekkende regelmaat kwam. Er zat bijna altijd een week of twee tussen, dus zijn bezoeken waren noch toevallig noch maandelijks. De regels van het spel vereisten echter dat het moest lijken 'alsof' hij zelden en zonder duidelijke regelmaat bij haar kwam. Op die manier bleef het iets oppervlakkiger, kreeg ze geen excuus om te denken dat hier nog iets anders meespeelde dan grillige begeerte. Hij had haar op die manier niet *nodig*. Hij had geen behoeften, alleen grillen. Door deze superstructuur kreeg ze niet de kans een zeurderige vrouw te worden. Het was ondenkbaar dat ze met enig recht van spreken zou zeggen: 'Waarom ben je de vorige week niet gekomen?' Of: 'Je bent niet lief voor me, ik heb ook recht op een beetje consideratie.' Want ze had nergens recht op, omdat haar nooit iets beloofd was. Als de werkelijkheid dus anders was dan de schijnbare structuur, was dit nooit tastbaar genoeg om een bewijs van gehechtheid of genegenheid te vormen. Het gebeurde een aantal malen dat hij wel op haar verzoeken inging, maar de verzoeken waren zijdelings en zijn reactie werd nooit officieel als zodanig erkend. Soms stuurde ze hem een ansicht, als ze er een vond die geestig en toepasselijk genoeg was: een foto uit de jaren vijftig, een advertentie waarschijnlijk, van een vrouw in overhemd en spijkerbroek die een drilboor in haar handen had waarop de eigentijdse ansichtenmaker had geschreven: 'Vrouwen hebben dit soort ontspanning ook nodig'. Op de achterkant had ze gekrabbeld: 'Het recht van de vrouw om zelf het heft in handen te nemen. Liefs, R.' De volgende dag belde hij op, hoewel hij geen woord zei over de kaart. Een keer of wat belde ze hem op en legde neer voor de piep van het antwoordapparaat. Klik. Beide keren belde hij 's avonds en kwam naar haar toe. Ze wist zeker dat hij wist dat zij het was geweest maar er werd met geen woord over gerept, alleen met een grijns. En dan was er natuurlijk nog wat zij beschouwde als de bijzondere macht van haar fantasieën. Dit was waarschijnlijk een waanidee, dat wist ze best, maar er waren genoeg keren dat ze een van haar scenario's in elkaar had gezet, zo overweldigend dat ze de rest van de dag als een slaapwandelaarster rondliep, en dat Joshua was komen opdagen en op een griezelige manier was begonnen het na te spelen, waarbij hij soms dezelfde woorden gebruikte die zij bij de handeling had verzonnen. Op de een of andere manier, dacht ze, moest ze invloed hebben gehad op wat er gebeurde, hoe het gebeurde, het op de een of andere manier in de juiste richting hebben gestuurd, en er is hoe dan ook maar een bepaald aantal dingen dat twee mensen met elkaars lichaam kunnen doen en maar een bepaald aantal clichés dat bij een handeling past. Toeval.

Zo ging het twee volle jaren door, jaren waarin Carrie leerde lezen en haar veters strikken en mensen met echte gezichten tekenen. Terwijl ze van een kind van vijf, half baby, half mens, in een zelfverzekerd, competent meisje van zeven veranderde, leerde Rachel wachten. Hij belde, zij zei ja. Er waren geen andere mannen in haar leven – ze ontmoette weinig mensen, niemand die haar genoeg interesseerde voor zelfs maar één nacht – dus ze was altijd beschikbaar, een feit dat haar een beetje hinderde. In het begin was ze in de wolken en bleef bij haar verhaal dat ze een vrije, seksuele relatie zonder verplichtingen had.

'Hoe gaat het met je duivelse minnaar?' vroeg Becky bij voorbeeld door de telefoon.

'Fantastisch. Hij komt laat, we vrijen verrukkelijk en hij gaat voor het ontbijt weg, zoals dat een duivelse minnaar betaamt. Kan een mens nog meer verlangen?' antwoordde Rachel vrolijk.

'Komt hij altijd onverwacht?'

'God, nee! Hij belt eerst op om te vragen of ik niets anders te doen heb. Hij is uitermate geciviliseerd.'

'Wat opwindend,' zei Becky dan, 'maar zo blijft het natuurlijk niet.'

'Mallerd,' lachte Rachel.

In werkelijkheid was Rachel niet zo zeker van haar zaak. Wat ze tegen Becky zei was waar. Ze wilde hem niet *meer* zien, niet als 'meer' samen naar de bioscoop gaan betekende, uit eten gaan of lange wandelingen in het park maken. Ze hadden een time-out gecreëerd, een gat in de ruimte waar ze elkaar ontmoetten om uitsluitend dat te doen wat ze wilden doen. De sociale finesses waren overbodig. Het was een veilig toevluchtsoord, zonder emotionele complicaties. Soms stelde Rachel zich voor dat ze aan een nieuwe verhouding zou beginnen – zo'n traditionele verhouding waarbij twee mensen elkaar ontmoeten en een wazige luchtbel van gevoel creëren, lieve dingen tegen elkaar mompelen, in de regen lopen terwijl ze zich vol spanning verheugen op een warm bad en dan samen naar bed, uitvoerig tafelen in schemerige, vriendelijke restaurants terwijl ze hevig naar elkaar hunkeren. Rachel wist nog heel goed hoe dat was, ze had het een paar keer gedaan. Ze herinnerde zich hoe de tijd – en niet zo erg veel tijd – het waas had weggeblazen en alleen maar twee hunkerende mensen had onthuld die niets met elkaar gemeen hadden, herinnerde zich nog precies hoe ze op een ochtend wakker was geworden en zich met een woedende blik op de man in haar bed had afgevraagd: 'Wat moet ik met die man?' En daarna de pijnlijke bezigheid van het uitmaken, het terugnemen van de gefluisterde liefkozingen en de beloften over een toekomst. God, hoe maak ik me hiervan af? Gênant, onaangenaam gedoe. De herinnering eraan, de gedachte dat ze dat ooit weer zou moeten doen, bezorgde haar rillingen van weerzin. Die wazige, seksuele opwinding die voor een tijdje inderdaad wel leuk was, was nu voorgoed bedorven door de wetenschap hoe zulke dingen aflopen. Niet iets om naar te hunkeren, maar iets om als de dood voor te zijn. Goddank hoefde ze daar bij Joshua niet bang voor te zijn. 'Kinderspelletjes,' was het woord waarmee hij traditionele liefdesrelaties beschreef.

Dus dat was niet wat ze wilde. Een seksuele verhouding, geen liefdesrelatie, was wat ze had en wat ze wilde, maar haar volstrekte gebrek aan zeggenschap over het verloop van de verhouding begon haar steeds meer dwars te zitten. Natuurlijk was het gebrek aan zeggenschap het *sine qua non* van de manier waarop ze met elkaar naar bed gingen. Om consequent te zijn moesten zijn overheersing en haar onderworpenheid, ook worden weerspiegeld in de wijze waarop ze hun ontmoetingen regelden. Maar haar gevoelens daarover waren niet consequent; ze wilde, ze had zijn heerschappij over haar lichaam nodig, maar niet over haar leven. Ze kwam tot de conclusie dat ze een part-time masochiste was, een amateur. Dat deel van haar dat een normaal leven leidde, wilde niet slaafs onderworpen zijn aan een man en begon zich ertegen te verzetten. Maar wel in stilte. Ze wilde Joshua niet kwijt, nog niet. Ze kende de regels en een tijdlang geloofde ze dat ze zich daaraan kon houden. Ze peurde een klein beetje zelfachting uit het idee dat ze, door zich te onderwerpen aan zijn spelregels, hem in werkelijkheid evenzeer gebruikte als hij haar. Het was een tikkeltje theoretisch, maar een tijdlang had ze er genoeg aan.

Ondertussen kwam hij zeer geregeld langs en dan dronken ze wijn, maakten grapjes, prikkelden elkaars intelligentie en voerden hun ceremoniëlen uit. Er veranderde niets, er ontwikkelde zich niets, er bleef niets hangen. Ieder bezoek stond op zichzelf. Zeker, ze kwamen meer over elkaar te weten, maar dat had geen waarneembare uitwerking op de toon van hun ontmoetingen. Er groeide niets, ze hadden een reeks van éénnachtsverhoudingen, er viel niets te bespeuren van de vertrouwelijkheid die je verwacht bij mensen die jarenlang met elkaar omgaan. Ze stond er versteld van dat Joshua de situatie zo rustig en stabiel wist te houden. Want dat kwam beslist door hem. Zij was geneigd tot intieme grapjes en toespelingen, zij genoot van behaaglijke vertrouwelijkheid – zolang als het duurde. Het was absoluut duidelijk dat Joshua's aanpak de duurzaamheid van hun relatie in de hand werkte. De schellen zouden haar niet van de ogen vallen, omdat ze niet genoeg van hem te zien kreeg om de signalen op te vangen waardoor dat gebeurde. Slimme Joshua, die vent is een genie, dacht ze somber. Ze kon die dag boos zijn geweest of naar hem verlangd hebben, naar hem gesnakt hebben, maar iedere keer dat ze de deur opendeed stond hij daar, zo neutraal, zo op en top de oppervlakkige kennis – en dan verdwenen de woede en het verlangen op slag. Als ze ergens naar verlangde wanneer ze hem in de deuropening zag staan, was het boosheid, of geilheid, of razernij. Wat ze kreeg, van haar zelf zowel als van hem, was wellevendheid.

Wat voor de toon van hun relatie gold, gold ook voor de seks. Ze moest er iedere keer opnieuw aan wennen. Ze was altijd de vriendelijke, niet flirterige cynica die absoluut niet aan seks dacht – afgezien van een flikkering bij haar mondhoeken misschien – die door aanrakingen en bevelen tot sensualiteit gedwongen moest worden. Eerst moest dat knopje worden omgedraaid in Joshua's stem, dan in haar hele wezen. Ze moest gebroken worden, haar zelfverzekerdheid moest worden aangetast en verwoest. Waar Joshua zich in verlustigde was het breken van een sterk, intelligent en gelijkwaardig menselijk wezen; de transformatie daarvan in een kind-hoertje dat niet meer uit haar woorden kon komen van verlangen, overweldigd door haar eigen seksualiteit, dat hij kon laten smeken om pijn en bevrediging. Joshua de tovenaar, de geweldenaar met het toverstafje en de geheime rituelen waardoor vorm tot vormeloosheid werd.

En datgene waarin Joshua zich verlustigde was precies wat zij zelf wilde. Seks was voor Rachel een manier, de enige manier, om weg te glippen uit de beheerste, geharnaste persoonlijkheid die ze was. Seks was toestemming om je te laten gaan, een verlangend, begerig klein meisje te worden dat eisen stelde en die liet vervullen. Ze kon zich veilig laten gaan omdat Joshua de baas was en het was de enige manier waarop ze dingen kon zeggen of voelen die in het dagelijks leven onmogelijk waren. Rachel had nog nooit 'Ik hou van je' tegen een man gezegd. Niet sinds haar vader. Het was een frase die niets betekende, zou ze indien nodig uitleggen. Helemaal niets. Maar die rechtvaardiging daargelaten had de uitdrukking 'Ik hou van je' domweg nooit over haar lippen kunnen komen; ze kon die niet uitspreken in het kille daglicht, alsof een toverformule verhinderde dat die speciale combinatie van woorden zich liet zeggen. Tijdens het orgasme kon ze ze zeggen; niet spontaan, maar alsof ze eindelijk uit haar losbraken. Ze kwamen voort uit de contracties van haar baarmoeder en haar aangespannen kut, niet uit haar hoofd. Het orgasme gaf de toestemming. Later, nadat ze telkens weer hijgend 'Ik hou van je, ik hou van je' had gezegd en zich stijf aan Joshua had vastgeklampt, schaamde ze zich, geneerde zich over de echo van die woorden.

'Ik neem aan dat er speciale bepalingen zijn voor wat er tijdens het orgasme wordt gezegd. Ik ga ervan uit dat dat uit de handelingen wordt geschrapt,' zei ze luchtig in de stilte, nadat het voor het eerst was gebeurd.

'Absoluut,' zei Joshua glimlachend in het schemerige licht.

Ze nam aan dat hij die capitulatie wilde en bood er een tijdje weerstand aan, maar niet lang. Ze bood nooit lang weerstand.

De fatale zwakke plek in sadomasochisme, in spelletjes van overheersing en onderworpenheid, is gelegen in de bereidheid van het slachtoffer. Het laatste dat een sadist nodig heeft is een masochist; de enige die een masochist niet kan verkrachten is de uitverkoren sadist. Ze kunnen in heimelijke verstandhouding net doen alsof de een helemaal dominant is en de ander onderworpen, maar de toestemming die beiden de ander geven ontkent de eenvoud van hun rollen. Rachel begon in te zien dat haar bereidheid zich te laten slaan en overweldigen haar op paradoxale wijze macht over Joshua gaf. Als hij zijn fantasieën in de hand wilde houden en er toch vorm aan geven, dan had hij iemand zoals zij nodig om het toe te staan, het te begrijpen en op de juiste manier te reageren, terwijl haar aanvaarding van hem hem tegelijkertijd onthield wat hij werkelijk wilde – echt pijn doen, kapotmaken. Ze speelden een pantomime en dat wisten ze allebei, hoewel het niet mocht worden uitgesproken. Ze waren een stel erudiete post-Freudianen, die bij elkaar in therapie waren. Uiteindelijk kwam het erop neer dat ze goed voor elkaar waren. Dat begon Rachel tenminste in te zien. Wat Joshua wenste in te zien was niet duidelijk. Ze nam aan dat hij het wist en zich behielp met deze rituelen. Daar waren rituelen voor: om de onderliggende inconsistenties te verhullen met zwart-wit-theater.

Toen, na een schijnbaar eindeloze, onveranderlijke relatie van bijna twee jaar, belde Joshua ineens niet meer. Er was geen duidelijke reden; de seks, de humor waren net als anders geweest, ze had geen eisen gesteld. De laatste keer dat hij wegging was er geen reden om te denken dat ze hem over een paar weken niet terug zou zien.

De moeilijkheid met het soort verhouding dat ze met Joshua had, is dat je onmogelijk kunt vaststellen wanneer die precies voorbij is. Hij belde een hele maand niet op, langer dan anders; toen werden het twee maanden, ongehoord maar nog steeds geen reden om te denken dat hij vanavond, morgenavond niet zou bellen. Op welk punt zeg je: nou, dat was het dus, het is afgelopen, hij belt niet meer – en geloof je het ook? In het bijzonder als je het niet wilt geloven. Soms liet ze deze gedachte om een hoekje van haar verstand te voorschijn kruipen, trachtte hem tot realiteit te maken: *je zult Joshua nooit meer zien*. Ze kon het niet verdragen, ze was er gewoon niet aan toe om hem nooit meer te zien; als ze Joshua niet had, had ze niets. De gedachte: voortaan geen Joshua meer, vervulde haar met doodsangst; de rest van haar leven werd een vacuüm, een leegte die niet te overleven viel. Haar gezonde verstand hield haar de troost voor dat er onvermijdelijk andere dingen zouden gebeuren, andere mannen, of gewoon het verstrijken van de tijd waardoor Joshua's macht over haar zou afnemen. Terwijl ze op een bepaald niveau wist dat dit waar was, hielp het niet om de wanhoop die ze voelde te verminderen. Andere mannen zouden niet hetzelfde zijn als Joshua; ze geloofde dat iets in haar voortaan altijd naar hem zou verlangen, wanneer ze met andere mannen naar bed ging; wat iemand anders ook was of deed, hij zou altijd worden vergeleken met Joshua, met wat die voor haar deed. De toekomst veranderde in levenslange gevangenisstraf en ze durfde nooit echt over zijn permanente afwezigheid na te denken. Die gedachte werd weggestopt onder het gevoel dat hij wel terug zou komen, zo niet vanavond, dan toch de volgende week, de volgende maand.

Dit was niets voor Rachel, het verbaasde haar net zoals het haar verbaasde wanneer ze voorover ging staan om zich op haar billen te laten slaan. Een centraal axioma van haar leven was dat je de harde werkelijkheid onder ogen zag, of die je beviel of niet. Allereerst onderzocht je de gedachten die je niet wilde denken, want waarschijnlijk was daar de waarheid te vinden, als er al zo iets bestond. Zien hoe de dingen *werkelijk* zijn was misschien Rachels favoriete manier om zich zelf te kwellen, maar toch wist ze dat het van het grootste belang was. Mensen vertelden zich zelf verhalen, kneedden de realiteit tot een aanvaardbare vorm teneinde te overleven, ze zwoegden als bezetenen om hoop, verwachting en toekomst te scheppen uit alles behalve het bewijsmateriaal dat hun ogen en hun ervaring aandroegen.

Rachels verwerpen van geïnstitutionaliseerde hoop was een essentieel onderdeel van haar persoonlijkheid, maar kwam misschien evenals dwangmatig optimisme voort uit vrees. Becky wees haar daar eens op toen ze Rachel gezelschap hield tijdens een van haar zwaardere depressies. Rachel, in zich zelf opgesloten en ontoegankelijk, had steeds weer gemompeld: 'Je moet jezelf de waarheid vertellen. Je moet de koude, harde lelijke feiten onder ogen zien. Anders raak je verstrikt in een web van sentimentele leugens.'

Becky was haar zachtjes in de rede gevallen: 'Maar jij gaat ervan uit dat de waarheid alleen maar lelijk en pijnlijk kan zijn. Misschien is dat jouw manier om jezelf voor te liegen. Je laat geen enkele waarheid toe die wel eens positief zou kunnen zijn. Misschien bestaan er ook wel aangename waarheden.'

Rachel erkende zwijgend de logica hiervan, maar toen noch later werd het iets dat ze werkelijk kon voelen. Ze bleef steken in de vrees dat het geloof in generositeit, liefde – goedheid – wat Becky ook mocht bedoelen, levensgevaarlijk zelfbedrog was, een manier om jezelf te troosten vanwege het rampspoedige feit dat je leefde. Het was een vorm van vrijwillige blindheid waarvoor Rachel banger was dan voor wat ook. Toch kwam het van tijd tot tijd bij haar op dat haar hardnekkige hang naar troosteloosheid misschien ook een waarheid was die ze onder ogen moest zien.

Maar hoezeer ze ook vastzat aan de grauwe werkelijkheid, toch kon ze de permanente verdwijning van Joshua niet langer dan een paar paniekerige momenten onder ogen zien, hoe ze haar best ook deed. En dat beangstigde haar. Het was een bewijs van haar geobsedeerdheid en dwong haar ten slotte in te zien dat ze in een toestand verkeerde waarin ze nog niet eerder had verkeerd. Ze voelde zich gespeend van ervaring of hulp. Ze was ergens verzeild geraakt waar ze gedacht had dat ze nooit terecht zou komen. Dit gebeurt mij niet, dacht ze telkens weer; dit ben *ik* niet. En ik weet niet wat ik eraan moet doen. Enfin, het deed er niet toe hoe je het noemde, er was een bres geslagen in de muren van de ongenaakbare Rachel, en ook al stortten die niet meteen in elkaar, het kostte haar de grootst mogelijke moeite om de kieren dicht te metselen.

Aan Isobel had ze niet veel; dat was net zo'n voorstandster van onafhankelijkheid als Becky van de liefde. Rachel had Isobel in het begin van de verhouding over Joshua verteld, zij het in tamelijk vage bewoordingen.

'Er is een nieuwe man in mijn leven. Nou ja, "in mijn

leven" is een beetje veel gezegd. Er is iemand waar ik mee omga. Hij komt af en toe bij me langs.'

'Nou,' zei Isobel zakelijk, 'ik hoop dat hij aardig voor je is.'

Tjee. Niet precies.

'Het gaat om seks, geen liefde met een hoofdletter. We hebben het leuk samen en het is, eh, spannend.'

Isobel, die thee zat te drinken op Rachels sofa, ving de uitdrukking op die Rachels ogen maar half trachtten te verbergen.

'Spannend?' vroeg ze, terwijl ze aandachtig een slokje van haar thee nam.

'Een tikkeltje pervers. Maar ik kan het wel aan,' stelde Rachel haar snel gerust, 'het is echt volkomen veilig. Alleen een beetje ritueel slaan. Tja, je moet nu eenmaal dingen van jezelf onder ogen zien als die zich voordoen, vind je niet?' zei ze uitnodigend. 'En ze doen zich nu voor.' Ze deed een beroep op Isobels even grote behoefte om zich zelf de waarheid te vertellen. Het werkte niet. De Isobel die haar moeder was, al veel langer dan haar echte moeder dat was geweest, voelde zich aangesproken.

'Wat bedoel je precies met "pervers"?' met een gezicht dat strak stond van de inspanning om beheerst te lijken, op een toon die overdreven voorzichtig was. Ze wilde het antwoord niet weten.

'Nou, hij is nogal sadistisch aangelegd. Hoor eens, het kan geen kwaad! Echt niet.'

Isobel keek Rachel strak aan, met haar lippen stijf op elkaar geperst om een onverhoedse reactie te voorkomen. Ze was een vrouw van begin zestig, die zich kleedde met de zorgvuldige elegantie van de succesvolle wetenschapper, in dure kleren die zodanig waren ontworpen dat ze de aandacht niet afleidden van de présence van de opmerkelijke vrouw die ze droeg, het haar geraffineerd in een degelijk, maar flatteus borstelig kapsel geknipt.

'Het verbaast me enorm dat jij, notabene jij, in zo iets verzeild bent geraakt. Dat is toch niets voor jou. Zulke dingen zijn gevaarlijk, Rachel!'

'Niet waar. Echt niet. Het is een soort ceremonieel. En hij heeft zich zelf volkomen in bedwang. Ik kan het niet goed uitleggen, maar ik weet het zeker. Het gaat niet alleen om het vrijen, ik kan ook goed met hem opschieten; ik bedoel, als we niet neuken en zo, dan praten we – net alsof er niets gebeurd is, en dan is hij spits en geestig en ik ook.' Rachel voelde zich belachelijk. Ze had Isobel ontgoocheld. Isobel was bezorgd maar ook teleurgesteld in haar.

'Dus je laat die man god weet wat met je doen – misschien bindt hij je wel vast, misschien ranselt hij je af – om een geestige conversatie te kunnen voeren. Je bent gek.'

'Dat kan best zijn,' zei Rachel verstrakkend. 'Hoe dan ook, het is niet voor eeuwig. Als het over iemand anders ging zouden we er nu over zitten roddelen en lachen. En dan zou jij hoofdschuddend zeggen: "Enfin, iedereen moet nu eenmaal doen wat hij niet laten kan." Dan zouden we het komisch vinden en er beschouwingen aan vastknopen en rustig afwachten tot ze er genoeg van kregen. Waarom gaat dat dan voor mij niet op?'

Domme vraag. Maar Rachel wist ook nooit precies met welke Isobel ze wilde praten en dat werd nog ingewikkelder gemaakt door haar onzekerheid, wie Isobel op een willekeurig moment was: een verwarring die Isobel, dacht ze, ook kende. Rachel wist nooit goed hoe ze haar tegenover anderen moest beschrijven – mijn vriendin Isobel, mijn pleegmoeder. Vanwege het leeftijdsverschil en de langdurigheid en diepgang van hun relatie was 'vriendin' een zwakke, onbevredigende beschrijving; maar het klonk belachelijk en pedant als een vrouw van eenendertig het over haar 'pleegmoeder' had.

De Isobel, die tegenover Rachel zat in de flat, was duidelijk 'moeder' en zou meer dan 'Daarom' moeten zeggen op Rachels vraag.

Op dat moment veranderden ze van onderwerp en Joshua kwam niet meer ter sprake. In die eerste twee jaar vroeg Isobel af en toe, op een toon waaruit duidelijk bleek dat ze niet meer verlangde dan een exact antwoord op haar vraag: 'Zie je die – die man nog wel eens?'

Dan antwoordde Rachel afgebeten: 'Ja, die zie ik nog geregeld,' waarna ze van onderwerp veranderden. Isobel kende Joshua's naam niet eens.

Maar nu zag ze hem niet meer en Rachel moest besluiten op welk moment het antwoord op Isobels vraag zou moeten luiden: 'Nee, die zie ik nooit meer.' Ze wilde de opluchting niet zien die zich over Isobels gezicht zou verspreiden, wilde niet toegeven tegenover zich zelf, wat in wezen een openlijke erkenning inhield, dat het afgelopen was. Na drie maanden legde ze die verklaring toch af. 'Nee, die komt nooit meer,' en Isobel, die niet de gewoonte had de dingen te verbloemen, zei: 'Mooi zo,' op besliste definitieve toon.

'Ik vind het anders helemaal niet mooi,' antwoordde Rachel, terwijl ze Isobel strak aankeek. 'Hij is degene die niet meer wil. Ik heb niet gezegd dat ik hem niet meer wou zien, want ik wil hem helemaal niet kwijt. Ik kan niet zomaar "nee" zeggen, want daar meen ik niets van.'

'Nou, hij komt vast wel weer terug. Ik ken dat soort,' antwoordde Isobel. Dit was geen troost, meer een grimmige uitspraak om zich zelf eraan te herinneren hoe onmogelijk mensen zijn, in het bijzonder waar het seks betreft. Ze beschouwde Rachel als iemand die te goed op de hoogte was, te veel wist van het leven, om haar tijd aan gevoelsrelaties te verspillen.

'Je lijdt aan een seksuele obsessie. Als vrouwen dat hebben is er niets aan te doen,' zei ze.

O jee, gedegradeerd tot zomaar een 'vrouw'. Waar was de sterke, onafhankelijke Rachel, die tegen de verdrukking in had weten te overleven, bestemd om meer te worden dan louter onderwerp van lichamelijke begeerte? Foei Rachel, juist jij zou toch beter moeten weten!

'Nou, ik hoop dat je gelijk hebt, Isobel, want ik wil hem terug en ik wil helemaal niet suggereren dat mijn obsessie meer is dan primitieve seksuele lust. Ik verkeer absoluut niet in de veronderstelling dat ik mijn mystieke andere helft heb gevonden. Als jij een manier weet om van een seksuele obsessie af te komen wil ik die graag van je vernemen, want het is verdomd onaangenaam.'

Rachel, vechtend voor haar recht om een gewone klungel te zijn, net als iedereen, vond zelf ook dat ze dubbelzinnig klonk. Ze wilde ervan af maar ze was er niet vanaf, zo zat het. Ze was net zo misselijk van zich zelf als Isobel. Ik wil niet zo zijn, mompelde ze tegen zich zelf nadat ze de hele middag gemasturbeerd en gefantaseerd had, hoe kan ik zorgen dat dit ophoudt? Wilskracht natuurlijk, maar voor de eerste keer in haar leven sloeg wilskracht nergens op. Of ze bezat helemaal geen wilskracht, of je had er onder deze omstandigheden niets aan. Hoe was ze er dan in geslaagd al het andere te overleven? Was dat dan toch alleen maar geluk geweest, had het niets te maken met wie ze was? Ze herinnerde zich dat een psychiater eens tegen haar had gezegd, nadat ze in snelle galop haar kinderjaren en puberteit voor hem had doorgenomen: 'U hebt ontzettend geluk gehad dat u niet psychotisch bent geworden. Ik denk dat dat alleen voorkomen is door uw sterke werkelijkheidsbesef.'

Geluk? Of wilskracht? Waar was haar sterke werkelijkheidsbesef gebleven nu ze dat het hardst nodig had?

In dat halve jaar ging er geen dag voorbij dat ze niet aan Joshua dacht. Als ze 's morgens wakker werd zat hij al gegrift in haar gedachten, was een herinnering of verlangen al half gedacht. Ze kwam de dagen door, werkte met Pete, was met van alles bezig; maar er was altijd een klein hokje met Joshua erin dat op een computer leek, die gonzend bezig was herinneringen, dromen en hoop te ordenen en te ziften. Ze vroeg zich zelden af *waarom* Joshua niet meer kwam, uit verveling nam ze aan en dat vond ze begrijpelijk – alles gaat vervelen. Ze interesseerde zich zelfs helemaal niet zo erg voor Joshua's leven; ze werd gefascineerd door wat hij was, niet door wat hij deed. Ze wist dat hij er andere vrouwen op na hield, meende dat het mogelijk was (hoewel onwaarschijnlijk) dat hij verliefd was geworden op iemand, dat hij ziek was, dat hij dood was. Maar jaloezie en bezorgdheid namen maar weinig plaats in haar gedachten in. Het kon haar werkelijk niet schelen met wie hij nog meer naar bed ging, of hoe, en of hij naar de film ging of dat hij koorts had; ze wilde alleen maar dat hij bij haar zou zijn, met haar neuken, grapjes met haar zou maken in hun eigen kleine hokje. Een paar keer gilde ze hardop door haar lege flat: 'Joshua moet komen,' en voelde zich naderhand maar een klein beetje belachelijk.

De tijd heelde niets. Ze zat een half jaar te wachten tot de telefoon zou gaan, al die tijd met dezelfde intensiteit. Ze kwam een paar mannen tegen met wie ze naar bed ging, maar ze vond er nooit iets aan. Ze kwam wel klaar, maar dat was niet genoeg. De tijd dat een orgasme genoeg was, was voorbij. Als ze weggingen was ze er nog erger aan toe en lag in haar eentje in bed, zo gefrustreerd en zo geil alsof ze er helemaal niet waren geweest. Des te erger, omdat ze wist dat ze niet kon krijgen waaraan ze werkelijk behoefte had. Met andere mannen naar bed gaan was een parodie op wat er zou moeten gebeuren en herinnerde haar alleen maar aan wat ze niet had – niet meer. Haar orgasmen raakten doortrokken van razernij, ze werden tot woede, woedeuitbarstingen. Ze besloot dat ze beter af was zonder en bevredigde haar seksuele behoeften voortaan zelf; dat was nauwelijks minder aangenaam.

'Hij komt natuurlijk niet meer omdat hij te erg aan je gehecht begon te raken en daar is hij bang voor. Jij betekende echt iets voor hem,' zei Becky troostend.

Rachel haalde diep adem. 'Daar klopt niets van. Hij komt gewoon niet meer omdat hij geen zin heeft en dat is dat. Die romantische versie van Joshua Abelman is erg aantrekkelijk maar hij klopt gewoon niet. Het is geen mysterieuze, romantische held die strijdt tegen een groot innerlijk verlangen naar mij. En wat komt er dan ook weer? O ja, hij is ooit eens verschrikkelijk gekwetst door een vrouw en durft zich nooit meer aan iemand te geven. Misschien is dat nog waar ook in diepere, structurele zin, maar het is niet relevant en ik heb er niets aan. Hij is me twee jaar lang komen opzoeken om met me te neuken, omdat ik daar goed in ben en omdat hij vindt dat ik een lekker lichaam heb. En toen ging het hem vervelen. Einde. Geen grootse climax.'

'Dat geloof ik niet,' hield Becky vol, terwijl ze het schuim van haar cappuccino lepelde. 'Hij is al die tijd blijven komen en jullie konden echt goed met elkaar opschieten. Hij wil het gewoon niet toegeven.'

'En dat is genoeg,' reageerde Rachel grimmig. 'Hij is zoals hij is. Als hij beschadigd is, en dat is inderdaad het geval, dan is dat gebeurd. Hij hecht zich niet aan mensen. Het doet er niet toe waarom niet. Hij hecht zich niet. Ik heb er gewoon niets aan om over Joshua's gevoelens te fantaseren. Er is geen enkele reden om te hopen en ik ben niet van plan om dromen over "diep in zijn hart houdt hij van me" door de onaangename waarheid heen te weven. Dan word ik helemaal gek.'

Becky keek teleurgesteld. Ze vond Rachels minimalistische kijk op het leven verkillend. 'En wat ga je nu doen?' vroeg ze.

'Niets. Er zit niets anders op dan er verder mijn mond over te houden. Er valt niets meer te zeggen. Ik wil helemaal niet dat hij in zijn hart van me houdt, ik wil hem alleen maar zien. Aangezien dat niet kan zal ik allang blij zijn als

die obsessie voorbij is. Waarom kan ik daar niet mee ophouden?'

Becky waagde het niet het woord liefde in haar mond te
nemen, hoewel dat naar haar mening Rachels toestand sa-
menvatte. Becky had het altijd wel leuk gevonden om verliefd te zijn. Rachel, dat wist ze, beschouwde verliefdheid
als een soort influenza, een ziekte waarvan je snel of minder snel genas. Becky kon zomaar 'ik ben verliefd' zeggen
en dan was dat een genoegen om te zeggen, niet iets dat
haar ontwrongen werd als ze het niet meer uithield. Becky
had niets tegen liefde, ze genoot er alleen maar van. Ze was
maar drie keer op een man verliefd geweest; de eerste was
ze kwijtgeraakt aan iemand anders, de tweede had ze in de
steek gelaten voor haar huidige geliefde, William, met wie
ze inmiddels vijf jaar samen was. De afwijzing door de een
en het afwijzen van de tweede hadden haar op verschillende manieren verdriet gedaan en de opwinding met William
was niet stralend en gloednieuw meer. Ze wist dat er in een
relatie dingen mis konden gaan, dat gevoelens veranderden, maar ze weigerde te geloven dat dit onlosmakelijk met
liefde verbonden was. Ze kende niet dat gevoel dat er onherroepelijk een eind aan kwam, zoals Rachel. Dat het
twee keer fout was gelopen betekende niet dat haar liefde
met William ten dode was opgeschreven. Zelfs het verlies
aan intensiteit was niet fataal, dat zag ze als een omkeer-
baar proces; in tegenstelling tot Rachel, die tot in haar
merg wist dat het voorbij was zodra de glans eraf was, dat
het dan afgelopen was en tijd om ermee op te houden.
Becky was ervan overtuigd dat haar relatie met William
zou voortbestaan, zij het anders. Ze dacht nooit over ein-
den, alleen over voortzettingen en als het uiteindelijk fout
ging moest je je aanpassen naar gelang en wanneer dat nodig was; je moest er niet van tevoren rekening mee houden.

Deze dialoog tussen Rachel en Becky was al aan de gang
sinds ze voor in de twintig waren en zelfs toen hadden hun

standpunten al vastgestaan. Becky vroeg zich dikwijls af of er ooit een kleine Rachel met stralende ogen was geweest, die in feeën geloofde en in de onvermijdelijkheid van de bezoeken van de kerstman. Rachel vroeg zich af hoe het mogelijk was dat de kerstman zo onvoorwaardelijk bij Becky langs was gekomen dat ze nog altijd in hem geloofde. Maar uiteindelijk vond ze toch dat het maar goed was dat ze had geleerd dat je niet van die wonderen opaan kon, en dus het verschrikkelijke verdriet vermeed wanneer de kerstdag aanbrak waarop de kerstman geen cadeautjes voor je had mee gebracht. Beide vrouwen zagen de aantrekkelijkheid en de redelijkheid van het standpunt van de ander in; ergens in haar achterhoofd wenste de een dat ze wat meer gepantserd was, de ander dat ze een beetje minder op haar hoede was, maar in de grond wisten ze allebei dat *zij* gelijk hadden.

Becky begon over iets anders. 'Ik ga volgende week naar de presentatie van het nieuwe boek van Donna Saunders. Ga je mee? Alleen vrouwen, maar ik mag een vriendin meebrengen! Cissy belde op en zei dat ze een heleboel mensen uitnodigde, maar geen mannen. Het is een feest voor het derde geslacht.'

'Wat een genot! Ja, dolgraag. Gaan we als crypto-hetero's?' zei Rachel grijnzend.

'Best. Ze zullen ontzettend tolerant zijn zolang we er niet mee te koop lopen. Het is aanstaande dinsdag. Laten we van tevoren iets gaan drinken. Hoe gaat het overigens met die jongen die je aan het bijwerken bent?'

Rachel trok een gezicht.

'Misschien moeten we die maar meenemen naar dat feestje. Dat zou reuzegoed zijn voor zijn opvoeding. Ach, hij komt tamelijk geregeld. Het is een ontzettend aardig joch, heel bijzonder, maar ik denk niet dat hij het haalt. Hij wankelt voortdurend op het randje van zich zelf en de situatie in het tehuis verslechtert. Het ziet er niet zo best uit.'

'Bedoel je dat hij het examen niet haalt?' vroeg Becky.

'Nee, dat is allang van de baan. Ik bedoel het leven. Hij zit zo met zich zelf in de knoop en hij heeft echt niemand.'

'Hij heeft jou toch.'

Rachel antwoordde langzaam: 'Ja, maar niet op de manier waarop hij iemand wil hebben of nodig heeft. Hij beschouwt me geloof ik wel als een vriendin, maar wat ik hem te bieden heb is verschrikkelijk weinig. Wat hij nodig heeft is een eigen thuis, iemand die helemaal voor hem zorgt. Dat kan ik hem niet geven, het zou niet fair zijn tegenover Carrie en bovendien zou hij verschrikkelijk gaan afreageren. Iemand zou met hem in de clinch moeten en dat zou ik geen vierentwintig uur per dag kunnen.'

'Maar jij bent ook maar twee uur per dag verantwoordelijk voor hem. Je wordt er niet voor betaald om hem te redden, alleen om te proberen hem iets bij te brengen. Volgens mij kun jij het absoluut niet aan om andermans puin te ruimen,' waarschuwde Becky.

'O, dank je. Nee, dat weet ik ook wel. Maar ik zit er verschrikkelijk mee. Je hebt gelijk, ik kan hem niet adopteren, dat is gewoon uitgesloten en alles wat minder is, is gewoon niet genoeg.' Ze zweeg even, toe zei Rachel glimlachend: 'Herinner je je de dag dat we elkaar hebben leren kennen, onze eerste dag in de docentenkamer?'

Becky kreunde. 'God ja, die urenlange docentenvergadering en die vreselijke vrouw die de nieuwe docenten instructies gaf over "het gezagsapparaat" en over tucht en orde.'

'Nu ik erover nadenk,' zei Rachel met een ondeugend lachje, 'begrijp ik niet waarom ik daar toen zo tegen was; het klinkt juist alsof het echt iets voor mij is. Maar toen kwamen de kinderen, weet je nog? En het enige dat we konden doen was ons staande houden in de chaos. Honderden analfabete, hopeloze kinderen en het enige dat erop zat was ze rustig houden.'

Becky deed haar ogen dicht toen ze eraan terugdacht.

'De eerste helft van dat trimester heb ik in een shocktoestand geleefd. Ik was zo onnozel. Ik had voor die tijd alleen maar les gegeven op die particuliere school. Ik had nog nooit kinderen meegemaakt die vonden dat leren geen enkele zin had.'

'Aan het eind van de dag zaten we in jouw auto, weet je nog wel, en toen kregen we de slappe lach. We hebben daar een hele tijd zitten gillen van het lachen. Ik denk niet dat ik het daar overleefd had zonder jou.'

'En Amanda, de remedial teacher,' herinnerde Becky zich. 'Die keer dat Amanda de docentenkamer binnen kwam stormen nadat ze een stel kinderen op les had gehad, en brulde: "Deze kinderen zijn een schande voor het socialisme!"'

'De goeie ouwe tijd.' Rachel lachte flauw. 'Ik moet er vandoor, over een half uur krijg ik Pete op les.'

'Pas goed op jezelf,' lachte Becky terug. 'Tot dinsdag, als ik je voor die tijd niet meer zie.'

Rachel wuifde ten afscheid, betaalde de rekening en ging het café uit. Toen ze uit de warme, bedompte lucht van het pseudo-Parijs kwam viel de koude klamme lucht van het grauwe Londen als een baksteen boven op haar.

Pete's crisis bereikte zijn hoogtepunt in de tijd dat Joshua niet kwam. Ze gaf hem inmiddels twee jaar les en in de beginfase hadden ze geprobeerd voor het staatsexamen te werken. Hij werd in het bijzonder geïntrigeerd door maatschappijwetenschap, zeker toen ze over groepsidentiteit begonnen te discussiëren. Hij had eerst bezwaar aangetekend tegen het idee dat zijn uiterlijk een teken van conformisme aan een subcultuur was.

'Ik loop in deze kleren omdat ik ze mooi vind.'

'Ja, maar als je in 1969 zestien was geweest. Denk je dat je ze dan ook had gedragen?' vroeg Rachel.

'Nou, ik had er in elk geval niet bij gelopen als zo'n stomme hippy, en ik durf te wedden dat jij dat wel deed,' grijnsde hij.

'Goed geraden, dat was ook zo. Maar je kon nog andere modes kiezen. Hoewel er toen nog geen skinheads waren. En wat mensen toen droegen zag er op dat moment goed uit, net zoals jij nu. Dus in '69 konden we kiezen: je had hippy's, en mods, en je kon ook nergens aan meedoen. Maar al die stijlen waren een uniform waaruit mensen konden opmaken wie we hadden besloten te zijn.'

'Oké,' gaf hij toe, 'maar omdat ik toevallig deze kleren draag hebben andere mensen nog niet het recht te denken dat ik net zo ben als iedereen die ze draagt. Ik sla geen mensen in elkaar, ik doe niet aan Pakistani's rammen en zo. Ik heb niks tegen zwarten, maar als die me over straat zien lopen en het is er meer dan één, dan komt er altijd rotzooi van.'

'Nou, wat wil je dan dat mensen van je denken? Waarom draag je die kleren en scheer je je hoofd kaal? En waarom heb je die swastika op je hand?'

Pete keek alsof ze hem irriteerde. 'Dat betekent allemaal niets. Zo wil ik er gewoon uitzien.'

'Zo kun je je er niet van afmaken. Pete. Hoor eens, ik ben joods –'

'Nee!' viel Pete haar in de rede. 'Echt waar?'

'Ik ben joods,' herhaalde Rachel. 'Wat verwacht je dat ik zal denken als ik iemand zie met een teken van de nazi's op zijn hand? Veertig jaar geleden vermoordden mensen die die tekens droegen mensen zoals ik. Dat symbool heeft een betekenis. Als je er niets mee bedoelt, waarom draag je het dan?'

'Omdat iedereen het doet. En je bent toch niet bang voor mij?' vroeg hij.

'Nee, maar jou ken ik nu. Als jij hier komt praat ik met jou, niet met je kleren. En doordat ik jou ken denk ik niet meer automatisch dingen van andere mensen die ik op straat zie en die dezelfde kleren dragen als jij. Maar dat verklaart nog altijd niet waarom jij je op een bepaalde manier kleedt en dan beledigd doet als mensen je op je uiterlijk beoordelen.'

'Okee, best, ik wil er net zo uitzien als mijn maats, maar ik blijf erbij dat mensen de moeite moeten nemen om erachter te komen wie je bent.'

'Dat ben ik met je eens, maar je maakt het hun niet gemakkelijk. Trouwens, waarom wil je er net zo uitzien als je maats? Daar gaat dit boek juist over. Want dat doen we allemaal. Eigenlijk dragen we allemaal een uniform.'

Ze begonnen een lijst te maken van alle dingen die Pete in Rachels flat zag en van kleren die haar typeerden, en namen vervolgens andere mensen onder de loep – popgroepen, politici enzovoort. Toen kwamen ze weer uit bij Pete en zijn vrienden.

'Nou, ik denk,' zei Pete ten slotte, 'dat je een groep vrienden nodig hebt waarvan je het gevoel hebt dat je erbij hoort. Je moet het gevoel hebben dat je ergens bij hoort.'

'Dat denk ik ook,' antwoordde Rachel. 'Ik denk dat de mensheid waarschijnlijk zo is begonnen. Mensen geven elkaar signalen, die betekenen: "Hee, ik hoor ook bij ons." '

'Nou, wat mankeert daaraan?'

'Niets, behalve wanneer mensen niet weten waarom ze het doen en echt gaan geloven in de signalen en ernaar gaan handelen. Dan krijg je nazisme en Pakistani's rammen en godsdiensttoorlogen.'

'En het enige dat ze eigenlijk wilden was bij een groep horen?' opperde Pete.

'Misschien,' zei Rachel, haar schouders ophalend.

'Ik zal die swastika er wel af wassen als je hem niet mooi vindt.'

'Dat vind ik zeker niet. Ik zou het op prijs stellen.' Rachel glimlachte. 'Wil je thee?'

Ze kookten ook veel. Rachel en Pete bestudeerden recepten en maakten de interessantste en buitenissigste gerechten klaar, die Pete trots meenam naar Wentworth House voor Dick en de anderen. De meeste dingen die hij maakte wilde Pete zelf niet eten.

'Ik heb de pest aan buitenlands eten,' legde hij uit, zijn handen overdekt met een geheimzinnig, geurig mengsel van specerijen die hij gemengd had voor een authentieke curry.

Ze praatten, namen een aantal leerboeken door, Pete begon zelfs aan een project over de geschiedenis van de kookkunst; tot op zekere hoogte was het allemaal positief. Maar het kostte hem moeite zijn gedachten en ideeën op papier te zetten en als iets hem niet boeide verveelde hij zich algauw. Rachel besloot hem niet onder druk te zetten; ze legde verschillende malen uit dat hij om voor het examen te slagen ook de vervelende dingen moest doen en veel moest schrijven, maar dat ze hem niet zou dwingen – dat ze dat trouwens toch niet kon. Het werd duidelijk dat hij het werk niet aankon en dat verder leren er niet in zat, hij was intelligent genoeg, maar absoluut niet in staat zich op de saaie dingen te concentreren. Verder werd het steeds duidelijker dat er veel belangrijker, onderliggende problemen in zijn leven waren waardoor hard werken en een opleiding volgen ondenkbaar waren. Dus gingen ze door met koken en lieten de leerboeken geruisloos vallen. De dagelijkse bijeenkomsten gingen gewoon door, Rachel zette thee en zorgde dat er koekjes waren en ze zaten aan tafel en speelden schaak of scrabble en praatten over van alles en nog wat, maar voornamelijk over Wentworth House en wat daar aan de hand was. Pete kwam met zijn woede en ergernis bij Rachel, maar zorgde ervoor dat hij zich niet liet gaan. Als ze zaten te schaken wist Pete soms in het begin al een koninginneruil voor elkaar te krijgen, wat nimmer naliet Rachel te irriteren. Dan volgde er een korte schermutseling.

'Hoor eens, zo kun je niet schaken. Als je alleen maar stukken ruilt wordt het nooit een behoorlijke partij.'

'Maar daar heb ik zin in. Ik mag spelen zoals ik wil,' mompelde Pete tegen haar.

'Ja, je mag spelen zoals je wilt, ik kan je niet tegenhouden. Maar op die manier is het geen schaken meer,' antwoordde Rachel, die voelde dat ze driftig werd.

'Kan me niet schelen.'

Rachel haalde diep adem, bedacht wie van beiden wie was en zei: 'Goed, maar waarom denk je de volgende keer niet eens na over een manier om jezelf te redden zonder dat we allebei onze koningin kwijtraken? Er zijn nog meer manieren om te winnen.'

Ze vermeed ruzie, niet omdat ze bang voor hem was, maar omdat ze niet wilde dat hij in een situatie zou belanden waarin hij zou weglopen met het gevoel dat hij niet meer terug kon komen. Het was duidelijk dat hij dat ook niet wilde. Ze beheersten allebei hun boosheid voor zover ze daartoe in staat waren, en hielden het contact in stand.

Pete's boosheid concentreerde zich allereerst op zijn maatschappelijk werkster, Mary, die hem wekelijks kwam opzoeken in het tehuis.

'Ze geeft geen moer om me. Het is gewoon een baantje voor haar,' klaagde hij.

'Ja, natuurlijk is het een baantje voor haar. Lesgeven is mijn baan, dat betekent niet dat ik niet om je geef,' probeerde Rachel.

'Hoe komt het dan dat ze in al die tijd nog geen pleeggezin voor me heeft gevonden? Ze praat alleen maar en ze doet geen moer.'

'Maar je hebt Mary pas een jaar als maatschappelijk werkster. Je kunt haar niet de schuld geven van wat er voor die tijd niet is gebeurd.'

'Okee, dan komt het niet alleen door die klote-Mary Jackson. Dan is het de hele klote-sociale dienst. Dan is het de schuld van hun allemaal. Waarom hebben ze in al die tijd geen pleeggezin voor me gevonden?'

En waarom geef jij me geen thuis, hoorde Rachel in zijn klacht. Waarom geeft iedereen precies zoveel maar niet genoeg, niet wat je echt wilt? Wat weerhoudt je ervan, Rachel, jij die zo'n prettig huis hebt en die altijd zegt hoe aardig je me vindt, om me bij je te nemen? Waarom hou je niet van me?

'Ik begrijp niet waarom ze nooit een pleegtehuis voor je hebben gevonden, Pete. Ik ken de bijzonderheden niet. Organisaties zoals de sociale diensten zijn erg traag en log en ze maken wel eens fouten. Wil je dat ik er eens over ga praten met Mary? Misschien krijgen we dan een beter idee van wat er aan de hand is. Ik doe het alleen maar als jij het goed vindt.'

'Ga je gang,' antwoordde Pete.

De volgende dag bracht hij een stukje papier mee waarop Mary's telefoonnummer op kantoor geschreven stond. Rachel belde in zijn aanwezigheid op en maakte een afspraak met haar.

Ze werd naar Mary's kamer verwezen, waar ze ontvangen werd door een aardige vrouw van begin dertig. Mary Jackson droeg jeans en gympen, makkelijke, willekeurige kleren die een mollig, onopvallend lichaam bedekten. Haar haar was achterover getrokken in een slordig knotje en haar waterig blauwe ogen keken door een ijzeren ziekenfondsbrilletje. Ze was vriendelijk en kennelijk overbelast; haar bureau was bedekt met dossiers en er lagen zelfs mappen op de metalen prullenmand die ernaast stond.

'Wat vind je van die arme Pete?' vroeg Mary, terwijl ze haar dikke dijen over elkaar sloeg.

'Hij is ongelofelijk aardig. Verbazend eigenlijk, als je bedenkt hoe weinig hij in zijn leven gehad heeft. Maar ik denk niet dat hij dat staatsexamen zal doen.' Rachel nam een slok koffie en wachtte af.

'Dat had ik ook helemaal niet verwacht. Het zou te veel gevergd zijn. Maar we maken ons ernstig zorgen over wat er van hem moet worden wanneer hij niet meer onder de voogdijraad valt. Je weet toch wel wat er met hem aan de hand is?' vroeg Mary.

'Nou, ik weet dat hij zijn hele leven al in tehuizen zit en dat hij erg kwaad is omdat ze nooit pleegouders voor hem hebben weten te vinden.'

'Nee, ik heb het over zijn ziekte,' zei Mary. 'Zijn encopresis.'

'Zijn wat?' vroeg Rachel verbijsterd.

'De laatste tijd is het niet zo erg en de staf doet extra moeite om hem zover te krijgen dat hij zijn kleren schoonhoudt, maar je hebt die lucht toch zeker wel geroken?'

'Ik heb wel eens iets geroken. Ik dacht dat hij zich niet zo vaak waste. Wat is encopresis?'

'Dat je je ontlasting niet kunt ophouden. Hij heeft het al zijn hele leven.'

Rachel knipperde met haar ogen. Ze herinnerde zich dat enuresis de term was die artsen voor bedwateren gebruikten. Het was haar wel opgevallen dat Pete soms stonk, ze had vaak het raam opengezet om de kamer te luchten als hij weg was, maar het was eigenlijk nooit een duidelijke poeplucht geweest.

'Je bedoelt dat hij in zijn broek poept? Is het een spieraandoening of zo?'

'Dat weet eigenlijk niemand. Hij is bij de ene dokter na de andere geweest en heeft zelfs een half jaar gedragstherapie gehad in een psychiatrisch kinderziekenhuis. Maar dat was een ramp, toen hij eruit kwam was het nog veel erger geworden. Men schijnt het er algemeen over eens te zijn dat het geen lichamelijke oorzaak heeft. Zoals ik al zei, hij heeft het de laatste tijd niet vaak, maar er hangt zo'n muffe lucht aan zijn kleren. Als het erg is, is het onmiskenbaar.'

'Arm joch. Hoe gaat dat wanneer hij met andere kinderen samen is?' vroeg Rachel, terwijl ze zich begon voor te stellen wat voor invloed dit op iemands leven moest hebben.

'Daarom zit hij niet op school. De andere kinderen pestten hem zo verschrikkelijk dat we besloten hebben dat hij er maar beter vanaf kon gaan. Ze scholden hem uit en wilden niet naast hem zitten en zo. In het tehuis zorgen de leden van de staf ervoor dat zijn onderbroeken worden gewassen, omdat hij er zelf helemaal niets aan doet, maar de kinderen lachen hem uit als hij een slechte periode doormaakt. Hij is daar de oudste, en ook de grootste. De kleinere kinderen plagen hem en dan geeft hij ze op hun donder.'

'Doet hij ze echt pijn?' vroeg Rachel.

'Nee.' Mary aarzelde even. 'Het is meer dat hij ze laat voelen wie de baas is. Al zijn vrienden zijn veel jonger dan hij, alsof hij het niet tegen zijn gelijken durft op te nemen.'

'Dat verbaast me niets. God, wat ellendig. Is er niets aan te doen?'

'Tja, we hebben alles geprobeerd wat we konden bedenken. Het zou al helpen als hij zich behoorlijk schoonhield. Hij hoeft die kleren alleen maar uit te spoelen en in de wasmachine te stoppen, maar hij doet het gewoon niet. Dick en Maggie moeten invallen in zijn kamer doen en dan vinden ze bergen smerige onderbroeken en spijkerbroeken op de grond.'

'Het is voor adolescenten überhaupt al moeilijk genoeg om dingen schoon te houden, maar als je gedwongen bent het feit onder ogen te zien dat je geen macht hebt over je eigen stoelgang, moet dat wel...' Rachel deed intens haar best zich in te leven in wat Pete moest voelen. Ze vroeg zich af of hij dacht dat ze het wist en er uit tact niets over had gezegd. Ze vond het verschrikkelijk dom van zich zelf dat ze niets gemerkt had.

'Ja, het is afschuwelijk voor hem,' beaamde Mary. 'De kinderen roepen "schone luier" als het weer zover is. En daarna willen ze de eerste dagen niet meer naast hem aan tafel zitten, maar zoals ik al zei, hij laat de praktische dingen achterwege die hij zou kunnen doen om zijn situatie te verbeteren.'

Rachel vroeg zich af of het ook niet boven haar vermogens zou zijn gegaan om in die situatie praktisch te zijn. Het moest zo vernederend zijn, en dan ook nog die kleren uit te moeten wassen – akelig en moeilijk en een constante confrontatie met wat je liever zou willen vergeten. Pete's toekomst zag er plotseling nog troostelozer uit.

'Dus je begrijpt waarom het zo moeilijk is om een pleegtehuis voor hem te vinden,' vervolgde Mary. 'Het is toch al moeilijk om adolescenten geplaatst te krijgen, maar door zijn aandoening is het praktisch onmogelijk om het juiste gezin te vinden. Het is uitgesloten hem ergens onder te brengen waar nog andere kinderen zijn – dat zou hij niet kunnen hanteren – maar echtparen zonder kinderen zouden waarschijnlijk niet genoeg ervaring hebben om Pete aan te kunnen.'

'Ja, dat begrijp ik wel, maar misschien zou dat poepen minder worden als hij in een veilige omgeving leefde?'

'Het zou kunnen,' zei Mary weifelend. Ze was nu helemaal de vrouw van het vak die de werkelijkheid uitlegde aan een sentimentele buitenstaander. 'Maar eerst moeten we dat gezin vinden. Om je de waarheid te zeggen hebben de sociale instanties in de kwestie Pete grove fouten gemaakt. Hij had een pleeggezin moeten krijgen toen hij nog klein was, toen had het nog gekund, maar er is ergens een administratieve blunder gemaakt. Hij is van het ene tehuis naar het andere gesleept en niemand scheen ooit tijd te hebben om te kijken welke mogelijkheden er waren voor een pleeggezin of adoptie. Zulke dingen gebeuren soms in grote organisaties. Zijn maatschappelijk werksters wisselden voortdurend, er was niet genoeg continuïteit.'

Wiens schuld was het dat Pete nooit een eigen thuis had

gekregen? Hun schuld, niet de onze. De mensen van vroeger, de mensen die er niet meer waren, waren verantwoordelijk. De sociale dienst was een bureaucratie, de structuur bleef hetzelfde, maar het personeel wisselde in de loop van de tijd. De structuur – het huidige personeel – kon de fouten die in het verleden gemaakt waren openlijk toegeven, het waren hun fouten niet. Er was niemand om verantwoordelijk te stellen, er waren alleen de gevolgen van vroegere fouten waar iets aan gedaan moest worden. Zij, het huidige personeel, moesten situaties oplossen die ze niet zelf hadden geschapen en soms was dat onmogelijk. Dan was er te veel schade aangericht, te veel tijd verloren gegaan. Het speet hen van hun voorgangers, maar zij waren praktische mensen die roeiden met de riemen die ze hadden, in het hier en nu. Rachel voelde zich een beetje hulpeloos, zo ongeveer als Pete. Ze was redelijk genoeg om in te zien dat er niemand was om de schuld aan te geven, maar ze was verontwaardigd omdat het onmogelijk was iemand verantwoordelijk te stellen, iemand de fout te laten herstellen waardoor een mensenleven bedorven was. Ze kreeg een nieuw inzicht in Pete's woede en in zijn wrevel ten opzichte van Mary als vertegenwoordigster van de mensen die zo slecht voor hem hadden gezorgd, en tegelijkertijd zag ze in hoe onredelijk die ergernis was. Wat bijna nog erger was, was Mary's begrip voor het feit dat Pete boos op haar was.

'Natuurlijk is Pete boos op me. Het is logisch dat hij vindt dat hij niets aan me heeft en dat het door mij komt dat hij geen eigen thuis heeft. Het hoort bij mijn werk om die kritiek op te vangen en me er niet door uit het lood te laten slaan. Maar Pete is toch net een beetje anders, hij heeft zo iets innemends dat je je schuldig voelt, ook al weet je dat je je best doet. Soms ben ik na zo'n bezoek bijna in tranen omdat ik zijn boosheid over me heen moet laten komen terwijl ik weet dat hij niet zal begrijpen dat het eigenlijk mijn schuld niet is. Maar zoals ik al zei, dat hoort bij mijn werk.'

Ik wil helemaal niet weten hoe moeilijk het leven van een maatschappelijk werkster is, dacht Rachel geïrriteerd, ik sta aan Pete's kant. Ze zag in dat ze voorzichtig moest zijn, dat Mary haar tot de 'professionals' rekende, haar uitnodigde daar deel van uit te maken. In feite, besefte ze, was zij de enige persoon in Pete's leven die juist niet bij de 'vijand' hoorde. Verder was er misschien nog Dick, die hij scheen te vertrouwen, maar zij was de enige die helemaal niets met de sociale instanties te maken had. Als zij als tussenpersoon moest fungeren zou er duidelijk gesteld dienen te worden dat ze in de allereerste plaats Pete's vriendin was en niet gebruikt wilde worden om Mary's problemen aan Pete 'uit te leggen' uit naam van Mary. Als ze iets zou uitleggen, en ze realiseerde zich dat er dingen waren die uitgelegd dienden te worden, zou dat zijn omdat Pete moest weten wat er aan de hand was, waarom en hoe dingen in elkaar zaten. Het was niet aan haar om bij Pete aan te komen met een verhaal waarin de sociale instanties werden vrijgepleit. Dat deed ze gewoon niet.

'Wat is er aan de hand in Wentworth House?' vroeg ze. 'Ik heb de indruk dat alles daar niet naar wens gaat. Er zijn moeilijkheden tussen de staf en die nieuwe directeur.'

Mary keek haar scherp aan, overwegend hoeveel ze haar zou vertellen.

'Ik vind niet dat Richard Pierce de zaken optimaal aanpakt. Waarschijnlijk is het gewoon onwennigheid, maar hij schijnt de mensen inderdaad een beetje op hun zenuwen te werken.'

'Ik heb begrepen dat iemand op wie Pete gesteld was is weggegaan omdat ze niet met Richard kon opschieten. Pete heeft het idee dat Dick binnenkort ook weggaat.'

'Dick heeft inderdaad ontslag genomen. Hij zegt dat hij een beetje wil reizen, maar hij heeft me onder vier ogen verteld dat hij niet met Richard kan samenwerken. Dat is overigens vertrouwelijke informatie.'

O ja? dacht Rachel. Daar gaan we al – ik zal je zeggen wat er werkelijk aan de hand is, maar je mag het niet tegen Pete zeggen, die het werkelijk zou moeten weten. Beroepsethiek.

'Mmm. Richard schijnt nogal op regels gesteld te zijn. Wil alle regels handhaven en er nog een paar nieuwe bij verzinnen, klopt dat?'

'Daar komt het wel op neer. Hij heeft pas promotie gemaakt en voelt zich nog niet zo op zijn gemak met zijn gezag.'

'Ik vind het eerder klinken alsof hij bang is dat de dingen uit de hand zullen lopen, maar als je een tehuis voor moeilijk opvoedbare kinderen leidt, lopen er nu eenmaal dingen uit de hand. Je kunt problemen niet met regels uit de weg ruimen. Hij is er al in geslaagd de enige twee mensen die Pete vertrouwt weg te jagen; daar komen toch moeilijkheden van? Pete is volgens mij woedend.'

'Ja, dat weet ik. We houden een oogje op de situatie in Wentworth House. Maar Richard heeft die baan gekregen, om welke reden ook, en wij hebben goedgevonden dat *hij* directeur van het tehuis werd.'

'Waarom heeft hij die baan gekregen? Zo te horen is hij er niet geschikt voor,' informeerde Rachel.

Mary gaf geen antwoord. Ze was zover gegaan als ze tegenover een buitenstaander wilde gaan. Waarom Richard Pierce promotie had gemaakt was vertrouwelijke informatie – waarschijnlijk omdat iemand een fout had gemaakt die nu niet meer hersteld kon worden. Was Richards baan een manier om hem ergens anders kwijt te raken – de bureaucratische oplossing? De vergissingen schenen niet alleen in het verleden te liggen, hoewel de vergissingenmakers van nu evenzeer aan het oog onttrokken waren.

Toen ze bij Mary wegging had Rachel het onbehaaglijke gevoel dat ze zeer betrokken was bij iets dat steeds dramatischer zou worden. Ze had ontzettend veel zin om zich eraan te onttrekken, een manier te vinden om zich aan iedere verplichting jegens Pete te onttrekken. Ze zou tegen Donald Soames kunnen zeggen dat dat staatsexamen niets zou worden, dat Pete te gestoord was om het werk aan te kunnen. *Daar* was ze tenslotte voor. Ze wilde niets te maken hebben met wat er ging gebeuren, ze wilde niet betrokken zijn. Ze kon Donald opbellen als ze thuiskwam. Maar ze deed het niet.

De volgende dag kwam Pete een uur te laat op les en toen ze de deur opendeed en hem zag staan besefte ze dat het drama begonnen was. Hij zag er afgrijselijk uit, zo had ze hem nog nooit gezien. Zijn kleren waren weliswaar dezelfde die hij meestal droeg, maar ze zagen er smerig en op de een of andere manier verlept uit, en zijn gezicht was ettelijke tinten donkerder dan zijn gewone bleke teint. Het was niet alleen maar vuil hoewel het dat ook was, maar het leek alsof de huid zelf van tint veranderd was, alsof de grauwheid van zijn gezicht van binnenuit kwam. Zijn gezicht was betrokken, gesloten; vanuit de deuropening keek hij haar dreigend aan, met toegeknepen ogen en zijn woede leek naar buiten te spuiten als een lichtstraal die door de kier van een deur valt, ergens diep uit zijn binnenste vandaan. Ze slikte onmiddellijk het verwijt in dat ze hem had willen maken over zijn te laat zijn en het verknoeien van haar tijd, en deed de deur wijd open.

'Kom binnen, Pete.'

Hij struinde langs haar heen de trap op en negeerde Shamus die hem net als anders kwam begroeten. Toen hij langs haar heen liep rook ze het – onmiskenbaar ditmaal. Hij moest het onderweg in zijn broek hebben gedaan. Hij plofte neer op de stoel aan zijn kant van de tafel en begon aan de bladderende verf op de vensterbank te pulken. Na een stilte van vijf minuten, waarin Rachel bezig was met thee zetten, was de kale plek zo groot als een lucifersdoosje.

'Hou daarmee op,' zei ze.

Pete trok zijn hand terug en keek boos naar haar op. 'Als je zo bang bent dat die kloteverf eraan gaat, ga ik wel weg.'

'Als je eens vertelde wat er aan de hand is,' opperde ze, terwijl Pete zijn aansteker van tafel pakte en hem aan en uit begon te doen. Even later hield hij de vlam bij zijn broek en begon draadjes stof weg te branden. Rachels kamer was gevuld met de stank van verbrande stof en poep. Ze haalde diep adem.

'Wat is er gebeurd, Pete? Hou op met dat geklier met die aansteker en vertel wat er gebeurd is.' Ze ging tegenover hem aan tafel zitten. Hij kookte van agressiviteit, maar hij hield zich zo goed mogelijk in.

'Weetikveel.' Hij kon het woord nauwelijks tussen zijn stijve lippen door persen. 'Het is hun schuld. Die vuile rotzakken.'

'Wat dan? Vertel nou wat er gebeurd is,' hield Rachel aan.

'Ik heb ruzie gehad. Het was haar schuld, ze zat me verdomme te sarren. Die trut van een Maggie. Ze wil gewoon dat ik rotzooi krijg. Ze haat me. En ik haat haar ook, die trut. Ik wou dat die rotstofzuiger haar *echt* geraakt had. Ik wou dat ze dood was verdomme. Kleretrut.'

'Welke stofzuiger?'

'Daar heeft ze me wakker mee gemaakt. Ze ging maar door en ik zei nog dat ze moest ophouden, maar ze bleef maar staan stofzuigen. Ik had het gisteravond laat gemaakt met mijn maats en vanochtend klopte ze op mijn deur en begon te zaniken dat ik moest opstaan en dat ik naar jou toe moest. Ik was doodmoe, ik had geen zin om op te staan. En toen haalde ze de stofzuiger en ging vlak voor mijn deur staan zuigen. Ze heeft daar zo'n twintig minuten staan zuigen en met dat rotding tegen mijn deur staan bonken en ik *zei* nog dat ze moest ophouden. Het is haar werk geeneens om te stofzuigen, daar hebben ze goddomme een werkster voor. Ze deed het alleen om me te pesten.'

Hij zweeg en begon de aansteker weer aan en uit te knippen.

'Wat heb je toen gedaan?' vroeg Rachel.

'Toen ben ik verdomme uit bed gesprongen en ik heb de deur opengerukt en die stofzuiger uit haar handen getrokken. Ik heb hem gewoon afgepakt en een eind weg gegooid. Toen holde ze naar beneden en ze zei dat ik hem naar haar hoofd gegooid had en dat ik haar geraakt had.' Hij keek Rachel strak aan.

'Heb je hem naar haar hoofd gegooid?' vroeg Rachel.

'Nee verdomme, helemaal niet. En hij heeft haar ook niet geraakt, ik heb hem gewoon een eind weg gegooid, hij kwam geeneens in haar buurt terecht. Ze liegt dat ze barst. Zij is begonnen. Ze had me met rust moeten laten.'

'Misschien wel,' zei Rachel, 'maar dat is nog geen reden om een stofzuiger naar haar hoofd te gooien.'

'Dat *heb* ik niet gedaan. Begin jij nou ook nog niet een keer.' Hij zat op het puntje van zijn stoel, klaar om kwaad weg te lopen.

'Wat gebeurde er toen?'

'Niets. Ik ben het huis uit gerend terwijl zij in de keuken zat te huilen bij Dick en Richard. Dick riep me nog en zei dat ik moest wachten maar ik ben gewoon weggegaan. Ze wilden toch zo graag dat ik hier naar toe zou gaan, nou, dat heb ik dus gedaan. Dick gaat weg. Dat heeft hij me gisteravond verteld,' vervolgde hij alsof hij aan een ander gesprek begon.

'Ja, dat heb ik gisteren van Mary gehoord. Daar zul je wel erg verdrietig over zijn.'

'Kan me geen bal schelen. Ze zijn allemaal hetzelfde. Het kan me niks schelen wat ze doen, zolang ze mij maar met rust laten.'

'Dat is niet waar, je bent erg op Dick gesteld en je weet dat hij ook op jou gesteld is.'

'O ja? Nou, als hij zo dol op me is, waarom gaat hij dan weg?' zei Pete dwingend.

'Omdat hij niet met Richard kan opschieten. Ze zijn het er niet over eens hoe het tehuis geleid moet worden. Het heeft niets met jou te maken.'

'Dat zei hij gisteravond ook. Richard is een lul, die is alleen geïnteresseerd in regels en werkroosters. Maar ik snap niet waarom ik daaronder moet lijden.'

'Nee, dat is ook niet fair,' beaamde Rachel, 'maar wat er tussen de leden van de staf onderling gebeurt, heeft natuurlijk zijn uitwerking op jou. Het is net als in ieder huisgezin; als de grote mensen het niet met elkaar kunnen vinden lijden de kinderen eronder. Het is hun schuld niet, maar ze horen er nu eenmaal bij.'

'Maar als die kolerevolwassenen niet met elkaar kunnen opschieten, waarom verwachten ze dan dat wij anders zijn? Ze zeuren de hele tijd aan mijn kop dat ik me moet leren beheersen, maar zij dan? Als ze echt willen dat ik me beheers, waarom deed Maggie dan zo? Ze had gewoon moeten vragen of ik op wou staan.'

'Ik heb de indruk dat ze daar ook mee begonnen is. Zou je het hebben gedaan?' vroeg Rachel.

'Nee.' Pete grijnsde voor het eerst en Rachel lachte terug, terwijl ze de koekjes in zijn richting schoof.

'Waarom wist ze niet dat ik woest zou worden van al dat gestofzuig en gebonk tegen mijn deur?'

'Kom nou, Pete, je bent toch niet dom. Je weet best dat je andere mensen kunt stangen. Dat volwassenen hun kalmte verliezen en stomme dingen doen. Als de situatie in Wentworth House erg gespannen is, dan zal dat natuurlijk hun hele gedrag beïnvloeden. De wereld is niet bevolkt met heiligen die nooit fouten maken en alleen maar aan anderen denken en nooit aan zich zelf. Je woont samen met echte mensen die soms driftig worden, net als iedereen. Dat is het enige soort mensen dat er is. Het beste is om rekening te leren houden met elkaar.'

'Nou, met mij hadden ze ook rekening moeten houden. Ze geven geen pest om me,' mompelde Pete. Hij begreep niet wat ze zei. Hij was een hunkerend, boos kind van zes dat geen rekening kon houden met de behoeften van anderen. Hij was niet van plan iets toe te geven. Hij was de beledigde onschuld. Punt uit.

'Als ik je eens naar huis bracht en met Dick en Maggie praatte?' opperde ze.

'Dat maakt goddomme niks uit. Het kan ze toch niks schelen.'

Maar hij had geen nee gezegd. Ze dronken hun thee op en gingen weg. Ditmaal zette Rachel resoluut het raampje open toen ze in de auto stapte. De stank was afschuwelijk.

In Wentworth House zaten Dick en Maggie nog steeds in de keuken. Pete liep met grote stappen voorbij, ging stampvoetend de trap op naar zijn kamer en smeet de deur dicht. Rachel bleef in de deur naar de keuken staan, met een trieste glimlach op haar gezicht.

'Hallo... ik hoor dat er moeilijkheden zijn? Mag ik even een praatje komen maken?'

'Ja, de situatie is vandaag niet bepaald vrolijk. Ik had niet aan Pete moeten vertellen dat ik wegga. Wil je thee?'

Rachel lachte tegen Maggie toen ze tegenover haar ging zitten en terwijl Dick bezig was met de thee vertelde Maggie haar wat er die ochtend was gebeurd. Ze beschreef een opzettelijke aanval door een grote, gewelddadige jongen en was kennelijk nog steeds overstuur.

'Ik ben zo bang geweest, hij had me wel kunnen vermoorden,' besloot ze.

Ja, maar dat heeft hij niet gedaan, dacht Rachel.

'Is er al eens eerder zo iets gebeurd?' vroeg ze.

'Nee, niet op deze manier. Niet tegen mij. We kunnen meestal goed met elkaar opschieten, maar Pete doet de laatste tijd steeds gestoorder. Hij sluit zich op in zijn kamer en laat niemand binnen en hij stookt de kleinere kinderen op. Hij is ouder dan zij en hij zou beter moeten weten. Hij tart echt ons gezag, het lijkt net alsof hij zijn macht over de anderen probeert te bevestigen. Hij is gewelddadig en potentieel gevaarlijk.'

Dick draaide zich om.

'Het is geen kwaaie jongen. Dit is allemaal begonnen na Richards komst en er zijn hier een hoop spanningen. Sally is al weg en nu ga ik ook nog weg. Dat heeft hem kennelijk van streek gemaakt. Emotioneel is hij gewoon nog niet oud genoeg om ertegen te kunnen om mensen kwijt te raken.'

Terwijl ze zich afvroeg wie dat wel was, vroeg Rachel: 'Heeft hij je echt willen raken met de stofzuiger, Maggie?'

'Ik weet het niet. Als hij echt gewild had had hij het kunnen doen, neem ik aan. Hij wilde me bang maken en dat is hem gelukt. Ik ben bang voor hem, hij is ontzettend sterk. De volgende keer gooit hij misschien niet mis.'

Pete kwam de trap af en bleef met afhangende schouders tegen de deurpost staan. Hij keek hen allemaal zwijgend en dreigend aan en mompelde toen iets onverstaanbaars.

'Wat?' vroegen Rachel en Maggie tegelijk.

'Ik zei dat het me spijt, verdomme,' beet hij hen luidkeels toe. 'Okee?' Hij slaagde erin tegelijk boos en benauwd te kijken.

'Daar neem ik geen genoegen mee,' zei Maggie meteen, 'je had me wel iets kunnen aandoen.'

'Ik zei verdomme dat het me speet. Wat wil je nog meer?' mopperde hij.

'Ik wil dat je ophoudt met je zo gedragen en dat je normaal doet,' antwoordde Maggie. 'De volgende keer dat er zo iets gebeurt dien ik een aanklacht in wegens mishandeling en dan zal de politie het verder wel afhandelen.'

Rachel verstrakte en Dick deed een stap naar voren.

'Maggie...' begon hij.

'Je doet maar wat je niet laten kan, verdomme!' Pete was

nu een en al leven, schreeuwend en bijna huilend. 'Ik heb gezegd dat het me speet en mijn enige dank is dat je met de politie dreigt. Daar ben ik niet bang voor en voor jullie ook niet en nergens voor. Denk je dat het zo erg is om in de gevangenis te zitten? Dat is niks erger dan in dit stinkhuis te zitten. Jullie geven geen van allen een moer om ons. Het is alleen maar een baantje voor jullie, vuile rotzakken!'

Dick probeerde hem te kalmeren. 'Maggie meende het niet. Ze is alleen geschrokken. Maar je moet ons vertellen wat je van binnen voelt, niet alleen maar met dingen gooien.'

Pete liep doelbewust op de tafel af. 'Wat heeft praten voor zin? Jij gaat toch weg. Jij wilt alleen maar een rustig leven.' Hij pakte Maggies lege kopje en gooide het zo hard als hij kon door de kamer. Het sloeg tegen de glazen tuindeur aan en er klonk een oorverdovende klap toen de ruit in duizend stukken brak.

'Pete! Hou op! Niet doen!' zei Rachel en liep op hem af.

'Laat me met rust. Jullie allemaal. Jullie zijn waardeloos!' huilde hij en holde de keuken uit. Ze hoorden de voordeur dichtslaan en de ruit daarin breken terwijl zijn laarzen het tuinpad af denderden. Dick holde achter hem aan naar buiten en kwam even later terug.

'Jammer, ik kon hem niet meer inhalen.'

'Zie je nou wel?' zei Maggie. 'Zie je nou wat ik bedoel? Hij is gevaarlijk.'

'Nou, ik zie dat hij boos is. Hij heeft nog steeds niemand iets gedaan en zoals je al zei, het is een groot kind. Misschien hadden we dit beter kunnen aanpakken,' zei Rachel zorgvuldig, versteld over haar vermogen tot understatement.

Maggie barstte in tranen uit. 'O Jezus,' huilde ze, 'ik kan het niet meer aan. Die klootzak van een Richard heeft het werkrooster gewijzigd en ik heb al de halve week nachtdienst. Ik heb een baby van een half jaar en mijn man wordt gek. Hij dringt er al een tijdje op aan dat ik hier wegga en hij heeft gelijk, ik kan het werk en de baby en alles niet aan...'

Rachel pakte een schoon kopje en Dick schonk voor allemaal thee in en wreef ondertussen Maggie over haar rug.

'Het gaat hier helemaal mis. Het is waanzinnig. We zitten met een huis vol gestoorde kinderen en we doen niets anders dan ruzie maken. Zij reageren alleen maar op wat er met ons aan de hand is.'

'Wat moet er nu met Pete gebeuren?' vroeg Rachel.

'Als hij vanavond niet komt opdagen moeten we de politie bellen,' zei Dick.

'Ja, maar dan, op den duur?' vroeg Rachel.

'Ik weet het niet. Richard was razend over dat incident van vanochtend. Hij heeft Al Stevens gebeld en een bespreking geëist. Hij zegt dat Pete zich te wanordelijk gedraagt om in Wentworth House te kunnen blijven. Ja, ik weet wat je wilt zeggen, maar wat kan ik doen? Waarom kom jij ook niet op die bespreking? Pete kan op dit moment wel een vriendin gebruiken.'

'Okee, als wat moet ik komen – de stem van de rede?' Rachel trok spottend haar wenkbrauwen op.

'Dat zou helemaal niet zo gek zijn. Jij staat buiten de situatie. Misschien kun je je nuttig maken. Ik zal je bellen zodra er een datum is afgesproken.' Het was beslist. Dieper en dieper. Dick ging verder: 'Hoor eens, ik stel het echt op prijs dat jij je voor hem inzet. Ik weet niet of het iets zal uitmaken, maar ik weet dat Pete op je gesteld is en gelooft dat je aan zijn kant staat.'

Rachel voelde zich als de geestelijke die met de ter dood veroordeelde meeloopt naar de galg. Als het erop aankwam, als het luik openging, zou alleen Pete daar hangen, welke vrome gevoelens zij ook mocht verwoorden.

Ze ontsnapte met opluchting aan de gespannen sfeer van Wentworth House. Toen ze thuiskwam opende ze alle ramen van de flat en zette de stoel waarop Pete had gezeten in de tuin om deze te luchten. Hij stonk nog steeds. Toen maakte ze een heet bad klaar en stapte dankbaar door de stoom heen in het bijna kokende water, waarna ze haar lichaam geleidelijk door en door warm voelde worden. Ze kneep het washandje uit, legde het op haar gezicht en bleef bijna een uur lang roerloos liggen. Een troostend bad, geen zakelijk bad. Rachel Kee De Tweeslachtige hadden ze me moeten noemen, peinsde ze onder haar washandje. Zij die wil en niet wil. Die bekommering voelt en zich nergens om bekommert. Bekommer ik me om Pete? Ik ben kwaad en hulpeloos, maar bekommer ik me echt om hem? En wat dan nog? Dat is alleen mijn eigen gevoel, Pete heeft er niets aan. Mijn bekommering maakt zijn leven niet beter, misschien doe ik het louter voor mezelf. Het geeft me een lekker gevoel te denken dat ik om hem geef. Voel ik me lekker? Nee, ik zou heel hard weg willen hollen. Als je je emoties moet omzetten in daden wordt het eng voor je, Kee!

Ondertussen zwierf Pete smerig en stinkend door Londen en voelde zich – hoe? Hopeloos waarschijnlijk. Zij wist wat hopeloos voor gevoel was en dacht zich enkele ogenblikken in zijn situatie in. Niemand om naar toe te gaan, nergens om heen te gaan, bovenal geen oplossingen. Wat kon er gebeuren dat goed voor Pete zou zijn, waardoor alles goed zou komen? Lid worden van een gezin, dat iemand hem onder zijn hoede nam en van hem hield en hem accepteerde. Misschien zou hij dat een einde uit een sprookje vinden, maar Rachel wist beter. Liefde en familie zijn geen dingen waar je automatisch mee om weet te gaan als je er niet aan gewend bent. Geadopteerd worden kan een hel van zorgelijke angst betekenen: in hoeverre word je geaccepteerd, wanneer betekent 'nee' 'Ik hou van je, maar ik zeg toch nee', en wanneer 'donder op'? Hoe beoordeel je dat als je het nog nooit hebt meegemaakt? Je weet nooit echt of ze er geen spijt van hebben dat ze je in huis hebben genomen; je weet nooit echt hoe je hun liefde moet beantwoorden en waar de juiste grens ligt tussen dankbaarheid en gewoon aanvaarden dat je erbij hoort. Je hoort er nooit helemaal bij. Geen sprookjesachtig einde. En uiteindelijk zorgt je angst ervoor dat je hen onverdraaglijk op de proef stelt; je maakt jezelf onmogelijk omdat je de onzekerheid niet kunt verdragen. Geen heiligen, had ze tegen Pete gezegd. Als hij het wilde redden zou hij moeten begrijpen dat iedereen grenzen heeft, hij zou genoegen moeten leren nemen met minder dan de ideale ouders die niemand ooit heeft gehad. Maar dat kon hij niet weten, want hij had nooit het gewone, klungelige soort ouders gehad. Ze had weinig hoop voor Pete. Ze wist hoe na hij toe was aan wanhoop en hoe weinig reserves hij had. Ze dacht niet dat zij het zou redden als ze in Pete's schoenen stond.

Het water was afgekoeld tot lichaamstemperatuur. Ze voelde zich klam en akelig, te koud om in het bad te blijven en te koud om eruit te komen. En ze had verdomme haar handdoek boven laten liggen. Ze stoof er rillend op af, sloeg hem om zich heen en klom vochtig en koud onder het dekbed. Ze had nog een paar uur voor ze Carrie uit school moest halen.

De volgende dag kwam Pete niet opdagen en toen ze Wentworth House belde vernam ze dat ze niets van hem hadden gehoord, maar dat de bespreking de volgende dag zou plaatsvinden. Ze zei dat ze zou komen.

Toen ze binnenkwam trof ze een ontredderde Pete aan, die tegen de gangmuur geleund stond. Ze glimlachte tegen hem en ontving in ruil daarvoor een kortstondige blik van herkenning in een volstrekt uitdrukkingsloos gezicht. Hij zag er natuurlijk smerig uit omdat hij buiten had geslapen, maar waar ze van schrok waren zijn ogen, waaruit het licht verdwenen leek te zijn. Ze zagen er leeg uit. Het was alsof de verbinding tussen Pete's innerlijk en Pete's buitenkant was verbroken. En zijn huid had weer die vreemde, donkere, grauwe tint. Hij zag eruit alsof hij bezig was dood te gaan. Dick stond over hem heen gebogen en keek bezorgd.

'De bespreking begint zo meteen. Pete is een kwartiertje geleden teruggekomen. Hij heeft tegen Al gezegd dat hij uit Wentworth weg wil en op kamers wil gaan wonen.'

'Denk je dat je dat aan zou kunnen, Pete?' vroeg Rachel zacht.

'Wat doet dat er verdomme toe. Hier blijf ik niet, dat is een ding dat zeker is. Die klootzak van een Richard zegt trouwens dat ik hier niet mag blijven en ik ga verdomme niet naar een ander tehuis.' Zijn stem was toonloos, het kon hem allemaal echt niets meer schelen.

Rachel ging naar binnen en keek om zich heen. Iedereen was er: Richard, Maggie, de twee andere stafleden van het tehuis, Mary en Al Stevens. Al was directeur van de sociale dienst van het rayon en zat de vergadering voor. Het was een grote man met een baard en wild haar, een type dat wel iets van Joshua had maar dan in het blond. Hij wekte de indruk dat hij een redelijk man was die gewoon was dingen te regelen en op een vanzelfsprekende manier leiding gaf. Rachel vond hem er sympathiek uitzien. Ze pakte een van de stoelen die nog vrij waren, terwijl Dick binnenkwam en ook ging zitten. Al begon: 'Ik vind dat we ons eerst maar even moeten voorstellen. Ik ben Al Stevens, hoofd van de sociale dienst van dit rayon.' Hij draaide zich om naar links en wachtte af. Ieder op zijn beurt gaf zijn naam, functie en de relatie waarin hij tot Pete stond. Dit was kennelijk de manier waarop al dergelijke vergaderingen begonnen; het scheen iedereen meer op zijn gemak te stellen, hoewel Rachel de enig echte buitenstaander in de groep was.

'Ik ben Rachel Kee, ik was Pete's huislerares,' zei ze tegen Al, die de enige was die ze nog nooit had ontmoet; toch had ze meer het gevoel alsof ze op het punt stond deel te nemen aan een sensitivity-training dan aan een serieuze bespreking over iemand die niet in de kamer aanwezig was.

Ze was een beetje benauwd dat ze elkaar zo meteen allemaal een hand zouden moeten geven en elkaars *energie* moesten voelen. Al was echter kennelijk van plan meteen ter zake te komen.

'Ik heb even een praatje met Pete gemaakt. Hij wil hier absoluut weg om op kamers te gaan wonen,' verklaarde hij. 'Ik heb daar wel een paar gedachten over, maar ik zou graag eerst willen horen wat de andere betrokkenen vinden. Richard?'

Ze gingen dus weer de kring rond.

Richard zat het dichtst bij de deur. Hij was een tenger gebouwde man: zijn grijzende baard neutraliseerde de fletsheid van zijn waterig blauwe ogen. Hij droeg een uitgezakt corduroy jasje, een verschoten bijpassende broek en bruine suède schoenen, waardoor hij onmiddellijk herkenbaar was als onderwijzer of maatschappelijk werker. Zijn taal was doorspekt met gedateerde uitdrukkingen.

'Ik vrees dat we behoorlijk met Pete in onze maag zitten.' Hij praatte rechtstreeks tegen Al. 'Ik wil hem niet meer in huis hebben en dat heb ik hem gezegd. Hij is agressief en emotioneel onevenwichtig en de moraal van het verhaal is dat ik niet bereid ben het hele tehuis in de waagschaal te stellen voor één lastig individu.'

Zijn stem schoot enige octaven de hoogte in terwijl hij het over zijn onenigheden met Pete had, die 'niet naar de stem van de rede wilde luisteren'. De veiligheid van Wentworth House liep gevaar door Pete's aanwezigheid.

'Hij is ontzettend gevaarlijk, een knaap van dat formaat kan een hoop schade aanrichten en we moeten het feit dat hij een destructieve invloed is in overweging nemen. Hij heeft ruzie gemaakt met de staf en hij loopt hier rond alsof hij de baas is.'

Al vroeg: 'Heeft hij zich handtastelijk gedragen?'

'Nou ja, kijk maar hoe hij Maggie is aangevlogen. Hij kan wel iemand vermoorden, zo'n grote knaap. Hij is niet te vertrouwen.'

Toen luisterde Rachel vol verbazing naar Maggie, die beschreef hoe Pete haar 'zonder enige aanleiding' was aangevlogen. Ze staarde Maggie aan, die naar de grond keek terwijl ze zat te praten. Dick wierp Rachel een vluchtige blik toe en keek toen de andere kant op.

'Neem me niet kwalijk,' zei Rachel zacht, 'maar ik heb begrepen dat je hem uit zijn kamer probeerde weg te krijgen omdat hij naar mij toe moest.'

'Pete is een leugenaar,' interrumpeerde Richard haar, en zei tegen Al: 'Natuurlijk hebben we er begrip voor dat hij erg gestoord is en een moeilijk leven heeft gehad, maar als puntje bij paaltje komt is hij gewoon onaangepast en we kunnen hem in een normale omgeving niet meer handhaven.'

'Maar dit is geen normale omgeving,' hield Rachel vol. 'Ik heb de indruk gekregen dat dit Pete's manier van reageren was op verschillende moeilijkheden in dit tehuis.'

'Er is hier niets aan de hand,' snauwde Richard. 'Pete is degene die alle moeilijkheden veroorzaakt, ruiten ingooit en wegloopt, terwijl hij zijn excuses zou moeten aanbieden voor zijn onbehoorlijke gedrag.'

'Maar hij heeft zijn excuses aangeboden,' zei Rachel, terwijl ze Maggie aankeek. 'Ik ben er zelf bij geweest; maar toen hij het deed werd hij gedreigd met de politie. Had deze kwestie niet anders aangepakt kunnen worden? In aanmerking genomen dat hij in de war is en wij geacht worden vakmensen te zijn met enige deskundigheid.'

Richard zag wit van woede. 'Ik wil dat hij opdondert voordat hij iemand vermoordt.'

'Maar hij heeft niemand iets gedaan. Ik weet dat hij groot is en driftig, maar hij heeft niet echt iemand iets gedaan. Die stofzuiger heeft Maggie niet geraakt. Hij heeft een ruit kapotgegooid en is weggelopen. Ik denk dat hij wanhopig is. Kunnen we niet proberen hem op een of andere manier te helpen?'

'Ik geloof dat hij met jou een betrekkelijk goede relatie heeft,' zei Al tegen Rachel.

Ze koos haar woorden zeer zorgvuldig; ze wist dat ze al te veel had gezegd.

'Het was mijn werk om Pete twee uur per dag les te geven. Hij is *inderdaad* gestoord en niet in staat zich op werk als zodanig te concentreren, maar we konden het uitstekend met elkaar vinden.' Ze zweeg even, en vervolgde toen: 'Ik begrijp wel dat het heel wat anders is om Pete vierentwintig uur per dag mee te maken dan twee uur per dag, maar in de afgelopen twee jaar zijn er tussen ons geen onenigheden geweest die niet op een redelijke manier zijn opgelost, en geen handtastelijkheden.

Ik denk dat ik hem op lange termijn net zomin aan zou kunnen als iedereen, maar waar het me om gaat is dat er gezien mijn ervaring met hem misschien een andere manier te bedenken valt om met hem om te gaan. Hij is wel degelijk in staat om oppervlakkige relaties aan te gaan – dat heeft hij bewezen met mij. Misschien kan dat gegeven benut worden om hem te helpen. Ik ben geen maatschappelijk werkster en ik weet niet welke mogelijkheden er zijn, maar het is in ieder geval hoopgevend dat hij het vermogen bezit om zich, althans tegenover mij, als een waardevol, sympathiek mens voor te doen. Het kan best zijn dat de moeilijkheden hier in huis opgelost zullen zijn als jullie Pete wegsturen, maar het is Pete waar ik me zorgen over maak. Wat moet er van hem worden?'

Al glimlachte tegen haar met gemaakte hartelijkheid.

'Het is natuurlijk uitstekend dat hij contact heeft weten te leggen met jou en dat tot op zekere hoogte in stand heeft weten te houden, maar de realiteit is dat hij vroeg of laat in de werkelijke wereld zal moeten leven en daar geaccepteerd zal moeten worden. Op dit moment bezit hij geen sociale vaardigheden. *En* dan is er nog dat probleem met zijn ontlasting; dat plaatst hem totaal buiten de normale samenleving. Hij mag dan uiterst innemend zijn, jou schijnt hij in elk geval geheel voor zich te hebben ingenomen, maar wij moeten de problemen onder ogen zien.'

'Ja, dat begrijp ik wel,' antwoordde Rachel, 'maar is het vermogen om mensen voor je in te nemen niet een heel belangrijke sociale vaardigheid? Aardig over weten te komen op anderen is heel veel als je bedenkt wat hij allemaal te kort is gekomen. Misschien zullen andere mensen Pete aardig genoeg vinden om hun afkeer van poep te overwinnen en misschien zal dat zijn uitwerking op het probleem zelf niet missen. Bestaat er niet een mogelijkheid om hem overdag in een pleeggezin te plaatsen, zodat de zorg voor Pete gedeeld zou kunnen worden en hij op een bepaalde manier deel zou kunnen uitmaken van een gezin?'

Rachel besefte dat zij als buitenstaander te snel doordrong tot hun territorium. Al glimlachte nogmaals, om duidelijk aan te geven dat ze maar een bevooroordeelde leek was, naar wie niet serieus geluisterd hoefde te worden.

'Wij moeten op de verstandigste manier laten blijken dat we ons Pete's lot aantrekken en aangezien Pete hier om welke reden dan ook niet kan blijven,' hij wierp haar een blik toe om duidelijk te maken dat hij niet van plan was de werkelijke problemen in het tehuis te bespreken, 'moeten we besluiten wat we met hem gaan doen. Dat betekent dat we hem of zijn zin geven en goedvinden dat hij op kamers gaat wonen in een pension, of dat we de voorkeur geven aan een of andere behandeling. Het is uiterst onwaarschijnlijk dat hij het in de gewone wereld zou bolwerken, zelfs met steun van Mary. We moeten laten zien dat we om Pete geven, ook al komt het niet zo op hem over.'

Rachel wist dat het waar was dat Pete het in zijn eentje niet zou bolwerken. Dick zei: 'Een behandeling?'

'Ja, ik heb gehoord over een heel interessante inrichting, St. Stephens, waar ze aanpassingstherapieën doen met zwaar gestoorde adolescenten. Het is een systeem van be-

loning en straf dat erop gericht is kinderen die zich onaangepast gedragen te socialiseren. Pete zou daar kunnen leren
hoe hij met andere mensen moet omgaan en ze zouden tevens zijn encopresis behandelen.'

Mary keek nu geschrokken.

'Maar dat is al eens gebeurd. Toen is het juist veel erger
geworden.'

'Dit is een strenger regime. Naar mijn mening is dit zijn
enige kans om het te redden. Hij moet zijn gewelddadige
gedrag in de hand leren houden en hij kan niet zijn hele
leven naar poep blijven stinken.'

Op dat moment rilde Al zichtbaar en Rachel besefte hoe
erg hij Pete's encopresis vond; dat was de doorslaggevende
reden geweest waarom hij tot opname had besloten. De
bijeenkomst was plotseling van richting veranderd. Ze had
verwacht dat hier bepaalde feiten over Wentworth House
onder ogen gezien zouden worden. Dat het probleem ge-
lokaliseerd zou worden en dat er veranderingen zouden
worden doorgevoerd waardoor iemand als Pete in een in-
stelling zou kunnen blijven die bedoeld was voor mensen
zoals hij. Kinderen in tehuizen waren veelal gestoord,
maar werden de mensen die er werkten niet verondersteld
dat aan te kunnen? Waren ze daar niet voor? In werkelijkheid was Pete nu de zondebok geworden en zijn wandaden
werden gebruikt om de onderliggende kwestie te verdoe-
zelen. Ze weigerden vierkant om beter met hem om proberen te gaan – hij werd afgestoten als vergif, dat door een
toch al ziek lichaam werd uitgebraakt. De gedachte dat
Pete gewelddadig en gevaarlijk zou zijn kwam Rachel onwerkelijk voor. De werkelijkheid was dat hij van het begin
af aan verkeerd behandeld was en dat er tot iedere prijs gezichten moesten worden gered.

'Ik heb gehoord,' zei Mary aarzelend, 'dat ze in St. Stephens behalve gedragstherapie ook medicatie gebruiken.'

Al wierp haar een scherpe blik toe; ze klapte uit de
school.

'Alleen in noodgevallen. Ze gebruiken inderdaad Largactil om de zwaarst gestoorde kinderen te kalmeren, maar zoals ik al zei alleen in de ergste gevallen,' zei hij gedecideerd.

'Alleen maar Largactil?' informeerde Dick.

'Nou, ze hebben elektro-encefalogrammen gemaakt en zijn tot de ontdekking gekomen dat veel van die kinderen een afwijkend EEG hebben, dus ze krijgen allemaal anti-epileptica toegediend. Dat gebeurt uiteraard onder medisch toezicht.'

'Het klinkt alsof ze in werkelijkheid door de medicatie in bedwang worden gehouden en niet door de therapie. Hoe lang blijven ze daar?'

'Twee jaar. Hoor eens, wat mij betreft is dit Pete's laatste kans. Het is mijn taak om te beslissen en ik heb besloten dat hij de kans moet aangrijpen die St. Stephens hem te bieden heeft.'

Dick kwam met een wit gezicht overeind.

'Pete wordt gewoon gebruikt om de rotzooi hier te verdonkeremanen. Wat een weerzinwekkende manier om de incompetentie van de leiding aan te pakken, de slachtoffers wegsturen om gehersenspoeld te worden.'

'Hoe durf je te suggereren...' begon Richard.

'Ik geloof niet dat we veel opschieten met emotieve taal,' zei Al rustig. 'Het gaat ons allemaal om Pete's bestwil. De beslissing is aan mij en die staat vast.'

Dick gooide de deur achter zich dicht en Richard keek met een zie-je-wel-glimlach naar Al, die zijn blik niet beantwoordde, maar opstond en zei: 'Dan ga ik Pete nu vertellen wat er besloten is. Hij zit vast met spanning te wachten wat er gaat gebeuren.'

De rest van de groep bleef zwijgend zitten. Richard keek bepaald triomfantelijk. Na enkele ogenblikken hoorden ze Pete schreeuwen: 'Nee, dat verdom ik!' en het geluid van de voordeur, die werd dichtgeslagen.

Al zag er een beetje onthutst uit toen hij weer binnenkwam.

'Hij is natuurlijk van streek. Hij komt wel weer terug en als hij tot bedaren is gekomen kunnen we er serieus over praten.'

'Ik heb anders de indruk dat hij het serieus genoeg heeft opgevat,' opperde Rachel, terwijl ze Al met ijzige woede aankeek.

'Goed,' zei Richard, en ging staan, 'laten we verdergaan met waar we hier voor zijn – leiding geven aan dit tehuis.' Hij liep de kamer uit en vroeg vervolgens of Maggie meeging. Toen ze weg waren zei Rachel: 'Waarom neem je dit van Richard? Je weet heel goed wat er hier aan de hand is.'

'Pete beschikt emotioneel eenvoudig niet over de mogelijkheden om de spanningen hier aan te kunnen. Ik ben het met je eens dat de toestand hier niet optimaal is, maar dat is een ander probleem. Ik waardeer het dat je zo bezorgd bent, Rachel, maar ben je bereid hem zelf in huis te nemen?'

Rachel werd razend. En voelde zich schuldig, wat ook de bedoeling was.

'Daar heb ik de mogelijkheden niet voor. Dat wil niet zeggen dat ik geen mening mag hebben over de manier waarop jullie dit aanpakken.'

'Als jij me de garantie wilt geven dat je je Pete's lot voor onbepaalde tijd zult aantrekken, zal ik misschien bereid zijn mijn besluit te herzien.'

Rachel verstijfde van woede. Ze begreep uitstekend waarom Pete zich zo agressief gedroeg tegen deze redelijke chanteurs.

'Ik wil helemaal niets garanderen. Ik kan geen beloften doen over een toekomst waarin ik niet kan kijken en mijn band met Pete is niet professioneel. Als hij me wil komen opzoeken of met me wil praten ben ik er gewoon. Ik onderteken geen vodjes papier om mijn vriendschap te bewijzen en ik laat me door jou niet op mijn kop zitten.'

Al haalde zijn schouders op. Bewijs geleverd.

'Nou, in dat geval blijf ik bij mijn besluit. Ik hoop dat je hem kunt opzoeken in St. Stephens.' Mevrouw kon gaan.

Rachel vocht tegen haar tranen. Bewijs geleverd. Ze was net zomin bereid voor Pete te zorgen als iedereen, dus moest er door de beroeps over zijn toekomst beslist worden. Als zij zich had laten overhalen Pete bij zich te nemen op de meest dubieuze emotionele gronden, dan zouden ze dat goedgevonden hebben – maar nu moesten ze helaas hun pijnlijke beslissingen nemen omdat bewezen was dat niemand anders dat zou doen.

Maar Rachel zelf was terug op vertrouwd terrein. In hoeverre was haar weigering gebaseerd op de wetenschap dat ze niet in staat was Pete te geven wat hij nodig had; en in hoeverre was dit Rachel die voor de zoveelste maal terugdeinsde voor betrokkenheid? Het was waar dat de flat te klein was, dat Pete geen eigen kamer zou krijgen; dat haar inkomen minimaal was; dat ze wist dat Pete meer gezelligheid nodig had dan zij hem kon bieden. Het was *echt* totaal onzinnig maar toch, aan de afwerende toon waarmee ze antwoord gaf op Als uitnodiging merkte ze dat hij haar geraakt had. Zij schonk Pete slechts partiële betrokkenheid. De anderen ook, maar die stonden in hun recht vanwege de 'objectiviteit' van hun professionele status. Die kleine bemoeial van een Rachel Kee bleek alleen maar een onruststookster te zijn, iemand met een hoop sentimentele gevoelens, wier praktische waarde minimaal was.

Een week lang belde ze elke dag Mary en Dick op om te vragen of Pete terug was, maar hij was spoorloos. Officieel werd hij gezocht door de politie, maar Dick dacht dat die waarschijnlijk gewoon afwachtte tot hij iets uit zou halen waardoor ze hem zonder moeite konden oppakken. Een paar dagen later gebeurde dat ook. Hij werd opgepakt in een Woolworth in Zuid-Londen met een gestolen reep chocola. Tegen de politie zei hij dat hij honger had gehad en hij was schijnbaar nogal blij geweest om die te zien. Op last van de politierechter zat hij voorlopig op een tucht-school, terwijl er inlichtingen over hem werden ingewonnen bij de sociale instanties. Dick belde Rachel die avond op en gaf haar het adres van de tuchtschool, in West-Londen.

'Ik zal ze morgen opbellen om te zeggen dat jij een bona-fide bezoekster bent. Hij mag 's middags bezoek ontvangen, als je van tevoren belt en er niets op je aan te merken valt.'

'Als je geen vriend van hem bent, bedoel je,' opperde Rachel.

'Daar komt het wel op neer. Maar ik zal zeggen dat hij geen familie heeft en dat jij min of meer officieel bent. Ik heb met Mary gepraat en ze zegt dat Al onvermurwbaar is wat die inrichting betreft. Pete heeft hem werkelijk precies in de kaart gespeeld, misschien is dat ook wat hij wil. Waarschijnlijk zal er nu een gerechtelijk bevel komen dat Pete zich moet laten behandelen in St. Stephens. Dan heeft hij geen keus meer. Volgens mij wil hij ook niet kiezen.'

'Nou, bedankt voor het bellen, Dick. Ik ga hem morgen opzoeken.'

'Goed. Ik vertrek volgende week naar Frankrijk. Ik weet niet hoe lang ik wegblijf, maar ik bel wel als ik terug ben. Tot ziens Rachel, en bedankt.'

Rachel legde neer. Professioneel was haar relatie met Pete ten einde; morgen zou ze Donald moeten bellen om te zeggen dat Pete uitgeschreven kon worden. De rest van die avond bracht ze door met overschakelen van het ene kanaal van de televisie naar het andere, zonder iets te vinden dat haar kon boeien maar vastbesloten om niets anders te doen. Om elf uur ging de telefoon. Ze nam gedachteloos op en zei hallo.

'Heb je het druk?' zei Joshua's stem.

'Nee,' antwoordde ze kalm, terwijl haar hart een sprong maakte.

'Dan ben ik over twintig minuten bij je.'

Ze legde neer en liep automatisch in de richting van de badkamer om zich te verkleden en op te frissen, net alsof hij niet een half jaar was weggebleven. De twee voorgaande jaren van zijn bezoeken hadden haar goed getraind. Halverwege de gang bleef ze staan. Hij kon de pest krijgen. Ze liep terug naar de woonkamer, waar ze bleef zitten wachten in haar oude spijkerbroek en haar T-shirt. Ze was volstrekt niet verbaasd over Joshua's terugkeer. Ze had geweten dat hij terug zou komen en nu kwam hij. Mooi zo, dacht ze schouderophalend en vroeg zich af hoe het op de tuchtschool zou zijn en hoe Pete het maakte nadat hij een week over straat had gezworven.

Toen Joshua arriveerde begroette ze hem met enigszins opgetrokken wenkbrauwen en een hoofdknikje. Hij zag er moe uit, minder uit één stuk dan anders, toen hij achter haar aan de trap opliep. De kleren waren niet anders, maar op de een of andere manier verfomfaaid. Toen ze tegenover elkaar in Rachels zitkamer zaten viel er een stilte, die steeds langer werd, totdat Rachel hem verbrak.

'Je ziet er vanavond bepaald versleten uit.'

Hij boog zijn hoofd ter bevestiging. 'Drukke dag. Haal eens glazen.'

Rachel haalde twee glazen, terwijl Joshua twee halve flesjes Moët et Chandon uit zijn plastic draagtas haalde.

'Ik had me voorgesteld dat we ieder aan een kant van de kamer ons eigen flesje zouden koesteren,' zei hij, terwijl hij de kurken liet knallen. Rachel zakte weg in de stoel, terwijl Joshua achteruitschoof op de bank.

'Bijzonder sjiek,' merkte Rachel met een lachje op. 'Wat had je als toegift gedacht?' Ze zette haar fles tegen haar kruis, in de spleet tussen haar op boeddha-manier gekruiste benen, en nam een slok uit haar glas.

'Je hebt straf verdiend, weet je. Kleine meisjes die hun mond niet kunnen houden moeten straf hebben.'

'Sorry, ik weet niet waar je het over hebt. Kun je iets duidelijker zijn?'

'We hadden een afspraak, je zou met niemand over mijn bezoekjes praten. Je bent slordig geweest, Rachel. Het is bekend geworden dat ik met je omging, dus ben ik opgehouden met hier komen en ik zal ook niet meer komen tenzij je me je erewoord geeft dat je het aan niemand zult vertellen. En ik bedoel niemand.'

Rachel begon te lachen. 'Waar heb je het over? Behalve Molly hebben we geen kennissen gemeen en daar heb ik geen contact meer mee sinds ik jou ken. Niemand anders die ik ken, kent jou en niemand weet trouwens hoe je heet.'

'Ik kan er verder niets over zeggen. Je moet alleen beloven dat je het aan geen mens zult vertellen – anders kom ik niet meer.' Joshua keek dodelijk ernstig, heel streng. Rachel begon weer te lachen.

'Hoe kom je er in godsnaam bij dat ik me aan een dergelijke belofte zou houden? Zeker wanneer je me geen enkele goeie reden geeft,' informeerde ze met grote ogen.

'Je houdt toch altijd je beloften? Wij zijn allebei mensen die hun woord houden. Ik kan je geen redenen geven, je moet gewoon doen wat ik zeg. Als je het aan iemand vertelt kom ik er toch achter, dat verzeker ik je. Je zou toch niet in staat zijn iets te beloven en het dan niet te doen?'

'Jawel hoor, zeker als het een onzinnige belofte was. Ik heb toch al nooit van die padvindersneigingen gehad, maar het is interessant dat jij die ineens blijkt te hebben. Een man van eer!' Ze hief haar glas en terwijl ze de champagne achteroversloeg vroeg ze zich af of hij gewoon dom was of domweg krankzinnig.

'Kom hier,' beval hij, terwijl hij zijn glas op het tafeltje naast de bank zette. Rachel kwam overeind en liep de kamer door. Ze ging recht voor hem staan, zodat hun knieën elkaar bijna aanraakten terwijl hij naar haar keek vanaf de sofa.

'Trek je spijkerbroek uit,' beval hij koud. Het was de toon, het bevel dat ineens een vonk deed overspringen. Opwinding en begeerte flakkerden in haar binnenste; ze wilde verdere instructies en vergat voorlopig het absurde gesprek dat ze zo juist hadden gevoerd, en haar minachtende reactie erop. Ze maakte de rits van haar broek niet los, maar wachtte tot hij het bevel zou herhalen.

'Trek je spijkerbroek uit, zei ik,' blafte Joshua, met ogen die fonkelden van boosheid.

Ze maakte hem langzaam open en stapte uit haar broek en haar onderbroek terwijl ze haar blik op zijn gezicht gevestigd hield en zelf net zo boos keek als hij. Ze bleef voor hem staan terwijl hij op de bank zat; haar T-shirt reikte net tot de bovenkant van haar dijen.

'Doe je benen uit elkaar en streel jezelf.'

Langzaam deed ze wat hij zei, niet op haar gemak omdat ze voelde dat hij haar gadesloeg, en hij begon met zijn handen over haar dijen en haar billen te wrijven.

'Heb je het afgelopen half jaar aan me gedacht?' fluisterde hij, met een lachje bij zijn mondhoeken. 'Heb je gedaan alsof ik je naaide wanneer je jezelf streelde?'

'Soms.' Leugenaarster. Schijnheilig wijf. De hele tijd.

'Wat deed ik dan met je?'

Ze zette haar tanden op elkaar en staarde hem ijzig aan.

'Je sloeg me voornamelijk verrot.' Ze probeerde afstandelijk, ironisch te kijken, maar haar ogen en haar kut waren nat. Ze kon zijn spel niet van hem winnen, niet zonder te verliezen, als ze de fantasie vorm wilde geven moest het zo zijn dat ze de afgelopen maanden alleen naar hem verlangd had, niemand anders had gevonden die haar zo streelde en sloeg als hij. Ze kon haar waardigheid niet ophouden door net te doen alsof ze wel iets beters te doen had en tegelijk toch aan het spel blijven meedoen – en ze wilde weten hoe het spel zou aflopen. Gevangen, met de rug tegen de muur – geen andere mogelijkheid dan macht opgeven; prettig om iets zo graag te willen dat ze het niet kon wegduwen. Prettig om gebroken te worden.

'Als ik masturbeerde speelde ik dat jij me streelde, dat je mijn kut streelde en me sloeg,' zei ze, niet afstandelijk, niet ironisch.

'En waar sloeg ik je mee? Met een riem of een stok?' Zijn stem klonk schor.

Ze dacht snel na; een riem had hij al eens gebruikt.

'Een stok.'

Hij begon haar te slaan en trok haar toen bij zich op schoot. Ze zat schrijlings boven op hem en schoof tegen hem aan, zodat ze de ruwe stof van zijn broek tegen haar naaktheid voelde terwijl hij haar steeds harder sloeg.

'Dit,' legde hij zachtjes uit, tussen twee klappen door, 'is om je eraan te herinneren dat je je voortaan moet gedragen.'

'O, alsjeblieft...' mompelde ze.

'Alsjeblieft wat? Wat wil je?' fluisterde hij in haar oor.

'Alsjeblieft, wil je alsjeblieft met me neuken,' smeekte ze.

Hij maakte zijn broek open, tilde haar op en trok de broek naar beneden. Zij manoeuvreerde zijn penis bij zich naar binnen en toen begon ze heel langzaam, heel zachtjes, op en neer te bewegen terwijl ze de spieren in haar vagina aanspande zodat hij helemaal in haar was en als ze zich verhief bijna uit haar weg, met als enig contactpunt het topje van zijn penis. Terwijl zij in slow motion zijn hele lul prikkelde, sloot Joshua zijn ogen en zijn mond vertrok in een grimas die tussen genot en pijn in lag.

'Toe, alsjeblieft...' fluisterde ze, terwijl ze klaar begon te komen.

'Wat? Zeg dan wat je wilt.' Joshua's ogen gingen open en keken haar aan.

'Ik kan niet... ik weet het niet... toe nou, toe nou,' terwijl ze bevend klaarkwam. En toen brak er oorlog uit.

Joshua beval heftig: 'Wat, wat? Wat bedoel je?'

Ze keek hem aan, smekend, toen boos. 'Nee, nee. Ik zeg het niet. Ik zeg het niet!'

'Zeg op,' snauwde hij. Hij bewoog nu zelf, stootte in haar terwijl zijn ene hand om haar hals lag, stevig genoeg om te dreigen, maar niet te stijf. 'Zeg op!'

Ze zei: 'Ik hou van je. Jezus, wat hou ik van je,' wetend dat dat het niet was wat ze niet kon zeggen, maar hopend dat hij er genoegen mee zou nemen; het viel haar al moeilijk genoeg.

Joshua begon klaar te komen en herhaalde telkens: 'Wat? Wat? Wat?' terwijl hij huiverend zijn zaad in haar pompte.

Ze hurkte boven op hem, met haar hoofd tegen zijn schouder en vroeg zich af wat het was waarom ze hem niet kon vragen. Ze dacht dat ze alles gevraagd had, maar wist dat er nog iets was, iets dat niet alleen onzegbaar was maar ook ondenkbaar. Iets waarom ze hem niet kon vragen; waarom Joshua wilde dat ze vroeg, niet omdat hij het wilde geven, daar was ze van overtuigd, maar omdat het de ultieme overgave betekende. Het was belangrijker dan het geven en ontvangen van een orgasme, belangrijker dan de nederlaag hem te zeggen dat ze van hem hield – het was iets dat zo onwaarschijnlijk, zo onbereikbaar was, dat ze het zelfs tegenover zich zelf niet bewust kon toegeven.

'Ik heb zin in een boterham met boter,' zei Joshua tegen haar achterhoofd.

'Goed,' antwoordde ze en verhief zich meteen, terwijl ze haar ogen dichtdeed en haar adem inhield om het abrupte uiteengaan.

'Weet je,' zei Joshua vanaf de bank, terwijl ze het brood stond te snijden, 'tweehonderd jaar geleden zouden ze je levend hebben verbrand.'

154

'Alleen ketters werden levend verbrand,' antwoordde ze zonder omkijken. 'Heksen werden eerst gewurgd. Ik neem aan dat je me niet van ketterij beschuldigt?'

'Daar moet ik nog eens over nadenken. Ik ben kennelijk niet zo goed geïnformeerd. Wat zei Cromwell ook weer toen hij zijn hand in het vuur stak?'

'Cranmer,' interrumpeerde Rachel zakelijk.

'Wat een eruditie.'

'Hmmm. Soms denk ik dat mijn talenten verspild zijn aan het soort mensen dat geen onderscheid maakt tussen hekserij en ketterij en dat geen Cranmer van een Cromwell kan onderscheiden,' zei ze, terwijl ze hem het bord met beboterde boterhammen voorhield.

'Ik geloof niet dat je werkelijke talenten verspild zijn,' grijnsde Joshua. 'Thee, Ik wil thee. Alsjeblieft.'

'Je weet waar de ketel staat,' siste Rachel, voordat ze zich met een ruk omdraaide en hem inschakelde, dramatisch fluisterend: 'Fuck, shit, mannen!'

'Kom nou, dat is een vrouw van jouw intellect onwaardig. Ik heb het toch netjes gevraagd. Als we er nou nog een ander meisje bij hadden, kon die voor ons allebei thee zetten. Nu zal ik het de volgende keer doen – als er tenminste een volgende keer komt. Je hebt nog niets beloofd.'

Rachel kwam de zitkamer binnen met twee koppen thee.

'God, wat doe je belachelijk. Ik beloof helemaal niets.'

'Dan komt er ook geen volgende keer. Wat jammer nou,' zei Joshua kalm.

Rachel ging zitten en nam een slok thee. 'Misschien kom je nog wel tot de conclusie dat dit te aangenaam is om kwijt te raken vanwege een zinloze belofte.'

'Je vergist je. Op het seksuele vlak beschik ik over een grenzeloze zelfbeheersing. Het zou jammer zijn, maar het is niet anders.'

Ze staarden elkaar aan met bikkelharde koppigheid.

Joshua zei: 'Dit is geen machtsspel, weet je. Het is gewoon een praktische maatregel.'

'Lulkoek!' antwoordde Rachel, hoewel hij eruitzag alsof hij het meende. Voor de tweede keer die avond vroeg ze zich af of hij wel altijd wist wat voor spel hij speelde, maar kon wederom niet geloven dat hij niet precies wist wat hij deed. Was dat gewoon omdat zij het nodig had dat hij zo ontzettend slim was, zo bewust manipulatief? Beloven om niemand te vertellen dat hij terug was betekende dat hij haar isoleerde; normale mensen vertelden hun kennissen wie er kwamen en gingen in hun leven, ook al lieten ze de bijzonderheden weg. Als hij haar geheim werd, werd zij tegelijk afgesneden van de buitenwereld. Dan zou ze de kans niet hebben om hun relatie te beoordelen en te toetsen hoe ver zij met hun beiden verwijderd waren geraakt van wat andere mensen normaal vonden. Joshua's macht zou volkomen zijn, hij zou komen en gaan wanneer hij wilde en zij zou wachten bij de telefoon, ze zouden vorm geven aan hun fantasieën terwijl hij zich bleef gedragen alsof er niets aan de hand was. Ze vond het nu al moeilijk om erover te oordelen; misschien gedroeg iedereen zich zo in de privacy van zijn eigen zaken. Koel, kalm, doodgewoon, Joshua slaagde er zelfs in om leren riemen en stokken en sodomie doodnormaal te laten lijken. Maar het verwarrendst vond ze Joshua's schijnbare overtuiging dat zij niet zou zien wat zijn eis tot geheimhouding inhield. Het kostte haar zoveel moeite om te geloven dat hij geloofde dat ze zo iets voor de hand liggends niet zou zien, dat ze zich begon af te vragen of er wel iets te zien viel. Misschien was het een doodgewoon verzoek: misschien was er werkelijk iemand die het niet mocht weten van hen, en van wier bestaan zij niet mocht weten. Misschien was zij hier de enige Machiavelli en fantaseerde ze over samenzweringen en komplotten die er niet waren. Schattige Joshua, die alleen maar alles neukte wat los- en vastzat en geen complicaties wilde. Waarna ze besloot dat ze zo juist precies de route gevolgd had die hij uitgestippeld en vol met mijnen had gelegd. Als het op macht aankomt, is verwarring alles. Zorg dat het mens verstrikt raakt in de knopen van haar eigen denkprocessen en ze zal het helderblauwe daglicht nooit meer zien. Voor de professionele manipulator is het scheppen van paranoia een prioriteit. De klootzak.

Rachel zat knus naast Joshua op de sofa, thee te drinken en korstjes te trekken van de boterhammen op zijn bord. Ze zag hen beiden vanuit een andere hoek van de kamer, een toonbeeld van postcoïtale huiselijkheid, vermoeide, tevreden geliefden, die aten en dronken nadat ze elkaar hadden gegeten en gedronken. Ze begon hardop te lachen.

'Wat is er?' vroeg Joshua glimlachend.

'Niets,' antwoordde Rachel.

'Heb je tijdens mijn afwezigheid nog serieuze relaties gehad?' informeerde hij achteloos.

'Ik heb nooit serieuze relaties, dat weet je.'

'Met mensen naar bed geweest?'

'Een paar.'

'Nooit meer dan één keer met dezelfde?'

'Nou, met eentje heb ik het twee keer gedaan. Telt dat als een relatie?'

'Twee avonden achter elkaar?'

'Ben je gek! Twee avonden achter elkaar riekt naar betrokkenheid, naar huiselijk geluk. Ik dacht dat je me beter kende.'

Joshua grijnsde tegen haar. Ze had een stukje van het terrein teruggewonnen dat ze verloren had door haar gebedel van straks. Als de seks achter de rug was, was ze meteen weer in haar oude vorm, als een vlezige arm die werd losgelaten. Haar onteigening was niet essentieel, ze voelde zich toch net iets beter dan de gewone sukkels. Mijn lichaam kan je krijgen, maar mijn hoofd is van mij, dacht ze. Behalve wanneer je alleen bent, fluisterde de stem, als je zit te wachten tot de telefoon zal gaan, je zijn aanraking en zijn stem herinnert en opnieuw beleeft, vernederingen bedenkt die hij zelf niet heeft bedacht. Nog niet. Joshua was terug; er zouden er meer komen.

'Laten we op bed gaan liggen,' zei Joshua.

Ze gingen op bed liggen, Rachel naakt, Joshua met alleen zijn overhemd aan. Hij had zich bijna nooit helemaal uitgekleed in de twee jaar dat ze hem kende. Hij legde zijn arm onder haar hoofd en ze ging dicht tegen hem aan liggen en schoof haar arm onder zijn open hemd om de warme vlezige huid te voelen, ernaar verlangend die te strelen en te kussen en eraan te zuigen. Verboden. Te teder, te liefdevol, te sensueel. Hij was, tot die conclusie was ze allang gekomen, de minst sensuele man die ze ooit gekend had. Met hem naar bed gaan was specifiek en genitaal. Wat zij met elkaar deden had het prikkelen van specifieke organen van begeerte als doel; er was bijna nooit sprake van zomaar strelen en lichamelijk contact bleef tot het minimum beperkt. Soms hunkerde ze ernaar alleen maar naakt tegen hem aan te liggen en zijn geur te ruiken en het zweet op zijn huid te proeven. Dat gebeurde bijna nooit; vanavond was een grote uitzondering en ze durfde nauwelijks adem te halen, laat staan hem aan te raken en te strelen, uit angst dat hij plotseling zou terugschrikken voor die warmte. Haar arm lag over zijn mollige buik heen, terwijl ze met alleen haar vingers voorzichtig de zachte huid van zijn rug beroerde en kleine cirkels beschreef om zijn ruggegraat heen, alsof ze iets tekende, alsof ze zonder erotische intenties te werk ging. Haar mond tegen zijn borst zoog zijn smaak en geur met kleine, stiekeme zuchtjes in, terwijl hij schijnbaar slapend met zijn arm om haar heen lag. Denkend dat hij sliep of helemaal zonder te denken, likte Rachel voorzichtig aan zijn tepel die ze vervolgens in haar mond nam en met haar tong omcirkelde, zomaar, voor haar eigen genot. Joshua's vrije arm gleed van haar schouder en begon zachtjes haar dij en haar bil te strelen terwijl zij doorging met zuigen en met haar hand langs zijn ruggegraat gleed om zijn liefkozing te beantwoorden. Ze haalde nauwelijks adem. Het was alsof ze een wild dier in haar armen had dat zich alleen zou laten aanraken zolang het door genot gehypnotiseerd werd. Het kon ieder moment tot zich zelf komen en inzien in welk gevaar het verkeerde, omdat het genot hem werd geschonken door de vijand.

Dan zou het wegspringen en haar met koude ogen woedend aanstaren, met al zijn haren overeind, een woedend, vreemd wezen dat bijna veroverd, bijna gevangen, bijna verloren was. Ze liet zich langs zijn lichaam naar omlaag glijden en kuste en likte het zachte, bewegende vlees dat op een donzig kussen leek maar dat naar man rook, scherp, zout, zuur, en nam zijn penis in haar mond, zuigend en proevend, voelde die groter en sterker worden terwijl Joshua op zijn rug lag en diep en zwaar ademde totdat zijn ademen in zuchten en toen in kreunen veranderde, terwijl hij haar hoofd tussen zijn handen nam en er steeds harder tegen drukte, tot hij haar ten slotte losliet en zijn handen aan weerszijden van zijn hoofd op het kussen vielen en hij vanuit zijn bekken scheuten sperma in haar mond schudde. Ze had het altijd een afschuwelijke smaak gevonden; dit keer slikte ze het door zonder de scherpe smaak te proeven, dronk het alsof het een bezielend vocht was, zoog hem leeg terwijl ze hem krampachtig hoorde snikken; onbeheerste, natte, hulpeloze kreten zoals ze nog nooit van hem gehoord had. In paniek geraakt omdat ze hem nog nooit zo zichtbaar, zo hoorbaar zijn beheersing had zien verliezen, liet ze zijn penis los en richtte zich op, klemde hem stijf in haar armen met haar wang tegen de zijne.

'Sjjjt, sjjjt, stil maar. Het hindert niet,' fluisterde ze en omarmde hem, streelde zijn haar, kalmeerde hem. Ze was bang, ze wilde hem niet zo zien, en ze was opgelucht toen zijn snikken eindelijk wegstierven en hij rustig lag te slapen.

Een uur later werd hij wakker en keek op zijn horloge. 'Christus, het is al halfvier. Ik moet er vandoor. Ik heb om zeven uur een vergadering.' Hij ging zitten en keek Rachel aan, trok het dekbed weg en kuste zakelijk haar navel.

'Niemand heeft om zeven uur een vergadering,' zei ze, 'maar ik wil toch dat je weggaat. Ik kan niet slapen met een vreemde in mijn bed.' Ze lachte tegen hem.

'*Ik* heb om zeven uur een vergadering,' hield hij vol, terwijl hij zijn kleren aantrok.

'Waarom verzin je zo'n smoes?' vroeg ze. 'Dat is helemaal niet nodig.'

Hij keek haar vluchtig aan terwijl hij zijn jasje aanschoot. 'En beloof je het?'

'Ik heb toch gezegd van niet. Nee. Het is belachelijk.'

'Je weet wat de consequenties zijn,' zei hij vanuit de deuropening van de slaapkamer.

'Dus dit is een afscheid voor eeuwig? Nou, het was me een waar genoegen,' reageerde ze, hard en cynisch. Ze geloofde geen moment dat hij blufte, maar emotioneel had ze haar grens bereikt. Ze kon zo'n onzinnige, gevaarlijke belofte gewoon niet over haar lippen krijgen. Als hij het onder het neuken had gevraagd misschien; er scheen tenslotte bar weinig te zijn waartoe ze onder die omstandigheden niet bereid was, maar in het nuchtere licht van de ochtend was het onmogelijk dit onzinspel uit te spelen.

'Het was mij ook een genoegen,' zei Joshua glimlachend. 'Het spijt me alleen dat het niet zo door kan gaan. Denk er nog maar eens over na. Als je van gedachten verandert, kun je het me altijd nog laten weten. Slaap lekker.'

Touché! De gelegenheid om van gedachten te veranderen was fataal; door zijn aanwezigheid zou die belofte steeds mogelijker worden. Ze was vastbesloten het niet te beloven, maar ze wist dat ze over een paar dagen zou toegeven. Ze grijnsden elkaar toe terwijl Joshua haar een afscheidssaluut bracht en ze ging onder de deken liggen om zijn geur op te snuiven die nog aan de lakens hing, en de mogelijkheid te overwegen dat ze hem uit vrije wil nooit meer zou zien. Ze wist dat ze dat niet zou kunnen. Ze herinnerde zich alle manieren waarop ze zich zelf in het verleden had gekweld, de dingen die ze gewild had, maar afgewezen omdat het verlies van haar onafhankelijkheid een te hoge prijs was. Die Rachel bestond in wezen nog steeds, ze kon nog altijd weerstand bieden – voor een tijdje. Maar de Rachel die begoocheld en geobsedeerd was, was nu maar al te zeer aanwezig, sterker, als je het in termen van kracht kon beschrijven, dan de persoon die alleen maar rationele, gelijkwaardige relaties wilde. Er bestond werkelijk geen twijfel over wie het zou winnen.

Toen ze 's ochtends wakker werd zat ze in een donkere wolk. Wakker worden kon je het nauwelijks noemen, want ze had bijna niet geslapen. Carrie kroop om halfzeven bij haar in bed en ging tegen Rachel aan liggen, terwijl ze haar armen en benen als een weelderige klimplant om Rachels lijf strengelde. Rachel kreunde en trok de dekens over haar hoofd. Carrie dook met haar mee het donker in.

'Dit is geen goeie morgen, lieve schat. Laten we er langzaam en rustig aan beginnen. Ik ben in een ontzettend slecht humeur,' zei ze schor, terwijl ze haar dochter tegen zich aan drukte.

'Waarom ben je 's ochtends altijd in een slecht humeur?' vroeg Carrie.

'Lage bloedsuikerspiegel. Het leven. Vooruit, meid, opschieten.'

Carrie kleedde zich aan en waste zich terwijl Rachel in bed bleef liggen, vechtend tegen haar verlangen om weer in slaap te vallen.

'Vooruit. Opstaan, lui mens,' beval Carrie vanuit de gang.

'Ja, dat doe ik al, ik kom al. Je hebt volkomen gelijk,' mompelde Rachel terwijl ze zich uit bed hees.

Ze trok kleren aan die nog op de slaapkamerstoel lagen van de vorige avond en slofte naar de badkamer waar ze haar hoofd onder de douche stak. Daarna voelde ze zich natter maar niet beter. Thee.

Carrie at met lange tanden cornflakes. Cornflakes waren voor ochtenden als deze – eieren, spek en havermout vereisten concentratievermogens die momenteel niet voorhanden waren.

'Heb je alles wat je mee naar school moet?'

'Ja. Mijn zwemspullen. Mag ik een plaat opzetten?'

Prima timing.

'Nee.'

'Zal ik viool studeren?'

'Nee!'

'Niemand geeft om me, niemand houdt van me.' Sprekend Margaret Sullivan. Hoe kwam ze aan dat pathos? Grote rollende ogen, diepe zuchten. Aangeboren zeker.

'Bah. Ik hou wèl van je. Ik hou wèl van je. Maar toch wil ik niet dat je nu viool gaat spelen.'

Plannen maken voor de dag. Ze zou naar de tuchtschool gaan om Pete op te zoeken, boodschappen doen, Donald opbellen over een nieuwe leerling. Niet aan Joshua denken. Ja, wel aan Joshua denken – Becky opbellen zodra ze Carrie bij school had afgezet en vertellen dat hij terug was. Het spook op de vlucht jagen, het aan iemand vertellen, zorgen dat het gif geen kans kreeg zijn werk te doen. Zich niet afvragen wie van haar kennissen hij kende; neukte hij met Becky, met een vriendin van Michael? Niet doen. Beloof het of beloof het niet, maar vertel het hoe dan ook aan iemand. Hoe was het mogelijk dat ze de implicaties van wat hij deed zo goed besefte en toch in het spel gevangenzat? Weerhield begrip iemand er ooit van slachtoffer te zijn? Niet als hij dat wil zijn, waarschijnlijk. Maar zij was niet voor honderd procent slachtoffer. Ze zette Carrie af en ging gauw naar huis.

'Becky? Raad eens wie er gisteravond geweest is?'

'Dracula? Je duivelse minnaar? Goed geraden?'

'Precies.'

'Ik ben maar gedeeltelijk blij voor je. Komt hij van nu af aan weer gewoon?'

'Dat weet ik niet, het schijnt ervan af te hangen of ik bereid ben te beloven dat ik nooit aan iemand zal vertellen dat ik hem heb.'

'Nou, je hebt het mij net verteld. Wil dat zeggen dat je het niet gaat beloven?'

'Niet noodzakelijk. Het wil zeggen dat ik zal liegen als ik het doe.'

'Nou, dat is in elk geval iets. Hoe was het?'

'Fijn. Afgezien van dat idiote gezeur over geheimhouding was hij bijna menselijk. Volgens mij was hij blij me weer te zien.'

'Nou, dat is hem verdomme geraden ook. Laten we hopen dat hij voortaan aardiger voor je zal zijn.'

'Ik denk dat ik dat helemaal niet prettig zou vinden.'

'Jezus, wat ben jij toch pervers!'

'Dat ben ik ook! Dat ben ik ook!' Rachel knikte vrolijk tegen de telefoon.

'Volgens mij zou je eens wat geremder moeten worden. Die vervelende Sigmund heeft ons allemaal een slechte dienst bewezen. "Verdringen!" zeg ik. Iedereen zou zo gauw mogelijk alles weer stiekem moeten gaan doen en zich keurig gedragen. Net als ik.'

'Hoe gaat het met William?' vroeg Rachel.

'Saai. En daar mankeert niets aan. Het is waar dat hij me niet slaat of in mijn kont neukt. Op dat gebied doet hij momenteel trouwens helemaal niets met me, maar hij is er tenminste en we gaan samen uit, in tegenstelling tot jou en die enge vriend van je.'

'Je bedoelt dat jullie elkaar niet alleen thuis vervelen maar ook nog in restaurants?' opperde Rachel.

'Hoor eens, we hebben allemaal onze eigen weg naar het nirwana. De mijne bestaat uit extatische verveling. Ben ik gek op. Knus, veilig en vertrouwd, meer vraag ik niet. Opwinding is gewoon te... te opwindend voor me,' besloot Becky mat.

'Becky, wat ben je toch evenwichtig. Wat jij nodig hebt is tien jaar analyse om je het inzicht te geven dat je *eigenlijk* intens boos en gefrustreerd bent. Het is echt abnormaal om zo tevreden te zijn als jij.'

'Nou het spijt me. Ik heb namelijk een verschrikkelijk bevoorrechte jeugd gehad en ik ben niet lesbisch of zwart en ook geen alleenstaande ouder. Ik kan het ook niet helpen.'

'Je moet beter je best doen,' lachte Rachel. 'Er is vast wel een minderheid waarvan je deel uitmaakt.'

'Dat doe ik ook. Ik behoor tot de minderheid van volmaakt tevreden mensen. We zijn de meest verwaarloosde groepering van het hele land. Wil je misschien lid worden van mijn beweging?'

'Shit nee. Ik sta intens bevooroordeeld tegenover mensen die gelukkig zijn. Die zijn in staat om met onze kerels te trouwen en ze happy te maken, om er nog maar over te zwijgen dat ze de bevolking uitbreiden met miljoenen schattige kindertjes. Daar ben ik tegen.'

Becky snoof. 'In mijn omgeving bestaat er anders weinig kans op een geboortenexplosie. Ik mag dan niet intens boos zijn, gefrustreerd ben ik wel. William heeft momenteel niet de minste interesse voor me.'

'Maar dat wisselt toch altijd nogal?'

'Ach ja, dat zal wel. Ik doe ontzettend veel moeite om niet te denken wat jij nu denkt.'

'Zit die mogelijkheid erin?' vroeg Rachel bezorgd.

'Weet ik niet. Er zijn een hoop uitgeversfeestjes. Geen zin om erover na te denken.' Becky klonk kortaf.

'Okee. Als je langs wilt komen of bellen of zo, doe dat dan.'

'Graag. Ik ben blij dat je vriend terug is.'

Rachel legde neer en bedacht dat er, ook al was ze er niet zo verschrikkelijk gelukkig mee dat ze was wie ze was, zeker niemand anders was die ze liever zou willen zijn. Het kwam haar voor dat Becky's manier op een even onherroepelijk en pijnlijk einde zou uitlopen als die van haarzelf. Als het leven over het vermijden van pijn ging was de mensheid nog niet vergevorderd, maar misschien ging het leven daar ook helemaal niet over. Maar het ging ook niet over het omarmen van pijn, hield ze zich voor. Pijn was gewoon een neveneffect, een soort belasting op menselijke relaties – of het ontbreken daarvan. Genot dan; draaide alles om genot? Joshua had een keer gezegd dat mensen aan andere mensen gehecht raakten uit dankbaarheid voor gekregen genot. Ze geloofde niet in dankbaarheid als uitgangspunt, waarschijnlijk was het gulzigheid. Ik vind dat lekker dus ik wil meer, ik zal bij je blijven omdat ik dan meer krijg en ik noem het liefde. Hoe zit het dan met diegenen onder ons die bij mensen blijven die weigeren ons meer te geven? vroeg ze zich af. Doodeenvoudig; als we niet krijgen wat we willen, hoeven we niet het risico te lopen dat we het niet meer willen als we het eenmaal hebben. Een onfeilbaar veiligheidssysteem.

Rachel trok haar colbertje aan en hing haar tas aan haar schouder. In een bedrukte stemming reed ze naar de tuchtschool. Ze zag vreselijk tegen haar bezoek aan Pete op en zag hem in gedachten voor zich als somber en teruggetrokken, opgesloten in het cachot. Onderweg stopte ze ergens om twee pakjes sigaretten en zes Marsen te kopen en voegde die bij het exemplaar van *The Big Sleep* dat ze voor hem had. De tuchtschool was een groot, modern, bakstenen gebouw dat een eindje van de hoofdweg af lag. Ze zette haar auto op de oprijlaan en liep over de geasfalteerde binnenplaats naar de deur met Bezoekers erop. De tuchtschool was omgeven door een zes meter hoge muur. Ze belde aan en wachtte af terwijl ze sleutels hoorde omdraaien in een slot, toen verscheen er een gezicht achter het kleine raampje in de stalen deur en nadat ze een ogenblik aandachtig bestudeerd was, werd er weer een sleutel omgedraaid en de deur ging open. Een kordaat uitziende vrouw zei ontoeschietelijk en onvriendelijk: 'Ja?'

'Ik kom voor Pete Drummond. Zijn maatschappelijk werkster heeft u geloof ik opgebeld om te zeggen dat het in orde is. Ik heet Rachel Kee.'

'Wat bent u?' vroeg de vrouw achterdochtig.

Verdomd goeie vraag.

'Ik ben een vriendin van Pete. Ik kom hem opzoeken. Ik ben een vriendin van hem,' hield Rachel nerveus vol.

Dit was kennelijk een nietszeggende verklaring voor de vrouw, wier sleutels – een schoolvoorbeeld van de gevangenbewaarster – aan een ketting aan haar middel hingen.

'Wat is uw officiële functie?' vroeg ze weer, omdat haar vraag naar haar mening niet beantwoord was.

Verzet je nou maar niet, Rachel, dacht ze, zeg iets waar die vrouw wat mee kan. Ze haalde diep adem.

'Ik ben zijn lerares.'

'Een ogenblik.' De vrouw deed de deur voor Rachels neus dicht, draaide hem op slot, deed de binnendeur op slot en verdween enkele ogenblikken. Toen werden de deuren weer opengemaakt en Rachel werd binnengelaten, waarna de deuren stuk voor stuk werden afgesloten terwijl ze het kantoor binnenstapte.

'Pete wordt gehaald. Hij zal zo wel komen. Hebt u iets voor hem meegebracht?' vroeg de vrouw, terwijl ze aan haar bureau ging zitten. Rachel legde de verzegelde pakjes sigaretten op tafel, samen met de Marsen en het boek.

'Die sigaretten bewaren wij voor hem,' zei de vrouw en gaf de rest aan haar terug. 'Ze mogen er maar vijf per dag. De rest moeten ze verdienen met goed gedrag.'

'O. Hoe gaat het met hem?'

'Uitstekend. Hij gedraagt zich coöperatief, maar hij weigert helaas zijn maatschappelijk werkster te ontvangen. Hij is boos.'

'Ja, dat weet ik. Daarom zit hij hier waarschijnlijk. Is er nog steeds sprake van St. Stephens?' vroeg Rachel.

'We zijn druk bezig een beoordelingsrapport te maken voor de rechtszitting. Ik moet zeggen dat niemand tot dusverre bijster enthousiast over St. Stephens is, maar de sociale diensten dringen er erg op aan. Er is een grote kans dat de rechter naar ze zal luisteren.'

'Welke bezwaren bestaan er hier tegen die inrichting?'

'Nou, Pete heeft duidelijk behoefte aan een gestructureerd leven, maar over het geheel genomen is de hele staf hier van mening dat jongens zoals hij te snel geïnstitutionaliseerd raken en dat St. Stephens overdreven streng is. Maar zoals ik al zei, dat is momenteel een onofficiële mening.' De vrouw was in haar kamer veel ontspannener dan ze bij de deur was geweest. Ze had kennelijk zelf ook behoefte aan een zekere structuur. Er werd een andere deur opengemaakt en Pete verscheen in de ontvangsthal, vergezeld van een man wiens omvang en musculatuur zelfs van Pete een kleine jongen maakten.

'Hier is hij,' zei de man. 'U mag u wel vereerd voelen. U bent het eerste bezoek dat hij wil ontvangen.'

'Nou, dan voel ik me zeker vereerd,' zei Rachel glimlachend. 'Hallo Pete. Gaat het goed met je?'

Als ze op het uiterlijk af mocht gaan, ging het beter met hem dan ooit. Hij was brandschoon en blozend, met rode wangen van de lichaamsbeweging, aangekomen van veel eten. Zijn haar was een centimeter of twee gegroeid zodat hij er niet meer zo uitgemergeld uitzag en hij droeg een keurig rood T-shirt, een nieuwe, schone spijkerbroek en een paar sportief uitziende gympen. Hij grijnsde tegen haar.

'U kunt hier met elkaar praten,' zei de man en liet hen

binnen in een kamertje, dat door een scheidsmuur van de ontvangsthal was gescheiden. Er stonden drie stoelen en een kleine tafel; twee van de drie muren waren van glas zodat alles wat hier gebeurde vanuit het kantoor of de ontvangsthal gezien kon worden. Rachel ging zitten en gaf Pete de chocola en het boek.

'Ik heb ook sigaretten voor je meegebracht, maar ze zeiden helaas dat ze je zelf je rantsoen wel zouden geven. De volgende keer zal ik ze naar binnen moeten smokkelen.'

Pete glimlachte. 'Bedankt,' zei hij.

'Je ziet er fantastisch uit. Hoe is het hier?'

Pete haalde zijn schouders op. 'Gaat best. Het eten is shit, maar de mensen zijn wel aardig. Ik voetbal veel en ik zit op houtbewerking. Ik heb een plantenhouder voor je gemaakt, maar die wordt momenteel gelakt dus ik kan hem nog niet aan je geven.'

'Wat aardig. Dank je wel. Dus je vindt het hier niet vervelend?' vroeg Rachel.

'Nee hoor. Er zijn te veel regels en zo, maar verder gaat het best. Beter dan Wentworth. De andere jongens zijn aardig. Weet je? Er zit hier een jongen die iemand vermoord heeft. Hij heeft zijn broertje doodgestoken met een keukenmes toen ze ruzie hadden. Hij is verschrikkelijk driftig, maar hier is hij hartstikke braaf. Ze sluiten je een hele dag op in je kamer als je je niet goed gedraagt en dan krijg je je eten daar. Dat hebben ze op de tweede dag met mij gedaan omdat ik een beetje heibel had met iemand van de staf. Maar dat is helemaal niet erg. Ik heb er niks tegen om op mijn kamer te zitten.'

'Wanneer moet je weer voorkomen?'

'Over een maand. Ze zijn een beoordeling aan het maken. Het kan me niets schelen om hier te zitten, maar ik verdom het om naar die inrichting te gaan. Er is hier een jongen die daar heeft gezeten en hij zegt dat ze je volstoppen met medicijnen en dat ze je in een isoleercel stoppen als je je niet behoorlijk gedraagt. En als je niet genoeg punten scoort voor goed gedrag geven ze je alleen maar Complan. Ik ga daar niet heen. Dan ga ik nog liever naar de gevangenis. Dan ga ik verdomme nog liever dood.'

'Nou, dood kan je altijd nog. Wat wil je dan *wel*?'

Pete zat keurig rechtop in zijn stoel, met zijn lange benen wijd uit elkaar.

'Ik wil voor mezelf zorgen,' zei hij. 'Op kamers wonen en een baan zien te krijgen.'

'Alleen wonen is tamelijk moeilijk als je het nooit geleerd hebt.'

'Nou, als ik het eenmaal doe leer ik het toch vanzelf?'

Ja en nee. Kinderen uit een gezin gaan ook het huis uit, maar die hebben ouders en vrienden in de buurt en ze hebben in ieder geval het grootste deel van hun leven afgekeken hoe het moet. Pete had niets van dat alles, alleen maar een stel gestoorde, aceton snuivende maats die het grootste deel van hun leven achter tralies doorbrachten. Ze zaten nog een tijdje te kletsen: Rachel vertelde hem wat Carrie had uitgevoerd, dingen die ze op de televisie had gezien; visitepraat. Toen ze wegging, nadat Pete door de reus terug naar boven was gebracht, liep ze eerst nog even naar het kantoor.

'Hoe gaat het overigens met Pete's encopresis?' vroeg ze aan de vrouw.

De vrouw keek op van het bureau. 'Zijn wat? O, dat – niets aan de hand. Komt u nog een keer terug?'

Rachel zei dat ze later in de week terug zou komen en de deuren werden weer opengemaakt en vielen rammelend achter haar dicht. Terwijl ze naar huis reed dacht ze erover na dat Pete zo gunstig reageerde op het leven in een instituut. Hij zou het best vinden als hij daar zou moeten blijven, waar ervoor gezorgd werd dat hij niet in de problemen raakte, veilig opgesloten. Als hij alleen ging wonen zou het alleen maar een kwestie van tijd zijn voordat hij iets deed waardoor hij daar weer terecht zou komen, of in de gevangenis. Het instituut kon hem op het rechte spoor houden, zorgen dat hij schoon, gezond en onbezorgd was, maar het kon hem niet de ambitie geven om het in zijn eentje te redden, kon niet maken dat hij vrij en onafhankelijk wilde zijn. Was er trouwens wel iemand die dat wilde zijn? In het begin was het altijd een kwestie van diep ademhalen en springen; de instellingen, de scholen, de tuchtscholen en de gezinnen hadden twee verschillende aspecten: veiligheid en geborgenheid, maar met de zekerheid dat het individu eens weg zou moeten. Goed beschouwd gaan er in werkelijkheid maar heel weinig mensen echt weg; ze gaan in een ander instituut zo gauw als ze kunnen. Misschien, dacht ze, zou Pete inwonend welzijnswerker voor de sociale dienst kunnen worden; maar hij was te zeer geneigd tot misdadigheid, het systeem was stellig niet flexibel genoeg om hem die mogelijkheid te bieden; het wilde hem naar St. Stephens sturen en hem met medicamenten en dreigementen 'socialiseren', hem rijp maken voor een samenleving waarvan hij nooit deel had uitgemaakt. Niet vragen waarom, gewoon doen. Hoewel, als hij nog eens een keer over zijn verleden ging nadenken zoals iedereen dat doet, dan waren moeilijkheden met het gezag, in de gevangenis zitten, de enige weg die hij kon inslaan. Maar waarom zou Pete nou niet eens anders zijn? Misschien hoefde hij niet te doen wat iedereen deed; waarom zou hij niet een nieuwe weg vinden?

Ze zat weer sprookjes te verzinnen.

Thuis kwam ze via haar gedachten over Pete op de andere mensen in haar leven – die allemaal precies deden wat ze verondersteld werden te doen. Becky, die haar zinnen op een gelukkig huwelijk had gezet, op achtenswaardige echtelijke liefde; Isobel, alleen en succesvol, die leefde voor haar werk en het echte leven met zijn rommelige emoties afwees; Joshua, verleidelijk en destructief maar ook alleen, voor sommigen zo'n Aardige Man, voor anderen een tiran, maar nooit werkelijk door iemand gekend, dus ook nooit werkelijk bemind. Iedereen liep alleen maar de weg af die voor hem was uitgestippeld; iedereen gedroeg zich in overeenstemming met zijn conditionering, er gebeurde nooit iets verrassends. En Rachel? Geen verrassingen. Het was een grote tredmolen, alles was al bekend voordat er iets gebeurde, het script lag klaar, zo saai, zo verdomd voorspelbaar. Hoe lukte het ooit iemand eraan te ontsnappen? Waarschijnlijk lukt dat als er rampen gebeuren; catastrofen die verwachtingen binnenstebuiten keren en je niets anders laten dan je fantasie en je vrijheid. Een pijnlijke leegte waar alles en, het meest beangstigende, niets mogelijk is. Een pijnlijke aangelegenheid, jezelf bevrijden; wie zou zo iets ooit vrijwillig doen?

Plotseling flitste er een herinnering aan de afgelopen nacht door haar geest, dat kortstondige ogenblik dat ze teder met Joshua had gevrijd en hij erop in was gegaan; ze voelde haar baarmoeder samentrekken terwijl ze eraan dacht en fluisterde in zich zelf: ik wil van iemand houden. Even later voegde ze eraan toe: geloof ik.

Ze liep naar de keukenla waar ze een kleine verzameling ansichten bewaarde en zocht tot ze er een vond die toepasselijk was: het was een foto uit het eind van de negentiende eeuw, van twee rotsen in een wildernis in Wisconsin, die waren afgesleten tot vijftien meter hoge zuilen; hun platte bovenkanten waren gescheiden door een kloof van tweeeneenhalve meter breed, alleen maar een dodelijke steilte tot aan de grond. De fotograaf had een man gekiekt die midden tussen de twee rotsen in de lucht zweefde; je kon niet zien of hij de overkant zou halen. De titel luidde 'Over de kloof springen'. Rachel glimlachte tevreden en nam de kaart mee naar haar bureau. Op de achterkant schreef ze: 'Goed dan. Ik geef je mijn woord – en nog zwart op wit ook. Maar het verdrag van München stond ook zwart op wit. Liefs, R.'

Ze adresseerde en frankeerde de kaart en gooide hem in de brievenbus op de hoek. Terwijl ze hem in de gleuf stopte dacht ze: als dat niet dubbelzinnig is weet ik het niet. Hij kan erop ingaan of niet. Ze vermoedde dat hij erop in zou gaan.

De volgende avond belde hij op en kwam naar haar toe, zonder een woord over de kaart. Ze zaten een hele tijd te praten, terwijl ze de wijn opdronken die hij had meegebracht. Niet over zich zelf, ze hadden het nooit over elkaar. Ze praatten en kibbelden over 'mensen', niet over Joshua en Rachel.

'Het ligt voor de hand dat mannen fetisjisten zijn,' verklaarde Joshua zomaar ineens. 'Wij zien in alle dingen de onderdelen waaruit ze zijn opgebouwd en raken gefixeerd op dit of dat onderdeeltje als onderwerp van onze begeerte. Vrouwen doen dat niet, die zien totaliteiten, dat hoort bij hun behoefte aan bescherming, het zorgt ervoor dat ze zich aan mensen binden.'

'Terwijl jullie gefixeerd raken op verschillende onderdeeltjes om afwisseling te hebben?' vervolgde Rachel.

'Precies. Vrouwen hebben de bescherming van mannen nodig, de veiligheid van een vaste man die in hun behoeften voorziet terwijl zij kinderen grootbrengen.'

'Hè bah! Je hebt te veel sociobiologie gelezen. Sociale economie. Het aloude kosten/baten-verhaal. Vrouwen bezitten een belangrijke investering in dure, tijd en energie verslindende eitjes en het grootbrengen van kinderen; mannen hebben gigantische hoeveelheden goedkoop sperma, dus hoe meer kinderen ze maken bij hoe meer mensen, des te groter de kans dat ze zich effectief voortplanten. Vrouwen zijn daarentegen beperkt in de mogelijkheid om zich voort te planten, dus ze moeten een heleboel investeren in weinig kinderen. Vrouwen moeten zorgen; mannen hoeven alleen maar kinderen te maken.'

'Precies. Dus moeten vrouwen wel gezinnen stichten

om de zekerheid te hebben dat hun kinderen groot zullen worden.'

'Als je er gelijk in hebt dat vrouwen biologisch voorbestemd zijn om veiligheid te zoeken, dan zijn mannen logischerwijs de laatste mensen bij wie ze die moeten zoeken. Dat is natuurlijk de allerstomste strategie. Mannen zijn biologisch voorbestemd om weg te lopen; vrouwen zouden hun investering moeten beschermen door met mannen te neuken om kinderen te krijgen en dan met andere vrouwen gezinnen moeten vormen. Als je het hebt over efficiency, dan is dat de manier om het te doen.'

'Ja, maar mannen houden hun handen juist vrij om erop uit te gaan en voedsel te vergaren en indringers af te weren, terwijl vrouwen belemmerd worden door kleine kinderen,' sprak Joshua haar tegen.

'Dat is zo, maar je hebt alleen wat aan ze als je erop kan rekenen dat ze zullen blijven. Het zou optimaal zijn als je groepen vrouwen had van verschillende leeftijden, in verschillende stadia van het voortplantingsproces, die elkaar beschermen en mannen ontvangen om zich te laten bevruchten. Als jouw argument klopt, zijn mannen alleen maar voortplantingsmachines; vrouwen zijn sociale wezens die in staat zijn baby's groot te brengen, te foerageren, het land te bewerken, die alles kunnen als ze zich maar organiseren. Maar misschien is het je opgevallen dat we niet meer in de oertijd leven. De meeste mensen gaan meestal om andere redenen dan voortplanting met elkaar naar bed en sociale groeperingen zijn er tegenwoordig voor meer dan louter overleven. Als je alles op die manier herleidt ga je een hoop missen van wat er aan de hand is. Verder, fetisjistisch vriendje van me, zou ik me als ik jou was niet twee maar wel twintig keer bedenken voordat ik mezelf als een sjabloon van de mannelijke seksualiteit gebruikte.'

Rachel lachte hem liefjes toe, terwijl hij vluchtig zijn witte tanden ontblootte.

'Pas op,' waarschuwde hij.

'Dat doe ik altijd,' antwoordde ze, terwijl ze zijn glas nogmaals volschonk.

Later, toen ze klaar waren met elkaars lichaam, zei Rachel: 'Je moet me even iets vertellen, gewoon omdat ik nieuwsgierig ben. Wat gebeurt er met je als je bent klaargekomen?'

Joshua lag naast haar op de grond; Rachel was naakt, hij in overhemd en pullover. Hij kwam half overeind, steunend op zijn ene elleboog, met zijn hoofd op zijn hand, en keek haar aan.

'Een totale omslag van mijn stemming,' antwoordde hij. 'Geen begeerte meer, geen seksuele gevoelens.'

Rachel rolde zich op haar zij en keek naar hem op.

'Maar de vrouw waar je mee samen bent? Seconden nadat je haar genaaid hebt?'

'Hangt van de vrouw af. Als het iemand is waar ik mee geneukt heb omdat er een onderdeeltje was waar ik zin in had, kan ik haar niet meer zien en ga ik zo gauw mogelijk weg. Als ze klein van stuk is of heel jong voel ik me beschermend, vaderlijk. Maar nooit seksueel.'

'O.' Rachel knipperde met haar ogen, om niet te laten merken hoe ze schrok. 'Nou, dat is erg interessant, dank je wel.'

'Geen dank,' lachte Joshua en streelde haar zachtjes van haar middel tot aan haar dij. Zonder begeerte kennelijk; daarentegen was ze waarschijnlijk mager genoeg, zij het niet jong genoeg, om aanspraak te maken op zijn bescherming. Ze besloot in stilte om het voor de zekerheid kalm aan te doen met de pasta.

In de maand die volgde kwam Joshua twee keer; alles was net als anders, niets nieuws. Zij ging tweemaal in de week bij Pete op bezoek en trof hem gezond en redelijk tevreden aan, maar nog altijd vastbesloten om zich niet naar St. Stephens te laten sturen. Hij had zijn ups en downs met de staf omdat hij uitprobeerde hoever hij kon gaan, maar hij ging nooit te ver. Hij was een tamelijk gezeglijke pupil, vernam ze, en hij deed het nooit meer in zijn broek. Ze smokkelde sigaretten naar binnen, leverde een pakje in bij de vrouw in het kantoor, gaf het andere onder de tafel aan Pete in de goudviskomachtige bezoekerskamer, en bracht chocola en stripboeken voor hem mee. Pete gaf haar de plantenhouder en maakte een houten kom voor haar op de draaibank, waar hij terecht ontzettend trots op was. Ze spraken over zijn toekomst, over alleen wonen in Londen, maar altijd met de dreiging van de inrichting op de achtergrond, en dat maakte het hem onmogelijk om toe te geven met welke problemen hij geconfronteerd zou worden als hij in zijn eentje op kamers ging wonen. Het was een droom geworden die geen enkele werkelijkheid toeliet. Hij had tenslotte geen andere keuze. Soms had ze het gevoel dat ze zelf een oplossing was die weigerde zich aan te bieden. Waarom haalde ze hem niet onmiddellijk uit deze impasse, zoals Isobel met haar had gedaan? Waarom gaf ze haar geluk niet aan hem door? Het zou niet verstandig zijn geweest hem iets te geven dat waarschijnlijk niet zou werken, alle moeilijkheden in aanmerking genomen. Natuurlijk was het van Isobel ook niet verstandig geweest om haar in huis te nemen toen ze nergens anders naar toe kon. Ze wist dat iedereen Isobel had gewaarschuwd voor die onbezonnen onderneming, een gestoord meisje in huis te nemen dat ze niet kende. Lief bedacht, maar de gevolgen konden desastreus zijn als ze het werkelijk zou doen. En toch zat ze hier nu, levend al was het dan niet spring-, niet geïnstitutionaliseerd, geen junk geworden, niet dood. Isobel had het ook overleefd; ze hadden allebei de nodige littekens, maar betrekkingen tussen mensen veroorzaken nu eenmaal wonden; die hoefden niet dodelijk te zijn.

Toch schonk ze Pete niet meer dan vriendschap en hij

accepteerde die omdat hij, hoe onvolwassen en gestoord hij ook was, ook een taaie realist was die aanpakte wat hem geboden werd als er niets beters te krijgen viel. Tot op zekere hoogte. De oorlog in Pete was tijdelijk bedaard, terwijl de tuchtschool hem in een niet te knellende omarming hield. Hij kon rustig ademhalen zolang hij maar niet te erg aan de toekomst dacht.

'Hierna ga ik een boekenkast voor je maken,' zei Pete tijdens haar laatste bezoek. 'Die heb je wel nodig met al die stomme boeken van je.'

'Absoluut. Het lijkt me een heel karwei. Heb je wel eens overwogen om door te leren voor timmerman? Ik heb de indruk dat je erg goed bent.'

'Wel nee, die dingen die ik maak zijn wel aardig omdat die vent me de hele tijd helpt. Hij wordt niet kwaad als je wat fout doet.'

'Ja, maar daar is een opleiding nou juist voor. Dat iemand je leert hoe je het moet doen en je laat oefenen tot je de slag te pakken hebt.'

'Ik weet het niet. Misschien. Als ik het dan eenmaal kon, zou ik wel voor mezelf kunnen beginnen, hè?'

'Ja. Mij lijkt het wel een goed idee. Zal ik eens uitzoeken wat voor mogelijkheden er zijn?' zei Rachel, die plotseling enthousiast werd: een sprankje licht, misschien zou hij toch nog zijn eigen weg kunnen vinden.

'Goed.'

Toen ze wegging vertelde de vrouw op het kantoor dat Pete de volgende dag voor de rechter moest verschijnen. Mary zou hem komen afhalen.

Twee dagen later was Pete dood.

Mary belde op om Rachel het nieuws te vertellen, hijgend en stotterend door haar snikken heen. Het vonnis van de vrederechter had geluid, dat hij zich in St. Stephens moest laten opnemen. Toen Mary hem met de auto terugbracht naar de tuchtschool, was hij doodstil. Ze probeerde hem aan het praten te krijgen, probeerde het uit te leggen, maar hij zat alleen maar zwijgend, dreigend en woedend naar de weg te staren. Mary, die doodsbang was dat hij in razernij zou uitbarsten, reed alsof de weg van glas gemaakt was, er voortdurend voor beducht dat hij het stuur zou pakken, een uitval naar haar zou doen, of wat ook. Maar hij hield alles binnen en bleef zwijgen toen ze bij de tuchtschool kwamen en hij voorbij de afgesloten deuren naar zijn kamer werd begeleid. De volgende dag zou hij naar St. Stephens worden gebracht.

Die nacht ging het brandalarm af; het personeel rende af en aan, maakte deuren open en brulde dat de jongens zich moesten verzamelen op de binnenplaats. Pete stond klaar toen de deur van zijn kamer werd opengemaakt, met zijn broek en zijn gympen aan en met ontbloot bovenlijf. Hij drong langs de bewaker heen en rende met zijn lange benen naar de branduitgang, maar toen hij daar aankwam holde hij naar boven in plaats van beneden. Met luid geklepper holde hij de vier metalen trappen op naar het dak van het gebouw, terwijl de bewaker de smeulende berg lakens trachtte te doven die recht onder de rookdetector in Pete's kamer lag. Op de binnenplaats liepen de jongens en het personeel in het wilde weg rond totdat iemand schreeuwde: 'Kijk daar eens!' en naar de lange, grauwe gedaante wees die op de rand van het dak balanceerde, kleurloos in de grijze dageraad. Enkele ogenblikken bleef het stil terwijl iedereen naar Pete tuurde, met het hoofd in de nek en met ogen die half dichtgeknepen waren van de inspanning om hem in focus te houden, alsof ze hem met hun ogen konden vasthouden en zijn val verhinderen. Pete stond halfnaakt in de koude ochtendlucht, keek van vier verdiepingen hoog neer op de verstijfde gedaantes in de diepte en brulde: 'Klootzakken! Het kan me niks meer verdommen – ik wil dood. Ik ga springen, klootzakken, jullie kunnen me toch niet tegenhouden!'

Hij trok een van zijn schoenen uit, tilde hem boven zijn hoofd en smeet hem zo hard hij kon naar de groep beneden, die uit elkaar ging toen de schoen naar beneden kwam. Vervolgens de andere schoen. 'Ik haat jullie! Vuile schoften! Het kan me niks meer verdommen!'

Een paar personeelsleden begonnen naar hem te roepen, trachtten hem om te praten, te kalmeren. Iemand begon langs de brandtrap naar boven te klimmen, iemand anders ging de politie bellen. Pete stond blootsvoets in zijn spijkerbroek te snikken, terwijl mannenstemmen verstandige, hoopgevende dingen naar boven riepen; als hij naar beneden kwam konden ze erover praten, dan zouden ze er wel iets op verzinnen. Pete snikte en luisterde, bereid om te geloven maar te boos, te hopeloos. Iemand zag hem zijn tranen wegvegen met de rug van zijn hand en ze afschudden alsof hij ze net als zijn schoenen naar beneden gooide; zware, gevaarlijke tranen die iedereen die eronder stond zouden kunnen verpletteren. Toen wist hij niets anders meer te doen met zijn woede, niets anders meer te gooien dan zich zelf. Hij gooide zich over de rand en stortte naar de grond, achter de schoenen en de tranen aan, gooide zich zelf weg, lanceerde zijn lichaam als laatste wapen dat hij bezat, een raket die de wereld zou opblazen.

'Schoften!' gilde hij toen hij sprong, en toen hoorden ze zijn schedel breken tegen het asfalt en lag hij daar in de ontzette stilte, met zijn gezicht naar beneden, verpletterd en dood.

Een jongen begon te snikken en twee bewakers holden op hem af om tegen beter weten in zijn pols te voelen. Enkele ogenblikken bleven de jongens en de staf wezenloos staan staren naar het ding dat aan hun voeten lag.

Mary snikte in de telefoon terwijl Rachel zwijgend luisterde, met haar vingers tegen haar lippen gedrukt alsof ze op die manier de gevaarlijke geluiden in haar binnenste wilde bedwingen. De woorden stroomden haar oor binnen en ze drukte de hoorn hard tegen zich aan om te verhinderen dat die geluiden naar buiten zouden sijpelen. Ze liet het helemaal tot zich doordringen, liet Mary het verhaal uitvertellen en toen ze zweeg fluisterde ze: 'Dank je wel voor het bellen.'

Waar Rachel nu behoefte aan had, was nadenken. Of liever gezegd, niet nadenken maar zich doelloos laten ronddobberen in de ruimte die Pete had achtergelaten, zoals een foetus in het vruchtwater zweeft. Ze wilde in bed liggen en beleven wat ze van Pete had gekend, er binnenin zitten of het doorleven, tot een zeker begrip komen van wat zijn leven en dood voor haar betekenden. Het was een verlangen om zich helemaal te laten gaan, maar zo sterk dat ze zich moest dwingen naar de zitkamer terug te gaan toen ze ontdekte dat ze stiekem op weg was naar haar bed.

Na een poosje begon ze haar toestand te herkennen. Ze had die vroeger beschouwd als het Joshua-syndroom, of als de ruimte die in haar gereserveerd was voor seksuele obsessies en die door Joshua geactiveerd was, toen ze urenlang lag te fantaseren en herinneringen op te halen. Nu scheen het een globalere aandoening te zijn, de symptomen waren indicaties van geobsedeerdheid per se, en haar seksuele behoefte aan Joshua was maar een van de gedaanten die deze kon aannemen. Er was hetzelfde afschuwelijke gewicht, de zwaarte waardoor haar lichaam ernaar snakte een horizontale positie aan te nemen. Het verlangen om in bed te liggen was zo intens, dat ze geen enkele lichamelijke bezigheid vanzelfsprekend kon verrichten. Haar lichaam vroeg halsstarrig om rust, terwijl haar brein alle andere zaken opzij wilde schuiven en zich louter wenste te verdiepen in het thema Pete. Ze zag haar verstand als iets dat helemaal losstond van haar wil, iets dat geen behoefte had om te analyseren, maar vastbesloten was te herbeleven, zich alle momenten en gebeurtenissen van haar relatie met Pete te herinneren. Haar verstand wilde de ervaring proeven als wijn, wilde herbeleven zonder nadenken, alsof dat de enige manier was waarop er iets begrijpelijks zou kunnen ontstaan. Er was geen sprake van een bewuste behoefte om te begrijpen, alleen het gevoel dat er door een dergelijk proces begrip zou ontstaan. Pete en Joshua moesten niet uitgedacht worden. Dat deel van haar brein dat op logische wijze problemen oploste, was uitgeschakeld. Toch was er in haar binnenste een gevecht gaande om haar uit bed te houden en niet in de toestand te geraken waarin ze zich zo graag zou willen bevinden. Ze sleepte haar zware ledematen door de flat, stofzuigde kleden die nog maar een dag eerder waren gereinigd, schuurde gootstenen die al blinkend genoeg waren – alles om maar bezig te zijn en boven wat zij als een afgrond zag te blijven. Ze verbood zich zelf daarin af te dalen, in de wetenschap dat ze het gevecht alleen maar uitstelde in plaats van het te winnen.

Ze werd ijskoud en heel boos, en een dag of wat deed ze alle dagelijkse dingen met een strak gezicht, haar hele wezen erop ingesteld om te doen wat er gebeuren moest, een en al ijzige kalmte en redelijkheid. Ze belde Isobel en Becky en vertelde wat er gebeurd was, met een stem die hun het recht ontzegde ontzet te reageren of de gebruikelijke woorden van troost te spreken. Met Isobel was dat makkelijk; ze hadden vaker zulke gesprekken gevoerd, naar aanleiding van andere tragedies.

'O jee, wat akelig. Wat zal jij je afschuwelijk voelen. Nou ja, zo is het leven. Misschien heeft hij de juiste keuze gemaakt,' opperde Isobel verstandig.

'Ja. Ik geloof dat hij verder geen enkele keuze meer had,' antwoordde Rachel, dankbaar voor haar afstandelijke toon. Zinloos doodgaan, zinloos leven vroegen om Isobels redelijkheid.

'Ga je naar de begrafenis?'

'Nee. Er zijn geen liefhebbende nabestaanden om te

troosten. Ik hield van Pete en die zal er niet zijn.'

'Denk je niet dat je je beter zou voelen als je ging? Soms is zo'n ritueel wel nuttig.'

'Ik geloof niet dat een gezamenlijke huilbui met de hoge bazen van de sociale diensten veel aan mijn stemming zal verbeteren. Ik red het wel, hoor. Het is alleen akelig, zoals je al zei.'

'Nou, als ik iets doen kan, laat je het me maar weten. Niet dat je ooit iets kunt doen,' zei Isobel zuchtend om weer zo'n voorbeeld van de onmogelijkheid des levens.

Rachel legde een beetje geïrriteerd neer. Ze had geen emotionele reactie gewild, daarom had ze Isobel eerst gebeld, maar het zat haar dwars dat Isobel ieder persoonlijk verdriet samenvoegde tot de Condition Humaine, zodat individuele smart niet meer werd dan een klein bewijs van hoe ze toch al wist dat alles in elkaar zat. Niet dat het niet waar was, maar het was alsof mensen daardoor het recht ontzegd werd de pijn te voelen die ze voelden.

Becky bereikte precies het omgekeerde bij Rachel.

'O Rachel! Nee!' Ze stond meteen bijna te huilen.

Rachel zei nijdig: 'Nou, het is nauwelijks iets om je over te verbazen. Gewoon het zoveelste droevige verhaal.'

'Hou op,' snufte Becky. 'Je hoeft niet te doen of je het niet erg vindt.'

'Ik vind het wel erg, maar ik kan er niets meer aan doen. Tranen helpen niet.'

'Misschien zouden ze jou helpen.'

Rachel was verschrikkelijk geïrriteerd. Becky's tranen maakten haar boos. Ze waren zo vanzelf gekomen alsof ze zich dagenlang hadden verzameld in afwachting van een gelegenheid om over te stromen. Het waren tranen, maar geen tranen om Pete. Maar wat zou dat eigenlijk? Waarom mocht verdriet niet beschikbaar zijn als de noodzaak zich voordeed? Wie dacht Rachel eigenlijk dat ze was, om Becky het recht te ontzeggen te huilen om iemand die ze niet kende? En als tranen voor de doden iets betekenen, waarom mochten er dan niet een paar aan Pete worden gewijd? Misschien waren Becky's tranen effectiever dan de hare. Rachel had natuurlijk niet gehuild. Zij offerde haar gedachten aan de nagedachtenis van Pete. Was er enig verschil?

'Sorry. Ik voel me gewoon een beetje lullig. Ik zie er de zin niet van in om me te laten gaan. Het is vreemd, maar er zijn ontzettend weinig mensen in mijn leven gestorven. Er zijn er een heleboel verdwenen, maar zonder dood te gaan. Dat is iets anders.'

'Het is zo vreselijk jammer,' zei Becky.

'Jammer zou ik het niet willen noemen. Als hij was blijven leven had Pete waarschijnlijk de helft van de tijd in de gevangenis gezeten of zich zelf met drugs of drank de dood ingejaagd. Ik weet echt niet wat erger is,' voerde Rachel aan.

'Maar als hij was blijven leven had hij die keuze tenminste kunnen maken.'

'Dat weet ik niet. Hij had maar zo weinig mogelijkheden. Ik vind het alleen zo akelig dat hij dood is. Ik wou dat hij niet dood was.' Rachel kneep haar ogen dicht om de tranen terug te dringen die ineens pijnlijk tegen haar oogleden duwden. Ze ging niet huilen. Huilen had geen zin. Voor huilen was ze als de dood.

Becky zei: 'Je moet naar de begrafenis gaan. Dan zul je je beter voelen.'

'Als ik naar een begrafenis moet gaan om me beter te voelen zal ik me waarschijnlijk nog rotter voelen. Volgens mij werken rituelen alleen als je niet weet dat dat de bedoeling ervan is. Trouwens, waarom zou ik me beter moeten voelen?'

'Ik geloof eigenlijk niet dat ik *beter* bedoelde, ik geloof dat ik gewoon *iets* voelen bedoelde. Voelen.' Becky, praktisch, sensitief en bezorgd, maakte dat Rachel zin kreeg om te gillen.

'In jezus' naam, Becky.'

'Sorry, waarschijnlijk heb ik het over mezelf. Het is niets vergeleken bij Pete's zelfmoord, maar het gaat ontzettend slecht tussen William en mij. Ik ben zo bang dat ik er eigenlijk niet eens aan durf te denken.' De tranen begonnen weer te stromen.

'Heeft hij een ander?' vroeg Rachel.

'Ik geloof het wel. Ik weet dat het idioot is, maar ik geloof dat ik niet verder kan leven zonder William. Het is gewoon nooit in mijn hoofd opgekomen dat ik hem niet de rest van mijn leven zou hebben. Ik weet dat je me wel verschrikkelijk naïef zult vinden, het is niet dat ik niet weet dat huwelijken stuklopen, dat ze niet eeuwig duren... maar niet dat van ons.'

Rachel trachtte zich in Becky's plaats te stellen en kon het niet. Dus William had na vijf monogame jaren een verhouding, dat klonk zo normaal, zo net als iedereen. Ze vond Becky inderdaad naïef. Hoe had ze in godsnaam kunnen denken dat *zij* anders waren? Hoe had ze kunnen denken dat ze samen verder zouden gaan met dezelfde intensiteit, dat ze elkaar eeuwig zouden blijven begeren? Dit ging Rachels voorstellingsvermogen te boven. Het antwoord was gewoonte. Becky's overtuiging dat *zij* anders waren was retrospectief; ze had er waarschijnlijk helemaal nooit over nagedacht. Maar ze was het gewend om met William samen te leven en nu was hij onvervangbaar, niet omdat hij onvervangbaar *was*, maar omdat ze aan hem gewend was. Hoe kon William de enige perfecte partner voor Becky zijn? Hoe kon wie dan ook dat zijn? In het kleine wereldje dat we allemaal bewonen, ontmoeten we toevallig een paar mensen die bij ons passen; dat was toeval, geen noodlot, in een wereld die barstte van de mensen die elkaar, louter vanwege de numerieke onwaarschijnlijkheid, nimmer zouden ontmoeten. Geen ware Jozefs, alleen Jozefs-die-ermee-door-kunnen en die onmisbaar worden uit gewoonte. Maar Rachel en Becky hadden met elkaar gemeen dat ze verdriet hadden, ook al waren ze het oneens, en daarmee kon Rachel tenminste empathie voelen.

'Kom vanavond bij me,' stelde ze voor. 'Ik heb geen zin om alleen te zijn.'

'Graag. Ik kan je nuchtere kijk op het leven op dit moment wel gebruiken.'

Rachel bromde: 'Dat zou ik ook wel kunnen. Je loopt een beetje achter. De Onkwetsbare Rachel schijnt spoorloos gezonken te zijn, maar misschien kan ik haar voor jou weer opvissen.'

Dat zou ze natuurlijk doen. Die Rachel was er nog altijd, zeker voor andere mensen, en ook nog altijd voor zich zelf, als ze haar emoties tot bedaren kon laten komen.

Pete en Joshua. Ze treurde om hun beider geesten, om het verloren gegane potentieel van beide doden. De ene dood was niet ernstiger dan de andere omdat hij toevallig lichamelijker was. Ze treurde in de allereerste plaats om zich zelf, hoewel ze dat niet wilde toegeven.

5

Becky zag er afgrijselijk uit toen ze kwam. Alle zorg die ze anders aan haar uiterlijk besteedde was achterwege gelaten, zodat ze eruitzag als zich zelf maar toch ook weer niet, zoals het gezicht van een brildragende vriend plotseling verandert in dat van een onbekende wanneer hij die bril even afzet. Het basismateriaal was weliswaar aanwezig, het onberispelijk geknipte haar, de grote, heldere ogen en de geprononceerde beenderstructuur, maar ze had haar haar niet gewassen, zodat het sluik en slap om haar gezicht hing en haar niet opgemaakte ogen waren bloeddoorlopen en gezwollen van het vele huilen. Beide vrouwen droegen een verschoten spijkerbroek, maar hun stijl verschilde net zo essentieel als altijd: Becky droeg een smaakvolle zijden overhemdblouse, die haar borsten accentueerde die door de beha eronder in vorm waren gegoten, Rachel een wijd, slobberig t-shirt dat zich over haar blote tepels plooide. Rachel zette koffie en ze zaten op krukken aan de keukentafel plakjes salami te eten en brokjes kaas af te breken.

'Heb je aan William gevraagd wat er aan de hand is?' vroeg Rachel.

'Nee. We praten eigenlijk nauwelijks. Hij is zo afwezig, zelfs als hij er is, is hij er niet. Misschien gaat hij wel bij me weg,' zei ze, plotseling opkijkend met grote, bange ogen, alsof dit een volstrekt nieuwe gedachte was. 'Hoe hou je het uit om alleen te zijn?'

'Dat heb ik je al verteld, dat is alleen maar gewoonte. Ik ben niet in staat met iemand anders samen te leven. Ik weet niet hoe mensen die niet gewend zijn om alleen te zijn het uithouden.'

'Maar je duivelse minnaar? Als die bij je wilde wonen?'

'Dat wil hij niet. Waarschijnlijk is dat het hem juist. Er bestaat niet de minste kans dat hij meer zal willen dan we nu hebben. Dat is mijn zekerheid. En de reden waarom ik zo aan hem vastzit. Als hij zich een klein beetje beschikbaarder maakte zou ik niets meer aan hem vinden, zoals dat bij mij altijd gaat. Ik wil die klootzak alleen maar vaker zien omdat ik hem niet meer wil willen. Eerlijk waar. In mijn eigen kuil gevallen, zoals dat heet. Maar daar heb jij niets aan, ik bedoel alleen dat je er niet beter aan toe zou zijn als je op mij leek in plaats van op jezelf.'

'Dat is een hele troost.'

'Voor mij niet,' mompelde Rachel somber.

'Nou, we zitten in elk geval in hetzelfde schuitje.'

'Behalve dat ik het verdiend heb en jij niet. Waarschijnlijk. Ik heb spelletjes gespeeld met mijn eigen fantasieën. Soms denk ik dat ik die man heb verzonnen. Het lijkt net alsof hij uit mijn hoofd gestapt is, alsof hij mij is, maar dan doorgevoerd tot een logische conclusie, en natuurlijk is de enige persoon waar ik niet tegenop kan een ik die er nog beter in is dan ikzelf. Hij zal het altijd van me winnen omdat hij precies weet wat ik wil.' Rachel stond op en trok een fles wijn open.

'Wat wil je dan?' vroeg Becky.

'Kwetsbaar gemaakt worden. Niet de kans krijgen hard en cynisch te zijn. Het gaat maar ten dele om de seks, dat is waar het het duidelijkst in naar voren komt, maar het ware genot is erin gelegen dat ik hunkerend en zielig gemaakt word. Dat is gewoon een bevrijding, het is zo'n opluchting om te verliezen en het niet erg te vinden om te verliezen. O shit, wat afgrijselijk, hè?' Rachel sloeg haar hand voor haar gezicht en lachte grimmig. 'En ondertussen,' vervolgde ze toen ze weer opkeek, 'heeft Pete zelfmoord gepleegd en is jouw huwelijk naar de knoppen. Maar ik schijn nergens anders aan te kunnen denken dan aan die stomme Joshua.

Het spijt me. Weet je wat ik echt griezelig vind? Vroeg of laat raakt het natuurlijk uit, maar ik geloof niet dat ik ooit nog iemand anders zal willen, dat er ooit nog iets zal gebeuren dat de moeite waard is. Ik heb een gevoel alsof ik tot levenslang ben veroordeeld.' Ze legde haar handen om haar wijnglas en tuurde erin, zonder iets anders te zien dan een lang, grauw leven van hunkeren. Becky voelde zich natuurlijk net zo, dacht ze. Grauwheid, voor altijd. Er was zoveel tijd die je door moest komen. En Pete ook. Toen hij op dat dak stond moest hij dat gevoeld hebben, door zijn woede heen. Als je vier verdiepingen hoog op een richel stond en je zo voelde, alleen maar hopeloos, dan was het natuurlijk niet moeilijk om die stap in de ruimte te zetten. Het alternatief, de trap aflopen, was moeilijker. Er was niets om voor naar beneden te gaan, behalve nog meer niets.

'Maar jij bent goed in alleenzijn. Rachel, ik kan niet... ik kan het niet.'

Becky liet plotseling haar laatste restje kalmte varen en leek in elkaar te schrompelen terwijl de tranen ombelemmerd tussen de ineengeklemde vingers door stroomden die ze tegen haar gezicht gedrukt hield. Ze snikte, huiverend en hijgend, en liet haar verdriet ongegeneerd de vrije loop terwijl Rachel toekeek en voelde hoe ze van binnenuit hard werd, hoe alles zich spande, zich gereedmaakte om de situatie aan te pakken. Ja, het is goed voor Becky om te huilen, ze moet getroost worden en gestreeld; tranen zijn functioneel, ze voeren overbodige proteïnen af; mensen hebben het nodig om vastgehouden te worden wanneer ze hun zelfbeheersing verliezen, want dan voelen ze zich veilig. Rachel bestudeerde Becky een ogenblik kalm en uiterlijk onbewogen terwijl ze haar liet doen wat nodig was, toen zuchtte ze diep en strekte haar hand uit over de tafel.

'Arme Becky, ik vind het zo erg voor je, liever,' mompelde ze, terwijl ze een van Becky's handen wegtrok van haar gezicht en die stijf vasthield. Het snikken verhevigde tot een jammerklacht, een rouwklacht. Rachel ging staan terwijl ze Becky's hand bleef vasthouden, in contact met haar bleef, en liep naar haar toe, trok Becky's hoofd tegen haar bovenlijf aan en streelde het slappe, vochtige haar.

'Stil maar, stil maar,' fluisterde ze telkens weer, terwijl ze haar zachtjes en ritmisch wiegde, in het tempo van haar snikken.

'Het is zo verschrikkelijk,' snikte Becky. 'Wat moet ik doen?'

Rachel, van binnen een en al zakelijkheid en efficiëntie, trok Becky zachtjes mee van de tafel naar de sofa, waar ze haar in haar armen nam en de gladde zijde van haar blouse streelde. Ze voelde zich volmaakt kalm, klaar om te reageren zoals nodig was. Wat had Becky nu nodig? Troost en toegeeflijkheid. Ze was als een sensitief instrument dat de atmosfeer peilde en de juiste reacties in gang zette, zonder gevoel, alleen maar alert. Ze hield haar in haar armen en streelde haar en langzamerhand hield Becky op, van tijd tot tijd nog nahikkend terwijl haar lichaam weer tot rust kwam. Toen werd ze stil en lag langzaam ademend tegen Rachels borst, met een arm op Rachels schouder. Rachel bleef kalmerend over Becky's rug strelen terwijl ze fluisterde: 'Gaat het weer een beetje?'

Becky tilde haar hoofd op, zodat haar gezicht maar een paar centimeter bij dat van Rachel vandaan was en keek met rode ogen in een gezwollen gezicht naar haar op. Ze wil dat ik haar kus, dacht Rachel. Wil ze met me vrijen, vroeg ze zich af. Zou dat helpen of zou alles dan nog erger worden? Is dat het juiste om te doen? Ze dacht niet: wil ik het? Maar ze wilde het wel, althans, het idee intrigeerde haar om met deze vrouw in haar armen de overgang van troost naar erotiek te maken, hoewel haar voornaamste, bewuste zorg was dat ze moest doen wat het beste en het juiste was voor Becky, die zo'n verdriet had.

Becky dacht helemaal nergens aan; ze gleed teder met haar lippen over Rachels mond en stak toen zachtjes haar tong tussen haar lippen, die vanzelf al opengingen. Ze kusten elkaar lange tijd, terwijl ze zich vertrouwd maakten met de contouren van elkaars lippen, met tongen langs tanden gleden, teder elkaars mond proefden en verkenden. Ze kleedden zich uit terwijl ze elkaar bleven kussen en bestudeerden elkaar nieuwsgierig en een beetje verlegen, leerden de zachte welvingen van borsten, onvertrouwde tepels, zijdezachte gewelfde dijen en vochtige vulva's kennen. Rachel nam Becky's brede donkere tepel in haar mond en zoog er zachtjes aan, voelde een rilling van genot door zich heen gaan terwijl ze het lichaam proefde en betastte waarvan ze de bezitster zo goed kende. Becky als vriendin had geen lichaam bezeten, althans alleen een lichaam in relatie tot anderen, een lichaam dat Rachel alleen van horen zeggen kende. Het was nooit bij haar opgekomen de vriendin en het vlees in haar genegenheid aan elkaar te verbinden. En terwijl ze streelde en betastte en voelde hoe haar eigen lichaam gestreeld werd, raakte ze in de ban van de verwarring. Ze was Alice op het moment dat de spiegel wegsmolt, knielend op de schoorsteenmantel terwijl ze haar handpalmen tegen het glas drukte en de weerspiegeling van haar eigen vlees voelde, ze raakte iemand anders aan, raakte zich zelf aan, vertrouwd maar volkomen anders, schiep een derde die noch de een noch de ander was, bedreef de liefde in een spiegel die een vloeibare, weerkaatsende poel werd, niet jou, niet mij, vreemd en vreemd vertrouwd.

Ze lagen naakt op de grond, slaperig en voldaan, terwijl ze elkaar omarmden en van tijd tot tijd kusten om de opwinding tussen hen beiden in stand te houden. Rachel keek naar Becky en was verrukt over haar schoonheid; haar ogen deden zich te goed aan de lijnen en rondingen terwijl ze zich herinnerde hoe die onder haar hand hadden aangevoeld, hoe ze zich hadden gespannen toen Becky klaarkwam, klaarkwam door Rachel, en hoe vloeiend en zacht ze nu waren in het schemerige licht. Ze was zich tegelijk van haar eigen lichaam bewust als mooi en beweeglijk, klein en hoekig in contrast met Becky's rondheid, en ze zag hen beiden alsof ze van bovenaf keek, schokkend naakt, schokkend omdat daar twee vrouwen lagen, de vrouwelijke vorm die zich om zich zelf strengelde. Ze raakte Becky's lippen aan met de hare en streelde haar haar terwijl ze slaperig glimlachte.

'Rachel,' fluisterde Becky, terwijl ze haar op haar beurt kuste.

'Becky,' fluisterde Rachel en lachte ook.

Rachel zakte in slaap en had een onbegrijpelijke droom over architraven, fijnbesneden, druk bewerkte witte deurlijsten. Maar het gaat om de deur, zei ze in de droom tegen zich zelf, je moet je niet op architraven concentreren terwijl het om deuren gaat. Maar hoe ze haar best ook deed, ze kon zich niet losrukken van de vormen rondom de deur, biologerende hoeken, rondingen en schaduwen die haar aandacht opeisten. Ze werd wakker met het beeld van een zware witte deur in haar hoofd, de deur waaraan ze in haar droom de aandacht had moeten schenken die ze er niet aan had kunnen geven. Ze knipperde met haar ogen om het beeld te verdrijven en draaide haar hoofd om naar Becky, die naast haar lag te slapen. Ze had het koud gekregen en ze zag dat Becky kippevel had van de kou. Het was laat en de verwarming was uitgegaan. Ze ging overeind zitten en voelde zich net een blok ijs. Alle sensualiteit, alle warmte was verdwenen. Ze was hard en gespannen van binnen, als een diamant met scherpe, glinsterende, gladde, koude facetten. Koel keek ze naar Becky die nog steeds lag te slapen en verlangde ernaar dat ze weg zou zijn, wilde alleen nog maar alleen zijn in haar flat. Ze wilde haar wakker schudden, haar zwijgend haar kleren aanreiken zodat ze weg zou gaan, terwijl Rachel zich in de slaapkamer opsloot. Verdomme, weer zo'n slordige situatie, weer iets om op te lossen, om aan te pakken. Waarom liet ze dit gebeuren, terwijl ze alles in wezen juist eenvoudig wilde houden, alleen maar met rust gelaten wilde worden? Ze herinnerde zich dat ze het fijn had gevonden met Becky te vrijen, maar dat was toen geweest, terwijl het gebeurde; ze wilde geen nasleep. Ze wilde geen voortzetting en ze wilde niets hoeven uitleggen, ze wilde alleen maar met *rust* gelaten worden. Alleen zijn betekende veiligheid voor Rachel en veiligheid was de belangrijkste richtlijn in haar leven. Haar flat en een paar niet al te intieme vrienden betekenden veiligheid, de rest van de wereld stond voor verschillende gradaties van verontrusting. Bij de onschuldigste sociale gebeurtenis hield Rachel altijd een stukje van zich zelf achter, dat ernaar snakte om alleen thuis te zijn. Relaties werden vroegtijdig beëindigd of nooit aangeknoopt omdat alleenzijn altijd te prefereren was boven de onrust die ze in aanwezigheid van anderen voelde, boven de dreiging die ze inhielden. Zelfs bij Carrie had ze soms het gevoel dat ze beleefd met haar zat te converseren in afwachting van het moment dat ze naar school zou moeten of in bed zou liggen, zodat Rachel weer alleen zou kunnen zijn. Joshua was veilig omdat vaststond dat hij altijd weer weg zou gaan en omdat hij, hoewel hij seksueel door haar reserve heen brak, nooit zover zou gaan dat hij zijn eigen reserve in gevaar zou brengen. Hij bepaalde hoever ze kon gaan met haar verlangens en zorgde voor hun beider veiligheid. Nu hield ze zich voor dat ze zou moeten leren nog meer alleen te zijn dan ze was. Ze moest het leren stellen zonder vangnetten die onverbiddelijk in valstrikken veranderden – zoals Becky, die vredig lag te slapen op de grond. Net als Pete zou ze nooit krijgen wat ze nooit gehad had, maar in tegenstelling tot hem wist zij het. Dat had ze op hem voor. Ze hoefde zich er alleen maar mee te leren verzoenen en op te houden zich überhaupt nog ergens bij betrokken te voelen.

Plotseling kreeg ze het onthechte gevoel dat ze zich herinnerde van toen ze klein was. Dan lag ze 's avonds in bed en voelde zich wegzweven in de ruimte. Ze kwelde zich zelf met de gedachte aan oneindigheid, oneindige leegte. Later werden er films gemaakt van dat steeds terugkerende spookbeeld van haar. Terwijl ze in bed lag verloor ze de muren van haar kamer, haar ouders die sliepen of ruzie maakten, de vaste omtrekken van het flatgebouw, en zweefde de zwarte, lege ruimte in, tot ze helemaal in haar eentje daarboven dobberde, waar niets meer was; geen randen, geen grenzen, niet de geringste hoop op redding, gewoon voorgoed alleen in het donker. Jaren later, toen ze hetzelfde beeld in de bioscoop zag, had ze moeten vechten tegen de panische, lege angst die dat bij haar teweegbracht. De reddingslijn van de astronaut die naast het ruimteschip zweeft wordt doorgesneden en hij wervelt weg, een minuscuul dingetje in een uitgestrektheid, eeuwig voortwentelend op weg naar meer en meer niets.

Becky werd glimlachend wakker, nog steeds vervuld van wellust, en stak haar hand naar Rachel uit. Rachel ging met een ruk staan.

'Het is koud,' zei ze. 'Je moet je aankleden.'

Becky trok haar hand terug en keek verbaasd. 'Is er iets?' vroeg ze.

'Nee,' antwoordde Rachel kortaf, terwijl ze haar spijkerbroek en haar T-shirt aanschoot.

Becky ging staan en kleedde zich langzaam aan terwijl Rachel in de weer was met het verzamelen van lege glazen, die ze in de gootsteen zette bij de koffiekopjes. Ze maakte een hoop lawaai om maar niets te hoeven zeggen, totdat Becky zei: 'Ik heb zin in koffie.'

'Het is ontzettend laat. Zal William zich niet afvragen waar je blijft?'

'Hij weet dat ik hier ben. Wat is er?'

'Niets. Ik ben moe.'

Ze begon koffie te zetten, terwijl ze bedacht dat Becky des te eerder zou weggaan als ze die gauw klaar had. Becky kleedde zich verder aan en kwam aan de keukentafel zitten.

'Het was fantastisch. Het was zo heerlijk,' zei ze, terwijl Rachel de koffiekopjes op tafel zette. Rachel voelde dat ze ernaar hunkerde om aangeraakt, gerustgesteld te worden en draaide haar meteen de rug toe om onnodig aan het koffieapparaat te prutsen.

'Rachel, wat is er toch?' drong Becky aan.

Ik wil dat je opdondert, dat je weggaat, dacht ze; ik wil dat je ophoudt met zo aandoenlijk te zijn, zo godvergeten teder, zo liefdevol.

'Hoor eens,' zei ze met enorme inspanning, nog steeds met haar rug naar Becky toe, 'je was overstuur, we waren een beetje aangeschoten. Het was fijn. Ik wil alleen niet... ik wil er niet mee doorgaan. Het is gebeurd: dat is prima, maar dat was dat.'

Hard, spijkerhard. Totale omslag van stemming.

Becky keek alsof Rachel de koffie naar haar hoofd had gegooid in plaats van hem onder het praten op tafel te zetten.

'Natuurlijk. Als je dat wilt. Maar het was zo'n fantastische ervaring. Je was zo lief en teder voor me toen ik huilde. Ik had je nog nooit zo meegemaakt...'

'Ik heb alleen gedaan wat nodig was,' sprak Rachel haar tegen.

'Dat doet er niet toe. Je was *echt* lief en je was ook lief toen we met elkaar vrijden... Je kunt niet doen alsof het niet gebeurd is en alsof het niets voor je betekende.'

'Jij bent verliefd op William, weet je nog wel? Ik doe helemaal niet alsof. We zijn gewoon met elkaar naar bed geweest en ik ben dol op vrijen, maar we hoeven het niet ingewikkeld te maken. We hebben elkaar alleen maar getroost.'

'Rachel, ik hou van je. Je bent mijn vriendin. Vóór van-avond hield ik ook al van je; we zijn een stap verder gegaan, maar dat verandert toch niets aan onze vriendschap. Alleen heb ik vanavond ook van je lichaam gehouden.'

'Je houdt van William. Die kan ik niet vervangen. Dat wil ik ook niet. Voor mij gaan vriendschap en seks niet sa-men.' Rachel schonk zich nog een keer koffie in.

'Goed, als je het niet wilt, doen we het niet meer. Maar we blijven toch wel vriendinnen?' Becky tastte naar Ra-chels hand die op de tafel lag, terwijl Rachel hem wegtrok en haar hoofd omdraaide om uit het raam te turen.

'Ja, dat zal wel,' zei ze met een stem die miljoenen kilo-meters ver weg was, op een toon die betekende: 'Dat be-twijfel ik zeer.'

'Rachel, toe nou. We zijn toch vriendinnen.' Becky's ogen schoten vol tranen, haar hand lag nog steeds op de tafel.

Rachel staarde even voor zich uit. Ze had het gevoel dat ze helemaal hol was, alsof er in haar binnenste niets anders was dan leegte. Ze wilde Becky niet kwijtraken. Ze wilde alleen maar dat ze ongedaan kon maken wat er vanavond was gebeurd. Ze hoorde hoe koud en boos ze klonk en ze wist precies hoeveel pijn ze Becky deed, alleen al door de toon waarop ze sprak. Ze kon zich precies voorstellen hoe zij zich zou voelen als dit haar werd aangedaan. Nam ze wraak op Becky, zette ze haar Joshua betaald en iedereen die niet van haar had gehouden? Niet bewust. Ze wilde Becky niet kwetsen, maar ze kon zich niet anders voelen of anders zijn. Ze had zich afgesloten, er was geen greintje warmte of vriendelijkheid in haar. Omdat ze was zoals ze was, was ze zoals ze was en ze kon er niets aan doen. Ze was gewoon doodsbang om nog verder betrokken te raken en raakte in paniek omdat ze Becky's emoties als bedreigend ervoer. Alles in haar gilde: *laat me met rust!*

Maar de situatie moest besproken worden.

'Hoor eens Becky, het spijt me. Natuurlijk zijn we vriendinnen. Je weet dat ik intieme relaties niet aankan. Daar hebben we het vaak genoeg over gehad – dacht je dat ik dat allemaal verzon? Het spijt me, ik had het niet zover mogen laten komen. Het is mijn schuld. Ik wil dat we vriendinnen blijven, maar het zal zonder vrijen moeten. We vallen trouwens allebei op mannen. We zouden elkaar nooit kunnen geven wat we echt willen. Het zou alleen maar troost zoeken zijn. En ik weet wel dat er niets mankeert aan troost,' vervolgde ze voordat Becky het kon zeggen, 'maar het zou niet genoeg zijn.'

'Ik ben helemaal niet met je naar bed gegaan omdat ik William niet kan krijgen,' protesteerde Becky. 'Ik heb het gedaan omdat ik het wilde, het was volkomen natuurlijk.'

'Niets is volkomen natuurlijk,' snauwde Rachel.

'Nou, voor mij wel. Ik heb je niet gebruikt. Het zal niet meer gebeuren, maar laten we alsjeblieft vriendinnen blijven.' Becky stond op van tafel. 'Ik moet naar huis,' zei ze mat.

Rachel liep achter haar aan naar de hal.

'Ik bel je morgen wel,' zei Becky bij de deur. Ze boog zich naar voren om Rachel een kus te geven, terwijl die haar hoofd een fractie opzij draaide zodat Becky's lippen alleen haar wang vluchtig beroerden.

'Dag. Tot ziens,' zei Rachel nonchalant, terwijl ze de deur dichtdeed.

Zodra ze alleen was liet Rachel het bad vollopen, goot er twee keer zoveel geparfumeerde olie in als nodig was, trok haar kleren uit en stapte met opluchting in het geurige water. Daar bleef ze in de stoom liggen weken, terwijl ze zich afvroeg wanneer er eens een eind aan zou komen en wat er over zou zijn wanneer er een eind aan kwam. Ze was nog leger dan eerst, een lege huls waar het toeval dingen mee deed. Er gebeurde van alles en zij was een lichaam dat in de weg stond. Joshua, Pete en Becky. Complicaties. Omstandigheden. Niets dat met haar te maken had, niet werkelijk. Ze streefden allemaal hun behoeften na, reageerden op wat er in hun leven gebeurde; en zij was er toevallig bij. Ze had helemaal niet het gevoel dat *zij* iemand overkwam of ergens op reageerde. Niet waar – zij reageerde op alles door zich terug te trekken, door te verdwijnen. Maar ze had niet het gevoel dat zij ooit ergens de oorzaak van was. Pete was dood en ze vermoedde dat ze zo juist een oude vriendin was kwijtgeraakt. Nu was er alleen nog maar Joshua en je kon niet zeggen dat ze Joshua 'had'. Een puinhoop. Een grote puinhoop was het. De chaos daalde neer als een grote, donkere wolk, als een mist die alles bediërf en natmaakte, de orde verwoestte die zij trachtte te scheppen door niets te doen. Ze kon werkelijk niet functioneren in de ware wereld, die was te slordig, te verontrustend. Was het dan echt niet mogelijk om je koest te houden, niets te doen, niemand te zien, gewoon in de flat rond te scharrelen, een paar uur les te geven, Carries moeder te zijn, alles tot een kleine ruimte te beperken, te zorgen dat het leven niet over de randen droop? En seks? Afschaffen. Kan ik niet. Als ik een man was zou ik naar de hoeren gaan, dacht ze en vroeg zich af of er bordelen voor vrouwen bestonden. Kijk eens, een gat in de markt: een sekscentrum voor vrouwen die seks zonder gezeur wilden.

Ze werd om vijf uur wakker, nadat ze een hele tijd haar best had gedaan om te blijven slapen. Er zat een zware, zwarte gietijzeren klem op haar borst, zo zwaar dat haar ribben er pijn van deden. Dit mag niet gebeuren, dacht ze, terwijl ze wist dat het al aan het gebeuren was, omdat ze het meteen herkende. Als ik verder slaap gaat het wel over, dan is dat gewicht morgenochtend weg. Uiteindelijk viel ze weer in slaap, maar het was een afschuwelijke slaap. Ze huilde in haar droom, snikken die haar hele lichaam verwrongen en verkrampten; er was geen reden, geen verhaal, alleen het huilen en de wetenschap dat ze zich zelf coûte que coûte niet wakker moest maken met haar droom-kreten, dat ze niet mocht toestaan dat die echt zouden worden. Maar natuurlijk was ze op het moment dat die gedachte haar inviel al bezig wakker te worden en vocht ze tegen het bewustzijn, omdat ze het gevaar aanvoelde terwijl dat er onvermijdelijk aankwam met de echte, natte tranen die ze in haar slaap had gehuild. Ze begroef haar gezicht in het kussen en huilde zoals ze in geen jaren had gehuild – misschien wel nooit; niet een paar tranen die zich uit haar strakke, afwerende gezicht persten, maar een stortvloed, een stroom van tranen die ze niet kon bedwingen, die eindeloos door dreigde te gaan. Ze lag zowat een uur te snikken en bleef toen slap en uitgeput, met natte haren, tussen de drijfnatte lakens liggen. God, laat dit niet gebeuren, fluisterde ze tegen iemand die waarschijnlijk toch niet luisterde. Toen de wekker ging kon ze zich niet verroeren. Ze lag op haar buik en keek hoe de cijfers op de klok versprongen, bij ieder nieuw getal van plan Carrie te roepen en de dag te laten beginnen. Ten slotte kwam Carrie uit zich zelf naar beneden.

'Niet bij me in bed komen, het is laat. We moeten opstaan.'

Rachels stem was merkwaardig toonloos, onkarakteristiek kalm. Carrie wierp haar een scherpe blik toe. Waar was haar gewone moeder met het ochtendhumeur? Waarom stond ze zich gewoon aan te kleden, zonder te vitten? Carie wist heel goed wanneer er iets mis was en deze stille, passieve vrouw beviel haar niet. Ze ging tot de aanval over en probeerde de persoon met wie ze in werkelijkheid samenleefde uit haar tent te lokken, maar ze sjouwde ruim tien minuten in haar blootje, met één sok aan door de flat rond zonder dat er enige reactie kwam. Ze ging op de grond liggen in de zitkamer, zwaaide met de gesokte voet door de lucht en deed nog meer haar best.

'Volgens mij zijn jongens slimmer dan meisjes.'

Maar kreeg als enige beloning voor haar moeite een te zacht, nauwelijks hoorbaar: 'Kleed je nou alsjeblieft aan, schat.' Rachel maakte automatisch het ontbijt klaar, zonder zelfs te zeggen dat Carrie de kat eten moest geven.

'Ik heb niets om aan te trekken, mam.'

'Ik zal wel iets uit je kamer halen,' zei Rachel afwezig. Dit was ondenkbaar; haar eigen kleren uitzoeken en de kat eten geven waren Carries taakjes, waarover nimmer te onderhandelen viel.

'Rachel, lieveling, hou je van me?' Het woord 'lieveling' zou gegarandeerd een reactie opleveren, iets over het gebruiken van woorden die niets betekenden, over mensen napraten.

'Ja.'

Niets.

Carrie liep naar de keuken en keek naar Rachel op, met haar handen op haar rug.

'Als ik jouw dochter niet was en ik was iemand anders en jij had een ander kind, zou je dan toch liever mij willen hebben?'

Rachel bleef doodstil staan, het pak cornflakes in de aanslag, en staarde Carrie wezenloos aan.

'Wat?' vroeg ze ongelovig.

'Ik *zei*, als ik mij niet was en ook jouw dochter niet was, hoewel ik natuurlijk *wel* me zelf was en jij een andere dochter had dan ik, zou je dan willen dat ik je dochtertje was in plaats van je echte dochter?'

Rachel plofte neer op de keukenkruk. Haar verbijsterde, starende blik maakte ineens plaats voor een schaterlach, terwijl ze haar hand tegen haar trillende hoofd legde.

'Waarschijnlijk wel. Denk ik,' lachte ze en toen viel haar oog op de klok op tafel. 'Caroline Kee, als je je niet *onmiddellijk* gaat wassen en aankleden, ga ik gillen.'

'Je gilt *nu* al,' grijnsde Carrie blij; en terwijl Rachel diep inademde voor ze tot het volgende salvo overging: 'Goed

goed, ik ga al,' en gleed op haar sok over de keukenvloer, dolblij dat de dag toch nog goed begonnen was.

Toen ze zich had gewassen en aangekleed en zat te ontbijten, wilde Carrie weten: 'Wat is het allerergste dat je in je hele leven hebt gedaan?'

Met Becky naar bed geweest en haar vervolgens afgewezen. Joshua gesmeekt om haar te slaan en haar van achteren te neuken. Pete niet bij zich in huis genomen. Niet van haar moeder gehouden. Van haar vader gehouden. Gewalgd van iedereen.

'Iets heel ergs,' drong Carrie aan.

Niets heel ergs als erg betekende dat je ervan genoot mensen pijn te doen. Ze kon niets verzinnen dat ze gedaan had, niets gemeens dat volkomen onredelijk was geweest, dat niet tot op zekere hoogte begrijpelijk was. Er waren redenen voor haar handelen of niet handelen en zolang ze redenen in haar eigen gedrag of dat van de ander kon bespeuren, kon ze niet volmondig het woord 'erg' gebruiken. Gedrag was niet meer dan dat: gedrag. We dansen allemaal om elkaar heen in slingerende en ingewikkelde figuren, maar het zijn figuren, iedereen reageert ergens op. Iedereen? Was Joshua slecht? Dat zou ze dolgraag willen vinden. Ze verlangde er bovenal naar razend op hem te zijn; maar als ze zich zelf haar gedrag van gisteravond tegenover Becky kon vergeven, of het in elk geval kon begrijpen, dan kon ze er niet onderuit om Joshua's betrokkenheid van pijn te zien als een reactie op pijn die hem was aangedaan.

'Nou?' beval Carrie.

'Ik denk er nog over na. Ik geloof niet dat ik ooit iets gedaan heb dat zonder meer gemeen was.'

En toen wist ze het weer. Op haar zesde had Rachel voor de enige keer in haar leven iets gedaan dat ze nooit zou kunnen rechtvaardigen, dat er als de tijd daar was voor zou zorgen dat de hemelpoort definitief en tot in der eeuwigheid voor haar neus zou worden dichtgeslagen.

'Ja, ik heb één keer iets gedaan waar ik me echt over schaam.'

Carrie kronkelde van genot bij het vooruitzicht op een mooi lelijk verhaal over haar moeder.

'Wat dan? Vertel dan.'

'Goed, maar wel je geroosterde boterham opeten. Ik was een jaar of zes, op mijn eerste school en we hadden daar het systeem dat nieuwe kinderen wegwijs werden gemaakt in de klas door kinderen die al een tijdje op school zaten. Die werden Schaduwen genoemd en ze moesten bij de nieuwe leerlingen in de buurt blijven en ze rondleiden en in de klas en tussen de middag naast ze zitten, dat soort dingen. Ik was nog nooit Schaduw geweest tot we op een dag een nieuw meisje in de klas kregen en de juffrouw zei dat ik voor haar moest zorgen. En dat wou ik helemaal niet. Ik wilde niet voor iemand zorgen. Dus toen dat meisje kwam had ik een ontzettende hekel aan haar.'

'Waarom?' vroeg Carrie met grote ogen, terwijl ze op haar geroosterde boterham kauwde.

'Dat is het nu juist. Nergens om. Het was een heel aardig, doodgewoon meisje. Ze was dik en gewoon en... nou ja, vrolijk. Nou ja, daarom had ik waarschijnlijk zo'n hekel aan haar, omdat ze dik en doodgewoon en vrolijk was. Omdat ik eigenlijk niet voor haar wou zorgen. Hoe dan ook, ik had gewoon een hekel aan haar en ik geloof dat ik er toen nauwelijks over heb nagedacht waarom. Ik heb haar het leven ongelofelijk zuur gemaakt. Ik liet vlakgommetjes en potloden op de grond vallen zodat ik onder de bank kon kruipen en in haar been kon knijpen, of ik beet haar of ik zwiepte met een liniaal tegen haar benen. O God.' Rachel sloeg haar handen voor haar ogen van schaamte, terwijl ze eraan terugdacht.

Carrie vond het prachtig. 'Is ze het niet gaan zeggen?'

'Nee, ik heb haar zeker zo bang gemaakt dat ze niet durfde. Wat een verschrikkelijk verhaal, hè?'

'Ga verder,' smeekte Carrie, die bang was dat ze het eind van dit prachtige verhaal nooit zou horen, dat het zou worden afgebroken als een televisiefilm die ongeschikt voor haar was. 'Ga verder.'

'Goed dan. Ik heb mijn verdiende loon gekregen, dus waarschijnlijk kun je het wel een stichtelijk verhaal noemen,' mompelde Rachel half voor zich uit.

'Maar het is echt gebeurd, hè?'

'Helaas wel. Ik weet niet meer hoe lang het zo is doorgegaan, maar op een dag kwam ik op school en toen moest ik bij het hoofd komen. Ik had nog nooit iets vreselijks uitgehaald, dus ik maakte me niet zoveel zorgen. Toen ik binnenkwam ging hij overeind staan en hij keek ontzettend ernstig en toen zei hij dat de moeder van het meisje de dag daarvoor bij hem was geweest en hem verteld had wat er aan de hand was.'

'Hoe heette dat meisje?' viel Carrie haar in de rede.

'Dat weet ik niet meer. Ik weet nog wel hoe ze eruitzag, maar haar naam weet ik niet meer.'

'Nou, kan je er dan niet een verzinnen?' Verhalen moesten van Carrie bij voorkeur echte verhalen zijn.

'Nee. Wil je de rest horen of niet?'

Carrie knikte heftig en hield haar mond.'Het bleek dat ze zo overstuur was geraakt dat ze al een tijdje nachtmerries over me had en midden in de nacht huilend wakker werd. En 's ochtends moest ze huilen omdat ze niet naar school wilde, totdat haar moeder eindelijk het hele verhaal uit haar had weten te krijgen.'

'Rachel!' zuchtte Carrie.

'Nou, je wou toch iets heel ergs horen. Dat is dit zeker. Dus je kunt je indenken dat het hoofd van de school heel erg boos was. In de hoek van zijn kamer had hij een lange stok staan. Daar keek ik de hele tijd naar vanuit mijn ooghoeken. Ik wist zeker dat ik een pak slaag zou krijgen, maar toen zei hij dat hij me niet zou slaan omdat ik een meisje was.'

'Dat is niet eerlijk,' protesteerde Carrie.

'Nee, daar heb je gelijk in, Hij zei dat ik me moest schamen en dat hij de hele school zou vertellen wat een afschuwelijk kind ik was en toen nam hij me mee naar de aula en ineens tilde hij me op en zette me boven op zijn tafel zodat iedereen me kon zien. Honderden mensen. Alle kinderen en alle leerkrachten, en hij vertelde iedereen wat ik gedaan had en dat ik heel erg slecht was.'

'Arme mammie. Wat heb je toen gedaan?'

'Ik had een vriendinnetje dat Mouse heette. Ik weet niet waarom ze haar zo noemden. Hoe dan ook, die zei later tegen me dat ik er ontzettend dapper had uitgezien, alsof het me helemaal niets kon schelen. Ik weet nog wel dat ik vastbesloten was om niet te huilen toen ik daar stond. Ik beet op de binnenkant van mijn wangen en ik zette mijn kiezen op elkaar en mijn nagels in mijn handen. Ik wilde niet huilen. En achter mijn rug hoorde ik het hoofd almaar tegen iedereen vertellen hoe afgrijselijk ik was en plotseling bedacht ik dat hij onder mijn rok kon kijken. Om de een of andere reden vond ik het bijna net zo erg dat hij mijn onderbroek kon zien als dat hij me tegenover iedereen te schande maakte.'

Carrie begon te schateren.

'Toen zei hij dat iedereen twee weken lang niets tegen me mocht zeggen, dat ze zelfs geen potlood van me mochten lenen, en dat ik iedere lunchpauze en ieder speelkwartier in de hoek moest staan. En daar hebben ze zich aan gehouden. Behalve Mouse, mijn vriendin, die schattig voor me was, hetgeen ik bepaald niet verdiende. Toen ik naar mijn rij werd teruggestuurd pakte ze stiekem mijn hand en kneep erin om me te troosten. En ze gaf me altijd stiekem een snoepje als ik in de hoek stond. Ze was erg lief.'

'En wat gebeurde er toen?'

'Niets. Dat was het verhaal. Ik weet niet wat er met dat meisje is gebeurd. Ik geloof dat ze gewoon op school is gebleven en dat het overgewaaid is.'

Carrie dacht even na. 'Maar ik vind het niets voor jou. Jij bent helemaal niet gemeen. Waarom heb je het gedaan?'

'Eerlijk, Carrie, ik weet het niet. Ik denk dat ik thuis niet zo gelukkig was. Mijn ouders hadden vaak ruzie. Ik denk dat ik me mager en triest voelde en er niet tegen kon dat dat dikke, vrolijke meisje almaar achter me aan liep. Misschien was ik wel jaloers op haar. Maar ik vind dat er geen enkel excuus voor bestaat om iemand zo ongelukkig te maken.'

'O, ik vind het zo zielig voor je, mammie,' zei Carrie.

'Ik geloof dat dat andere meisje je sympathie misschien meer verdient. Maar bedankt, je bent net zo'n fijne vriendin als Mouse. Hoe dan ook, dat is het, dat is het enige ontzettend erge dat ik ooit gedaan heb, het enige waar ik echt spijt van heb.'

'Het was een mooi verhaal,' zei Carrie, terwijl ze van tafel opstond en haar korte jasje aantrok.

In de auto nam Carrie neuriënd haar hele repertoire van groepsgezangen door, terwijl Rachel in gedachten verzonken reed. Het viel haar in dat dat meisje nu een vrouw van haar leeftijd was die ergens met haar eigen leven bezig was. Had zij nog een beeld van die kleine Rachel in haar hoofd? Ze zag zich zelf ergens opgeborgen, voor altijd wreed en boosaardig, iets waaraan het meisje dat nu een vrouw was de onaangename dingen van het leven afmat. Haar eerste plaaggeest. Dat boze, verachtelijke stukje van Rachel zat ergens opgesloten en zou altijd zes jaar oud blijven, niet in staat te veranderen of te begrijpen of zich te ontwikkelen – iets waaraan de andere Rachel niets kon veranderen, waarmee ze geen aansluiting kon hebben omdat het iemand anders toebehoorde als een bevroren herinnering, die misschien wel gebruikt werd om de verwarrende situaties van het leven uit te leggen en te verklaren. Misschien geef je als je andere mensen pijn doet wel een stukje van jezelf weg, terwijl je al die tijd gelooft dat je veilig en alleen bent. En als dat waar was had zij ook andere mensen in haar bezit gekregen, als geschenken van de pijn. Als zij van Joshua hield was dat omdat ze een stukje van hem in zich meedroeg, door iedere daad van agressie, onvriendelijkheid, kilheid had hij haar een stukje van zich zelf geschonken. Geen wonder dus dat ze naar meer verlangde; ze pikte Joshua stukje bij beetje in, als een vogel die twijgjes meepikt om een nest te bouwen. Of een gevangenis. Rachel en Joshua voelden zich in de ware wereld geen van beiden louter de koude, vervreemde wezens die onherroepelijk en onveranderlijk opgesloten zaten in het bewustzijn van iemand anders. Rachels Joshua was onherroepelijk van haar, hij kon zich zelf nooit meer terugpakken, nooit dat stuk van zich zelf veranderen dat haar gevangene was.

Rachel knuffelde Carrie bij het hek van de school en vertrok in de richting van het café. Kranten, hete koffie, het gevoel van privacy dat alleen openbare gelegenheden bieden. Ze nam de krant vluchtig door, las van alle berichten alleen het begin en liet zich wegzweven naar waar ze werkelijk wilde zijn, een dagdroom in. Terwijl ze uit het raam staarde zag ze beweging en patronen maar geen details. Ze beleefde zich zelf als een gevaarlijk wankel bouwsel, een vorm die meer bijeengehouden werd met lijm en eindjes touw dan met schroeven en moeren, die bij iedere spanning dreigde te verbuigen en krom te trekken zodat het hele bouwwerk in elkaar zou storten en zou veranderen in een slordige, onherkenbare hoop. Het hoefden niet eens spanningen te zijn; gewoon het leven, alles wat er gebeurde en haar raakte ervoer ze als gevaarlijk. Dit beeld van haarzelf was angstaanjagend omdat het de vijftien, twintig jaar oversloeg waarin ze zich zelf als sterk en capabel had beschouwd. Als iemand die zich wist aan te passen. Nu was al die tijd ineens uitgewist en was ze weer een stuntelige, verwarde puber, alsof er niets veranderd was, alsof ze geen enkele ontwikkeling had doorgemaakt en de afgelopen twintig jaar alleen maar zelfbedrog waren geweest. Ze schaamde zich des te erger omdat ze wist dat er eigenlijk maar zo weinig aan haar leven mankeerde. Goeddoorvoed, goedgekleed, een aardig huis, een schattige dochter; bevoorrecht. Onnodig uiteen te zetten in wat voor ellende het grootste deel van de wereld leefde en stierf. Onsympathieke Rachel, die zanikte over – over wat? Niets. Er was helemaal niets mis en al die tijd logenstrafte dat gruwelijke gewicht in haar binnenste, dat lichamelijk pijn deed en haar ademhaling oppervlakkig en voorzichtig maakte, haar beweringen dat er niets mis was. Die pijn was een aanklacht op zich zelf. Ze voelde zich zo ellendig, maar *er was niets mis*. Ze had geen recht op zoveel pijn. Ze kon dit ongelukkig zijn of haar eigen ik niet rechtvaardigen. Ze voelde tranen opwellen achter haar ogen en zocht haastig in haar tas naar kleingeld om de koffie te betalen, vertwijfeld hopend dat ze dat had omdat ze wist dat ze haar tranen niet zou kunnen inhouden als ze met groot geld moest betalen en op wisselgeld zou moeten wachten. Ze vond 50 p, legde het geldstuk op tafel naast haar halfvolle kopje en liep naar de deur.

Buiten bleef ze staan, wanhopig in haar behoefte *nu* thuis te zijn, in haar flat. De korte wandeling naar de auto, de rit naar huis, zelfs de korte tijd die zou verstrijken totdat ze haar voordeur had opengemaakt, leken haar een onmogelijkheid, een reeks onoverkomelijke obstakels. Even dacht ze: ik kan me niet bewegen, en toen, wetend dat er niets anders op zat en dat het steeds moeilijker zou worden te bewegen als ze nu bleef staan, trok ze haar voeten los van het trottoir en dwong ze in de richting van de auto te lopen, terwijl ze haar gezicht plooide in wat naar ze hoopte een normale uitdrukking was. Ze merkte op, of meende dat te doen, dat mensen in het voorbijgaan naar haar keken en controleerde van tijd tot tijd of ze geen zeeën van tranen huilde of naar lucht hapte in haar inspanning om gewoon door te lopen. Ze had het gevoel dat het een lange wandeling was.

Toen ze bij de auto kwam, was dat een tussenstation. Ze bleef even stilzitten, terwijl ze de energie verzamelde om te rijden. Het gaat goed, zei ze tegen zich zelf, we zijn er bijna, nog een paar minuten en dan ben je thuis. Gewoon rijden, kalm blijven, dan kom je *zeker* thuis. Onderweg begon het te regenen, een stortbui die de weg voor haar in een waterig waas veranderde. Ze zette de ruitewissers aan, die met droge krasgeluiden over de voorruit gleden en het zicht in het geheel niet verbeterden. Ze knipperde met haar ogen en keek op naar de wolkeloze hemel, en voelde tegelijk dat haar wangen nat waren. Geen regen, ze huilde blijkbaar. Ze snoof de tranen weg en perste haar lippen op elkaar om een schijn van vastberadenheid te wekken. Toen ze uit de auto stapte organiseerde ze alles zo, dat ze niets meer zou hoeven doen als ze eenmaal binnen was. Bril af, sleutel in haar rechterhand, sigaretten en aansteker in de andere hand, zodat ze alleen maar haar jas uit hoefde te schudden en de sigaretten naast haar bed leggen, en dan vrij zou zijn. Om wat te doen? Deed er niet toe, vrij om niets te doen, niets te hoeven doen. Behalve dat Shamus met grote sprongen de trap opkwam zodra ze binnen was, miauwend om eten. Negeren was zinloos, het moest gebeuren. Diep ademhalen. De inspanning die het haar kostte om het blikje kattevoer uit de ijskast te halen en een beetje in zijn bak te doen was lachwekkend. Iedere beweging, iedere seconde eiste het onmogelijke van haar krachten. In haar hoofd gilde ze: ik moet hiermee ophouden, ik kan dit niet, dit is ondraaglijk, maar toen het eenmaal gebeurd was, werd het een grootse prestatie en voelde ze een enorme opluchting door zich heen gaan. Verder niets meer. Niets. Ze trok haar laarzen uit, deed de gordijnen van de slaapkamer dicht en ging op bed liggen.

Het was er dus weer. Dit was onmiskenbaar Het. Ze

herinnerde zich haar depressies door haar angst ervoor, voelde ze altijd op de loer liggen, wist dat het eerder gebeurd was en weer kon gebeuren, maar wanneer het kwam, en wanneer het precies zo aanvoelde als het voelde, werd ze er altijd door verrast. Het leek op malaria, op koorts. Soms vraag je je als je verkouden bent af of je griep hebt, maar als je griep hebt vraag je je niets af. Depressie was net zo specifiek, een onmiddellijk herkenbare toestand, alsof er een knop was omgedraaid. Een lijfelijke pijn in haar middenrif, een zwaarte alsof ze met lood gevuld was, de manier waarop het zo belachelijk moeilijk was om dingen te doen – automatische handelingen die helemaal doorgedacht moesten worden om verricht te kunnen worden: hoe loop je de kamer door, hoe zorg je dat je benen bewegen, hoe blijf je ademen, goed nadenken. Een uur, twee uur, de hele dag ging voorbij terwijl je de energie en de wilskracht trachtte te vergaren om een eenvoudig karweitje te doen, de kat eten te geven of een plas te doen. Dat alles zo onredelijk moeilijk was maakte het nog onredelijker, nog moeilijker om te beseffen dat er lichamelijk niets aan de hand was. En die diepe, verschrikkelijke wanhoop in haar hoofd.

Het was onmogelijk je de hopeloosheid, de absolute zwartheid die neerdaalde te herinneren of deze te beschrijven: het zwart was oneindig, ze voelde zich hopeloos omdat er niets *was* om op te hopen. Het was een verandering van perspectief; het was niet dat ze zich ellendig voelde en dat het leven er daarom ellendig uitzag, het was het verdwijnen van een rozig gordijn waardoor alles vertekend werd en het leven meestal leefbaar leek. In werkelijkheid was het dat niet. Wanneer ze gedeprimeerd was zag ze wat er te zien was en wist ze volstrekt zeker dat wat zij zag de werkelijkheid was. Ze wist dat ze die gordijnen nodig had om in leven te blijven, maar de keren dat ze opzij woeien waren de keren dat ze de dingen zag zoals ze waren. Depressie was een overmaat aan realiteit: onverdraaglijk en onleefbaar.

Rachel lag op haar bed in de donkere kamer en voelde het gebeuren. Ze zat er nog maar gedeeltelijk in, keek er tot op zekere hoogte nog steeds van buitenaf tegenaan. Ze trachtte het zwart weg te duwen door te denken: het komt wel goed, ik heb het vaker gedaan, het gaat weer over. Maar hoe lang voordat het overging, en kon ze het zo lang uithouden? En als het deze keer eens niet overging? En Carrie? Ze was in jaren niet meer in deze toestand geweest. Voordat Carrie er was, toen de depressies frequenter waren, had ze een manier gevonden om erdoorheen te komen. Ze had de angst losgelaten en zich zelf toegestaan het helemaal te voelen, het over zich heen te laten komen terwijl ze in haar eentje in de flat zat en niets anders probeerde dan te overleven. Ze lag op de grond en soms luisterde ze naar muziek, maar de kunst was het te aanvaarden alsof er een wervelwind door haar leven raasde. Isobel hielp haar toen ze eenmaal begreep wat er aan de hand was; ze kwam eten brengen dat geen inspanning vereiste, dat je gewoon ergens neer kon zetten en waar je van tijd tot tijd een hapje van kon nemen, en soms zat ze bij Rachel in de kamer zonder dat ze iets tegen elkaar hoefden te zeggen. Als er een ander mens bij haar in de kamer was kreeg Rachel het op een of andere manier warmer terwijl ze zo in zich zelf opgesloten en onmenselijk was, alsof doodgewone lichaamswarmte een klein beetje tot haar kon doordringen. Maar dat was jaren geleden en toen was Carrie nog niet geboren, hoefde er nog geen rekening met haar te worden gehouden. Soms had het weken geduurd, acht, tien weken voordat ze erdoorheen was en geleidelijk besefte dat het voorbij was en dat het tijd was om verder te gaan met leven. Het was uitgesloten dat ze de angst kon loslaten zolang ze rekening moest houden met Carrie. Ze moest de situatie in de hand houden, het proces op de een of andere manier stopzetten, maar ondertussen lag ze op haar bed, uitgeput van de inspanning die het gekost had er te komen, met de wetenschap dat ze geen idee had hoe ze het in de hand zou moeten houden.

Het was vandaag vrijdag. Michael zou Carrie de volgende ochtend komen halen, zodat Rachel een vrij weekend voor de boeg had. Op zondagavond zou hij haar thuisbrengen; het enige dat Rachel hoefde te doen was Carrie uit school halen en de avond zien door te komen tot Carrie naar bed ging, en dan de volgende ochtend doorkomen. Rachel lachte grimmig, het klonk als een vijfjarenplan; ze zag zich zelf in haar eentje op een uitgestrekte horizonloze akker korenaren plukken, één voor één. 'En als je daarmee klaar bent,' bulderde de commandant in haar hoofd, 'zijn er nog meer akkers waarvan je het graan moet binnenhalen. En ik zou maar opschieten, want veel tijd heb je niet.' Paniek, doodsangst en schaamte. Haar dochter uit school halen en avondeten geven mochten niet worden ingedeeld bij de ondraaglijke lasten die de mensheid te torsen had gekregen; toch was het ondenkbaar. Ze keek op de klok. Als ze nu wegging kon ze nog net het spreekuur van de dokter halen. Waarom? Wat kon die doen? Niet over nadenken, iemand moet toch iets doen. Ze trok haar jas aan en ging naar de auto, zag haar gezicht in de achteruitkijkspiegel en liep weer naar binnen om een zonnebril te halen om haar dode, gezwollen ogen te verbergen.

De wachtkamer zat boordevol snotterende, hoestende mensen. Mensen die echt ziek waren. Kinderen die huilden omdat ze oorpijn hadden, oude mannen die rochelden. Mensen die leden, maar geduldig hun beurt afwachtten. Er zaten vijfentwintig mensen in het kleine wachtkamertje gepropt. Kinderen zaten ongemakkelijk op de knieën van hun moeders om ruimte te maken voor grote mensen; jonge mannen stonden, bij wijze van erkenning dat ze ondanks hun kwalen iets voorhadden door hun jeugd. De lucht was geen lucht maar een mengsel van menselijke ademtocht, vochtig en gevuld met besmettelijke bacillen. Waarschijnlijk kon je wel tien verschillende ziektes oplopen door gewoon adem te halen in deze kamer. Maar niemand klaagde, ze zaten allemaal in hetzelfde schuitje, iedereen voelde zich beroerd en zo meteen, nou ja, over niet te lange tijd, zou de dokter hen ontvangen en wijze raad en medicamenten geven. Al deze mensen hadden iets, in tegenstelling tot Rachel, die niets mankeerde, geen hoest, geen verkoudheid, geen virus om te verklaren en verontschuldigen hoe ze zich voelde. Ze ging voor het loket van de receptioniste staan en zette haar kraag op om de blikken van verveelde, nieuwsgierige mensen te ontwijken.

'Kan ik dokter Stone spreken?' vroeg ze zacht. Te zacht, ze moest het nog een keer zeggen. Praten kostte veel moeite, ieder woord vereiste een verschrikkelijke inspanning en ze moest tegelijkertijd vechten tegen de tranen die zich in haar ogen persten.

'Hij heeft het erg druk vanochtend. Het zal een hele tijd duren.' De receptioniste keek niet eens op van haar lijst met patiënten. Rachel dacht: ga naar huis, terug naar bed. Ik kan niet wachten. Maar ze moest wel, want als ze nu wegging was er niets anders dat ze kon doen.

'Dan wacht ik wel buiten. Hoe lang, denkt u?'

'Op zijn minst een uur.'

Dit was erg moeilijk. Belachelijk om het leven zo moeilijk voor jezelf te maken, een uur op straat te gaan staan wachten tot je een dokter kunt spreken, om wat te zeggen? Wat te vragen? Maar nu ze hier eenmaal was, werkte haar inertie in haar voordeel; het was nu moeilijker om naar huis te gaan dan stil te staan en af te wachten.

Ze zat een uur op het muurtje voor de praktijkruimte en wachtte toen nog een half uur binnen voor haar naam eindelijk werd afgeroepen en ze dokter Stones spreekkamer binnenliep met geen flauw idee wat ze wilde, alleen dat ze wanhopig was. Dokter Stone kende haar voornamelijk van Carries ziektes en een paar griepjes. Hij keek op van haar dossier toen ze binnenkwam.

'Wat kan ik voor u doen?' vroeg hij, jong, vriendelijk en ontspannener dan de meeste dokters die ze gekend had.

'Ik voel me niet zo goed,' mompelde Rachel en geneerde zich over de tranen die meteen in haar ogen sprongen. 'Ik lijd aan depressies, het is een hele tijd weg geweest, maar nu is het erg. Ik kan het niet aan en ik moet – Carrie...'

De tranen rolden over haar wangen, terwijl de woorden afgebeten, beheerst, door haar opeengeklemde tanden kwamen.

'Ik heb net uw gegevens doorgelezen,' zei hij zacht. 'Het verbaast me niets dat u aan depressies lijdt. U hebt een behoorlijk ingewikkeld leven achter de rug, hè?'

'Er is niets mis met mijn leven. Er is geen enkele reden waarom ik me zo zou voelen als ik me nu voel, er is niets gebeurd. Er zijn mensen met drie kinderen, volledige banen, problemen. Ik kan er gewoon niet tegenop. Ik kan me nauwelijks bewegen.'

Haar zelfbeheersing verdween en ze begon ongegeneerd te huilen.

'Het spijt me. Ik weet niet wat ik moet doen. Ik kan dit niet aan, ik kan het gewoon niet.'

'Bent u suïcidaal?' informeerde dokter Stone rustig.

'Ik zie er de zin niet van in om verder te leven. Er is niets om naar uit te kijken.'

'En Carrie dan?' Een vraag waarover ze had nagedacht.

'Ik denk dat het op den duur heus niet beter voor Carrie is om een moeder met depressies te hebben dan een dode moeder. Het zou voor mij echt niet erger geweest zijn als mijn moeder zelfmoord had gepleegd. Ik geef gewoon nergens om – om niets en om niemand. Ik voel helemaal niets, behalve dat ik niet meer wil.'

'Wat wilt u dat ik voor u doe?' vroeg hij.

Goeie vraag. Antidepressiva wilde ze niet, die had ze vijftien jaar geleden geprobeerd, ze hadden niet geholpen, hadden haar alleen maar een paar weken duizelig gemaakt voor ze eraan gewend was. Ze kon niet voor Carrie zorgen, haar van en naar school brengen als ze zich zo voelde. Het was hoe dan ook een kwestie van uitproberen. Ze had mensen gekend die jarenlang niets deden dan van de ene pil op de andere overstappen, totdat ze het gevoel had dat dat een doel op zich zelf was geworden, een manier om depressie te transformeren in bezig zijn zonder werkelijk iets aan de misère te doen. Ze had mensen zien verdwijnen achter een kralengordijn van pillen, totdat ze alleen nog maar op schaduwen leken. Het leek haar niet doenlijk op die manier verder te leven, zeker als verder leven toch al zo weinig betekende.

Dit zei ze tegen dokter Stone.

'Maar het gevoel dat u niet meer wilt leven is een functie van uw depressie,' zei hij.

'Wat ik nu voel is *niet* onwerkelijk,' zei ze, vastbesloten het hem duidelijk aan zijn verstand te brengen. 'Ik voel me meestal zo, alleen kan ik het nu niet zo makkelijk van me afzetten. Ik ben een soort leegte. Een vergissing. Er is gewoon geen enkele reden om door te gaan, behalve louter om te overleven, en daar zie ik de zin niet van in. Ik weet dat het uw werk is om mensen in leven te houden, maar soms is het voor allemaal beter als ze doodgaan. Ik kan nog wel dertig, veertig jaar leven, zonder enig nut, terwijl ik alleen maar ruimte in beslag neem en waarschijnlijk ook nog andere mensen beschadig. Dat is het enige dat ik kan. Het is... onvermijdelijk.' Ze praatte heftig, door haar tranen heen, boos omdat die tranen hem misschien zouden beïnvloeden, in plaats van zij zelf.

'Nou, wat wilt u dan dat ik doe?' vroeg hij nogmaals en ze wist het absoluut niet.

'Ik weet het niet. Er is niets dat u kunt doen. Ik weet niet waarom ik ben gekomen.'

'Ja, maar toch bent u gekomen.'

'Ik wil dat iemand er iets aan doet. Ik weet niet wat ik moet doen.'

'Goed. Wie kan er voor uw dochter zorgen?'

'Niemand. Ik kan niemand vragen om Carrie te nemen. Michael werkt en verder is er niemand.'

'Als u het een tijdje niet aankunt, zal uw ex-man wel moeten. Hij is de vader. En die Isobel Raine? Dat is toch de vrouw die u geadopteerd heeft?'

'Die kan ik niet vragen Carrie bij zich te nemen. Ze heeft het druk. Ik wil trouwens dat niemand het weet. Carrie gaat dit weekend naar Michael, dan heb ik een paar dagen...'

'Als u zich eens een paar dagen liet opnemen? Gewoon om tot rust te komen?'

'Nee. Dat kan ik niet doen. Ik heb vijftien jaar geleden al in een inrichting gezeten. Het zou zo'n afgang zijn.'

'Goed,' zei dokter Stone zakelijk, 'u zult het toch tegen iemand moeten zeggen omdat er iemand voor Carrie moet zorgen. Dat kunt u nu absoluut niet aan. Ga naar huis en bel Michael op. Hebt u slaaptabletten in huis?'

Rachel knikte. 'Ik heb nog twaalf Temazepams, maar daar kom ik niet van in slaap. Ze zijn heel licht.'

'Ja, dat is waar. Neem ze dit weekend maar in, u mag er drie nemen als u wilt slapen, dat kan geen kwaad, en bel me dan maandag op om te vertellen of u zich beter voelt. Anders kunnen we overwegen een plaats te vinden waar u een paar dagen naar toe kunt, een inrichting, gewoon om de last een beetje te verlichten.'

Toen Rachel wegging voelde ze zich nog beroerder omdat ze het nu allemaal zo echt had gemaakt. Had ze gewild dat dokter Stone zou zeggen dat er niets aan de hand was en dat ze zich niet moest aanstellen? Hij was niet verbaasd dat ze zich zo voelde, vond dat ze opgenomen moest worden, geloofde meteen dat ze zo wanhopig was als ze zelf dacht.

Dat gaf enige opluchting, maar ook doodsangst. Dit was geen fantasie die iemand kon verjagen. Het was *echt* zo.

Ze kwam thuis en belde Michael op.

'Ik heb griep. Zou jij Carrie uit school willen halen?'

Michael zei ja en dat ze klonk alsof ze keelpijn had. Ze kon hem met geen mogelijkheid vertellen wat er echt aan de hand was. Hij vond het erg moeilijk om met andermans depressie om te gaan. Van haar maakte het hem extra bang; en bovenal wilde ze het zelf gewoon niet toegeven, niet openbaar maken. Hij zou het aan Isobel vertellen en die zou komen en dan zou het allemaal waarheid worden, in de ware wereld. Isobel *had* het druk en ze zou teleurgesteld zijn. Rachel werd geacht dit overwonnen te hebben. Schuldgevoel. Zorgen dat ze het voor zich hield. Als ze niet kon ophouden zich zo te voelen hoefde ze het in elk geval tegen niemand te zeggen, niemand om hulp te vragen. De vraag viel haar in waarom ze Michael wel om hulp kon vragen als ze griep had, maar dat was duidelijk; griep was haar schuld niet, een depressie wel. Een virus ging vergezeld van toestemming om je terug te trekken en dingen van mensen te eisen.

Ze had zich vrijgemaakt tot zondagavond, de onmogelijk zware last van Carrie was geregeld. Ze kleedde zich uit en nam drie pillen in, legde de telefoon ernaast en ging naar bed. 's Middags om vier uur werd ze wakker en nam nog eens drie pillen in, waarop ze tot negen uur 's avonds sliep. Toen stond ze op en ging in de donkere woonkamer op de sofa zitten, in elkaar gedoken, met een oude katoenen ochtendjas om zich heen. Daar zat ze tot het dag begon te worden, starend naar de grijze kamer terwijl ze telkens weer fluisterde: 'Help. Help me toch. Laat iemand me toch helpen,' maar altijd met ergens in haar achterhoofd de stellige wetenschap dat ze zich helemaal geen hulp kon voorstellen.

Toen begon ze heel zakelijk over zelfmoord te denken.

Ze was heel kalm, heel rationeel, er hoefden alleen maar details uitgedacht te worden. Kettingrokend zat ze op de sofa, met de gelaatsuitdrukking van iemand die weliswaar heel zeker is van haar volgende zet, maar nog wel moet bedenken hoe ze haar doel het beste kan bereiken. Ze was altijd het best geweest in het oplossen van vraagstukken. Het probleem was voornamelijk Carrie. Het moest op de minst schadelijke manier gebeuren en dat sloot dus alles wat rommelig of bloederig was uit. De gewelddadige manieren om een eind aan het leven te maken waren hoe dan ook voorbehouden aan mensen die boos waren en anderen wilden straffen. Zij was niet boos en ze wilde helemaal niemand straffen, ook zich zelf niet. Ze wilde geen pijn doen, zich zelf niet en ook niet iemand anders. Bloedvergieten was uitgesloten, auto-ongelukken waren uitgesloten, daar waren altijd anderen bij betrokken. Jammer dat ze geen terminale ziekte had, dat zou natuurlijk ideaal zijn. Dan was haar dood onvermijdelijk en men zou Carrie kunnen helpen dat te aanvaarden. Maar ze was gezond en dat was dat. Restte een overdosis, efficiënt en clean, maar tegenwoordig een beetje lastig om aan te komen. Vijftien jaar geleden had ze rondgelopen met dodelijke hoeveelheden barbituraten op zak, door haar dokter voorgeschreven om te kunnen slapen. Toen ze twintig was had ze in precies zo'n koele, logische gemoedstoestand dertig tabletten seconal ingenomen en was rustig in bed gaan liggen, denkend dat ze achtenveertig uur had voordat iemand haar logischerwijze zou kunnen vinden. In werkelijkheid was een vriendje, dat dat weekend de stad uit zou zijn, met zijn eigen sleutel binnengekomen. Ditmaal had ze twee dagen, en een slot op haar voordeur. Ze zou een briefje op de deur moeten hangen om te voorkomen dat Michael zondagavond binnen zou komen. Dat was eenvoudig genoeg. Moest ze ook nog iets aan Carrie schrijven? Iets waar ze misschien iets aan zou hebben wanneer ze ouder was, ook al kon ze het niet meteen begrijpen? Ze kon niet tot een besluit komen. Misschien beter om het over te laten aan mensen die er beter mee om konden gaan, die konden zien wat nodig was. Ze begon het gevoel te krijgen dat plannen maken voor een toekomst waaraan ze geen deel wilde hebben meer was dan ze aankon, en dat ze misschien ook het recht niet had zich ermee te bemoeien. Ze begon ook het gevoel te krijgen dat er iets behoorlijk geschifts zat in haar verstandige, nuchtere planning om een eind aan haar eigen leven te maken. Jij neemt alles ook altijd zo serieus, zei ze tegen zich zelf. Ze zag zich al doodernstig op de sofa pillen zitten slikken, slokjes water en dan een paar pillen, doodernstig. Lachwekkend. Toen bedacht ze: het hoeft niet zo moeilijk te zijn, zo plechtstatig. Pillen en sterke drank; eerst de drank; een beetje dronken worden, *dan* pas de pillen innemen. Eenvoudig en voor de hand liggend. Ze zag het ineens heel duidelijk; het is het eind van de wereld niet, grinnikte ze bij zich zelf, maak er wat van. Ze stond op en waste haar gezicht, trok een makkelijk zittende spijkerbroek en een sweatshirt aan en keek op de klok. Het was tien uur. Tijd om inkopen te doen. Ze reed naar de dichtstbijzijnde supermarkt waar de mensen al binnenstroomden voor hun zaterdagse boodschappen en kocht een fles whisky en een kingsize pot aspirine. Ze was niet zo gelukkig met de aspirine, ze wist niet wat de juiste dosis was en ze wilde het niet verknoeien, maar iets dat echt doeltreffend was kreeg je natuurlijk alleen op recept en dat was uitgesloten. Tweehonderd aspirines, weggespoeld met een fles whisky, moesten genoeg zijn. Ze wilde er niet te lang over nadenken in het openbaar, want ze voelde zich helemaal doorzichtig, van glas, alsof iedereen die naar haar keek haar gedachten als serpentines door haar hoofd kon zien wervelen. Voorzichtigheidshalve pakte ze nog een rol chocoladebiscuits van een plank om eventuele toeschouwers in de war te brengen. Mensen die op het punt stonden zelfmoord te plegen kochten geen chocoladebiscuits. Het zou haar andere aankopen iets onschuldigs geven, hoopte ze.

Thuisgekomen leunde ze tegen de deur als iemand die ontsnapt is aan een meute menseneters en nu ze weer veilig was, nog nahijgend van de inspanning om te doen alsof ze net zo was als iedereen, nam ze haar bruine papieren zak mee naar boven en maakte hem leeg op de keukentafel. De aspirines zagen er ongelofelijk korrelig uit. Haar speeksel droogde op terwijl ze ernaar keek. Ze peuterde een paar ijsblokjes los uit het bakje in de vriezer en schonk een waterglas voor een derde vol met whisky. Ze wilde in stijl beschonken worden. Ze hield trouwens niet echt van whisky en had het ijs nodig om haar smaakpapillen te verdoven. Ze was van plan zowat een derde van de fles leeg te drinken voordat ze aan de pillen begon, want ze wilde het afscheid luchthartig houden.

Maar Rachel was geen drinker. Haar theorie was prima voor iemand met een lichaam dat aan alcohol gewend was, maar de fles wijn die ze tijdens zijn sporadische visites met Joshua leegdronk, was de enige drank die ze gebruikte. Een paar glazen lang ging alles uitstekend. Ze draaide een kwartet van Mozart en dronk haar ijskoude drankje terwijl ze op de grond zat te kijken hoe de boom voor haar raam zijn blaadjes overeind zette in de zachte zomerbries. Het was heerlijke muziek en het was prettig dat de zon scheen; ze zag hoe het licht op de donkergroene glimmende bladeren van de philodendron glinsterde en had voor het eerst in vele weken rust en plezier in het zomaar alleenzijn omdat ze nu, voor het eerst in wat voor haar gevoel vele weken waren, niet hoefde na te denken over een toekomst, over tijd die ze moest 'zien door te komen'. De tijd die restte zou zo kort zijn als zij zelf bepaalde. Beslissingen waren uiterst rustgevend. Als het leven altijd zo zou kunnen zijn had ze er misschien mee door kunnen gaan; geen mensen, geen eisen. Maar daarmee herhaalde ze alleen maar dat ze gefaald had; niet bij machte was deel uit te maken van het leven, er middenin te staan. Het versterkte haar oordeel en bevestigde haar besluit. Ze voelde werkelijk geen enkele onzekerheid.

Toen ze het derde glas op had bedacht ze dat ze nog een briefje voor Michael moest schrijven en op haar deur plakken voordat ze dronken was. Ze vond ook dat ze toch moest proberen een brief aan Carrie te schrijven. Plotseling stelde het leven weer eisen. Ze moest de muziek en de zon loslaten teneinde correct te handelen. Ze haalde een paar vellen schrijfpapier uit de la van haar bureau, en een envelop.

'NIET BINNENKOMEN. IK HEB ZELFMOORD GEPLEEGD', schreef ze met blokletters op een vel papier, en tuurde vervolgens naar wat ze geschreven had.

'O mijn god,' kreunde ze en ze verfrommelde het vel papier tot een stijve prop en smeet die de kamer door. Hoe kon je dit op zo'n manier zeggen dat het niet melodramatisch klonk? 'Hallo Michael, ik laat je maar even weten dat ik een overdosis heb genomen. Wie weet tot ziens.' Of: 'Ben uit de rest van mijn leven gestapt. De groeten aan Carrie.' Of: 'Schrik niet, maar...' Drie glazen whisky later lag Rachel slap van het lachen op het vloerkleed terwijl Shamus kattenvoetbal speelde met de meer dan tien proppen papier die overal verspreid lagen. Ze ging moeizaam overeind zitten en keek naar de halfvolle fles op de keukentafel. Nou heb ik het verziekt, mompelde ze bij zich zelf; dit is gewoon klassiek. De piepkleine, dronken Alice was te ver van de fles met DRINK MIJ vandaan. Laat die rotbrief maar zitten, hoe moest ze bij de fles komen en bij de pot met pillen? Wilskracht, altijd weer hetzelfde liedje. Ze rolde zich om op handen en voeten en bereidde zich voor op de korte, onmogelijke kruiptocht naar de keuken, door een landschap dat als een razende ronddraaide. Stom, onpraktisch mens, schreeuwde ze tegen zich zelf voordat ze gillend van het lachen in elkaar zakte, stomme trut, je kan niet eens bij de aspirine komen, laat staan dat je er tweehonderd kan innemen. Kee, je bent jezelf te slim af geweest. Verraad bekoopt men met de dood, of in dit geval met het leven. En je hebt *ook* nog geen briefje op de deur gehangen.

Ze lag als een egel in elkaar gerold op de grond, met haar hoofd tegen haar knieën gedrukt en met haar armen beschermend om haar hoofd geslagen. Alles was nu onmogelijk, leven, doodgaan, brieven schrijven, potten aspirine openmaken, bewegen; het was allemaal uitgesloten, allemaal te ingewikkeld, te veel problemen, geen oplossingen, alleen maar de ene complexiteit na de andere, als een gruwelijk spinneweb waaraan steeds nieuwe en verschrikkelijk ingewikkelde draden ontsproten, op welke plaats ze er ook doorheen probeerde te breken. Iedere gedachte hield verband met een tiental andere die op hun beurt weer tot andere leidden, zodat het onmogelijk was tot een conclusie te komen of überhaupt te denken. Ideeën zoefden langs neuronen omlaag, sprongen over synapsen heen en verdwaalden in herinneringen, taal en beelden. Haar brein was een gekkenhuis met kronkelende gangen waar muren, vloeren en plafonds uit zich zelf bewogen en haar denken schoksgewijs langs kronkelige omwegen stuwden. Er waren geen rechte lijnen, alles trachtte zich bezeten aan alles te verbinden; er was geen logica, er waren alleen vluchtige associaties die onverbiddelijk afleidden van het oorspronkelijke vraagstuk. Er waren stellingen en gevolgtrekkingen, maar uit de gevolgtrekkingen vloeiden ook weer gevolgtrekkingen voort die alle redelijke, eenvoudige vragen zoals: hoe kom ik aan de overkant van deze kamer en wat moet ik doen? verwarrend en complex maakten. In een ogenblik van ontzagwekkende concentratie kwam ze ten slotte op de gedachte: *ik heb hulp nodig*, en daar klampte ze zich aan vast als een schipbreukeling die het stuk drijfhout vindt waarop de naam van zijn gezonken schip staat.

Ze probeerde niet te definiëren wat voor hulp ze bedoelde, vroeg zich niet af of ze die nodig had om te leven of te sterven; *hulp* daar ging het om, dat was iets dat helemaal op zich zelf stond. Het was simpel en onthullend.

Ze rolde zich om op haar rug en lag languit op het kleed te kijken hoe het plafond als een razende ronddraaide, terwijl hete tranen langs de zijkanten van haar gezicht rolden.

'Ik heb hulp nodig,' snikte ze. 'Ik... heb... hulp... nodig.'

Ze zei het een paar keer achter elkaar, eerst omdat ze nieuwsgierig werd toen ze die woorden uit haar eigen mond hoorde komen, en toen met het gevoel dat er iets diende te gebeuren nu ze dit enorme, opmerkelijke verzoek had gedaan. Het waren woorden met toverkracht in haar mond; ze sprak ze uit als een 'Sesam open u!' en wachtte tot de formule zou werken.

Niets.

De tranen hielden even plotseling op als ze begonnen waren en ze bleef nog een tijdje op de grond naar het plafond liggen staren. Goed, dacht ze, plotseling in staat tot logisch denken, er is in wezen niets op tegen om om hulp te roepen, maar om resultaten te krijgen moet je het binnen gehoorsafstand doen. Er was niemand aanwezig die haar kon horen. Nou ja, misschien was er een God, maar ze vermoedde dat God geen prioriteit zou verlenen aan haar situatie, zeker omdat ze zelf niet zo'n duidelijk idee over haar situatie had. Noem het wanhoop, toekomstloosheid, haar situatie was dat ze gewoon niet meer wilde leven, maar dat de details om dat voor elkaar te krijgen haar organisatievermogens kennelijk te boven gingen. Ze wilde dat er iemand bij haar was die zou luisteren terwijl ze uiteenzette hoe verlaten ze zich voelde en die haar koele logica zou prijzen. Ze wilde dat iemand haar zou helpen bij haar zelfmoord, haar de details uit handen zou nemen en haar het juiste middel zou leveren. Wat ze eigenlijk wilde, was dat iemand haar een pot pillen zou overhandigen en het briefje zou dicteren – zo iets. Maar hoe dronken en wanhopig Rachel ook was, ze zag toch wel in dat dit een onbereikbaar doel was. De beste vriend of de ergste vijand zou die last niet op zijn schouders willen nemen. Doodgaan deed je alleen, het enige, behalve geboren worden.

Nou dan, wat ze wilde en misschien *wel* kon krijgen was dat er iemand bij haar zou zijn, maar het moest iemand zijn die niet bang zou zijn voor hoe ze nu was, die niet in paniek zou raken of het te serieus zou nemen; ze wilde niet dat het *belangrijk* was dat ze zich zo voelde. Zelfs dokter Stone had haar de indruk gegeven dat het belangrijk was. Er was maar één iemand: Joshua. Joshua zou dit kunnen hanteren omdat het hem werkelijk niets kon schelen, hij was de meest objectieve ander die ze zich kon voorstellen. Ze wilde dat Joshua dit met haar kwam uitzitten en de emotieloze Toeschouwer zou zijn die ze meestal zelf was, maar die op dit moment begraven scheen te zijn onder de druipende lava van haar depressie. Het was al een week of wat geleden dat hij had opgebeld en in die tussentijd was Pete doodgegaan en waren zij en Becky heel even gelieven geweest, maar wat hem betrof was er niets gebeurd, want ze wist dat ze voor hem alleen maar bestond als hij bij haar was. Hij gaf niets om haar en dat was op dit moment heel waardevol, misschien was dat het wat al die tijd waardevol was geweest. Ze had die koude, afstandelijke man, die haar niet serieus zou nemen, die zich geen zorgen zou maken, ontzettend nodig. Isobel zou zich zorgen maken en stilzwijgend in paniek raken. Becky zou teder en zacht en bang zijn en Michael zou zo gauw mogelijk maken dat hij wegkwam; daar had ze allemaal geen behoefte aan. Maar Joshua zou koel en rationeel zijn, zou haar gevoel dat alles zinloos was als een feit beschouwen, een onbelangrijk feit ook nog, en hij zou niet proberen haar van standpunt te doen veranderen. Hij was de enige bij wie ze zonder verontschuldigingen zich zelf kon zijn, de enige die niet gekwetst of bang zou zijn. Een man die niet gaf om een vrouw die nergens om gaf.

Dus. Probleem opgelost. Ze wist wie ze bij zich wilde hebben. Volgende probleem: hoe moest ze voor elkaar krijgen dat hij kwam. Joshua was niet bepaald iemand die je kon ontbieden; als ze hem nooit gevraagd had om te komen, was dat omdat ze heel goed wist dat hij het niet zou doen – juist niet als het hem gevraagd werd. Maar nu had ze niets te verliezen, ze zou hun relàtie niet op het spel zetten, omdat er wat haar betrof niets anders meer was dan nu. Ze zou geen toekomstige bezoeken verspelen als Joshua hoorde dat ze hem nodig had en zo snel mogelijk maakte dat hij wegkwam, want er was wat haar betrof geen toekomst meer. De regels hadden afgedaan, want die waren bedoeld voor een spel dat nog niet afgelopen was.

Het opzoeken van Joshua's nummer in het telefoonboek en het draaien ervan bleken een gigantisch karwei. Nadat ze drie keer een verkeerd nummer had gedraaid lukte het en hoorde ze hem zeggen dat hij een apparaat was en dat hij er niet was – van a tot z de waarheid.

'Ik ben het. Wil je me terugbellen?' met een stem die omfloerst en mistroostig klonk hoewel ze haar best deed om gewoon te klinken.

Jammer. Hij was er niet, hij zou trouwens toch niet komen, ook niet als hij zijn antwoordapparaat afluisterde. Ze zou niet krijgen wat ze wilde – niet zo verbazend trouwens, als je bedacht van wie ze het wilde – maar nu ze de moeite had genomen om erachter te komen wat ze wilde, voelde ze zich twee keer zo verlaten. Het zou niet gebeuren en ze was alleen. Ze zat op de grond en hield haar knieën stijf vast in een poging zich te beheersen. Dan maar geen Joshua, ze kon toch niet alleenblijven. Ze kon niet nog meer tijd onder ogen zien – minuten, uren, jaren – die gevuld waren met een zeker niets.

Ze pakte nogmaals de telefoon en belde Becky. Dit

nummer kende ze uit haar hoofd, dus ze hoefde niet de dansende letters van de telefoongids te lezen, zoals toen ze Joshua belde. Maar toch draaide ze niet het juiste nummer. Een Franse vrouw nam op.

''Allo! 'Allo?'

'Becky?' zei Rachel hees, hoewel ze wist dat die het niet was.

De stem vroeg welk nummer ze gedraaid had terwijl Rachel neerlegde en het nog een keer probeerde, in opperste concentratie naar de kiesschijf kijkend. Ze hoorde weer ''Allo?' maar ditmaal chagrijniger.

De derde keer lukte het.

'Becky?'

'Rachel? Is er iets?'

'Ja.' Het geluid van Becky's stem en haar bezorgdheid maakten een vloed van tranen los terwijl ze praatte. 'Alsjeblieft... je moet komen.'

'Ik ben over een paar minuten bij je.'

Rachel legde de hoorn op de haak en terwijl haar lichaam nog schokte van het huilen stond ze op en strompelde naar de keuken. Ze schonk nog een glas whisky in en goot die door haar keel; sjorde zich vervolgens naar de gootsteen en begon hevig te braken. Toen ze klaar was ging ze jammerend aan de keukentafel zitten. Wat had ze eraan dat Becky kwam? Niets, maar ze moest iemand bij zich hebben. Even later trok ze zichzelf overeind en liep bibberig de trap af om de deur open te maken, zodat Becky erin zou kunnen. Terug in de zitkamer ging ze op de sofa zitten met haar knieën tegen haar borst gedrukt, haar armen stijf om haar lichaam geslagen.

Becky kwam boven en zag Rachel zitten, die zich zo klein mogelijk had gemaakt en over haar hele lichaam beefde, met klapperende tanden, terwijl de tranen over haar wangen stroomden.

'Wat is er in godsnaam?' vroeg Becky hevig ontsteld vanaf de deur.

Rachel keek op en zag alleen een wazige mensengedaante door haar tranen, maar de aanwezigheid van een ander mens in de kamer voer als een elektrische stroom door haar heen. Er was iemand bij haar. Goddank.

Becky ging zitten en sloeg haar armen om Rachel heen. 'Wat is er? Vertel dan wat er is.'

Rachel gaf zich over aan haar omhelzing. Het was net alsof het ineens warmer was in de kamer en zelfs de kleuren leken anders, alsof een schilder de wazige grijze achtergrond gewassen had met een teer oranje en rood.

'Ik weet het niet,' snikte ze tegen Becky's schouder. 'Ik heb hulp nodig. Ik kan dit niet meer aan...' huilde Rachel. 'Er is helemaal niets gebeurd. Ik wil gewoon niet meer.'

'O Rachel, wat kan ik doen? Hoe kan ik je helpen?' vroeg Becky angstig. Het feit dat Rachel huilde en haar zelfbeheersing had verloren was angstaanjagend, heel iets anders dan andere vriendinnen die af en toe uithuilden op haar schouder als het leven hun te veel werd. Dit was erger, op de een of andere manier definitiever.

'Niets. Je kunt niets doen. Het spijt me,' snikte Rachel.

Toen begon Becky te huilen. 'Ik weet niet wat ik voor je moet doen, hoe ik je moet helpen. Ik kan het niet aanzien dat je er zo aan toe bent.' Even later zat Becky voluit te huilen. Toen ze dat door haar eigen snikken heen hoorde verstijfde Rachel en rukte zich los om haar aan te kijken.

'Hou op,' snauwde ze. 'Hou op met huilen. Het is verdomme geen ramp. Ik wil alleen maar dat er iemand bij me is. Hou in jezus' naam op.' Ze zei het half smekend, half bevelend, terwijl ze haar eigen tranen probeerde te bedwingen. Ze had er geen behoefte aan haar ellende te delen of met iemand samen te huilen. Ze had iemand nodig die sterk en hard was, niet iemand om haar te beklagen en met haar mee te lijden. Becky snoof haar tranen op terwijl Rachel haar handen voor haar gezicht sloeg en kreunde: 'Joshua moet komen,' en toen wanhopig jammerde: 'Joshua moet komen.'

Becky stond op en ging naar de badkamer. Ze kwam terug met een nat washandje en waste voorzichtig Rachels gezicht.

'Het is al over,' zei Becky met zorgvuldige kalmte. 'Het gaat alweer. Ik ben helemaal niet meer van streek. Ik ga koffie zetten. Vertel jij nu maar wat er gebeurd is.'

'Er is niets gebeurd. Echt niet. Ik wil gewoon niet meer leven. Ik had whisky en aspirine gekocht, maar toen werd ik zo dronken dat ik die aspirine niet meer kon innemen en toen wou ik dat er iemand bij me was. Ik weet niet wat ik moet doen. Het is allemaal zo'n rotzooi. Eeuwig en altijd rotzooi.' Ze ging overeind zitten en probeerde kalm te worden terwijl Becky koffie zette.

'Komt het door Pete? Of door mij? Is het daardoor gekomen?'

'Nee, helemaal niet. Ik raakte ineens in een depressie. Dat is net of je in een ander land bent. Er bestaan geen redenen om te verklaren dat je je zo voelt. Ik heb het de laatste tijd wel... moeilijk gehad, maar niets van wat er gebeurd is lijkt nu nog belangrijk. Het interesseert me allemaal niets. Dat is het juist – het interesseert me niet. Dat is wat zo ondraaglijk is, het feit dat niets me een barst interesseert. Ik wil niet meer leven, omdat het leven geen zin heeft. Geen inhoud.' Rachel praatte nu op vlakke toon, hoewel de tranen nog altijd over haar gezicht stroomden.

'Dat is niet waar, Rachel. Natuurlijk interesseert het je. Je geeft toch om Carrie en mij en Pete en Joshua. Je interesseert je voor alles. Dat weet ik gewoon.'

'Je vergist je,' zei Rachel koel. 'Het is niet waar. Ik weet dat ik zou moeten willen blijven leven omdat ik van Carrie hou. Maar ik wil niet. Ik wil er niets meer mee te maken hebben. Het interesseert me niet wat er verder gaat gebeuren. Alles zal gewoon doorgaan zonder mij. Natuurlijk zal iedereen een tijdje van streek zijn, maar daarna gaat het leven weer gewoon verder. Mensen leven gewoon verder als er iemand dood is. Het is niet belangrijk. Alleen schijn ik het niet door te kunnen zetten. En dat begrijp ik niet. Becky, de hele mensheid kan me gestolen worden. Ze lijden allemaal honger en ze creperen allemaal, voortdurend, overal. Dit is een vreselijke wereld. Waarom wil er nog iemand blijven leven? Ik begrijp het niet. Ik vind het hier ontzettend, maar het *doet* me niets. Ik heb geen werkelijk gevoel, geen mededogen; ik ben helemaal leeg van binnen. En de wereld zal gewoon dezelfde rotwereld blijven, met of zonder mij. Ik wil niet meer.'

'Rachel, je bent wèl belangrijk,' zei Becky ernstig vanuit de stoel aan de overkant van de kamer. 'Er zijn mensen die van je houden en jij houdt ook van hen, of je dat nu op dit moment inziet of niet. Je zit midden in een depressie, dat weet je. Je ziet de dingen niet zoals je ze zou zien als je niet gedeprimeerd was.'

'Onzin. Ik zie alles volkomen duidelijk en bovendien zie ik alles altijd zo, maar meestal kan ik voorkomen dat ik er de hele tijd naar kijk. Een depressie betekent gewoon dat je ziet hoe de werkelijkheid is en niet de andere kant op kunt kijken. Hoe durf jij te zeggen dat dit niet echt is en dat andere wel? Ik wil mezelf niet in leven houden door mezelf nooit de waarheid te vertellen en dat is de enige manier waarop ik het zou kunnen rechtvaardigen om verder te gaan.'

Becky wist niets op Rachels betoog te zeggen. Ze had geen argumenten om ertegenin te gaan, ze wist gewoon dat het niet waar was.

'Luister, *ik* wil niet dat je doodgaat.'

'Daar kom je wel overheen,' mompelde Rachel terwijl de telefoon overging en Becky erop afliep. 'Laat maar bellen, ik kan toch met niemand praten.'

'Ik neem hem wel. Hallo,' zei ze een beetje bibberig.

'Wat wou je van me?' zei een joviale stem, die toen hij besefte dat dit Rachels stem niet was vervolgde: 'Met wie spreek ik?'

Becky's reusachtige ogen werden nog groter en haar mond viel open.

'O, ik ben een vriendin van Rachel. Ze voelt zich niet zo goed.'

'Ze heeft me gebeld, een boodschap ingesproken dat ik moest terugbellen. Wat is er met haar?'

Becky drukte haar hand op het mondstuk en zei geluidloos 'Joshua' tegen Rachel, die verwoed gebaarde dat Becky niets meer moest zeggen, 'NEE! NEE!' zei ze geluidloos. Dit was een ramp. Ze kon zich voorstellen hoe geïrriteerd Joshua zou zijn omdat hij door de telefoon over haar moest praten met iemand die hij niet kende. Omdat hij überhaupt over haar moest praten. Hij zou razend zijn omdat hij hierbij betrokken werd. Becky keek doodsbenauwd terwijl ze de telefoon bleef vasthouden, toen draaide ze Rachel resoluut haar rug toe en zei op een toon die bijna hysterisch was: 'Rachel lijdt aan een ernstige aanval van zinloosheid. Hoor eens, als je een vriend van haar bent moet je maar gauw komen, ze heeft iemand nodig die om haar geeft.'

Rachels adem stokte.

'NEE!' gilde ze en liet zich zijdelings op de sofa vallen. 'NEE! Niet doen, niet doen...' Becky draaide zich om.

'Is het erg?' vroeg Joshua.

'Ik vind van wel. Ja,' antwoordde Becky.

'Dan kom ik eraan. Ik was toch al van plan om te komen,' zei Joshua en legde neer.

'Stomme trut! Hoe kun je zo iets doen?' schreeuwde Rachel, terwijl ze ongelovig naar Becky keek, die verontschuldigend terugkeek.

'Het spijt me,' zei Becky, weer op het randje van huilen. 'Ik wist niet wat ik moest zeggen toen ik hoorde dat hij het was. Het kwam er ineens uit, omdat ik me zo ongerust maakte.'

Rachel begon te lachen. Ze legde haar hoofd in haar handen en schudde van het lachen.

'Becky, als ik de eerstvolgende dertig jaar zou moeten zoeken naar die ene zinsnede die Joshua gegarandeerd op de vlucht zou jagen zo snel als zijn benen hem konden dragen, denk ik niet dat ik iets beters had kunnen vinden. "Jij bent een vriend en Rachel heeft je nodig." Precies goed. Je hebt zo juist het probleem Joshua in één klap opgelost.'

'Sorry. Maar hij klonk helemaal niet of hij ervan schrok. Hij zei dat hij zou komen. Hij klonk echt bezorgd.'

'Nogal logisch. Hij wil niet overkomen als een klootzak, zelfs niet tegenover een anonieme stem door de telefoon. Enfin, hij komt natuurlijk niet. "Rachel heeft iemand nodig die om haar geeft," ' mompelde ze voor zich uit en zag in gedachten Joshua voor zich terwijl hij naar die woorden luisterde. 'Jij hebt de magische combinatie bedacht, jij hebt de draak op de vlucht gejaagd. Op een dag zullen ze nog eens een festival naar je noemen.'

'O Rachel, het spijt me. Weet je zeker dat hij niet komt?'

'Absoluut. Stil nu maar, het is toch niet belangrijk? Zelfs dat interesseert me nauwelijks. En ik heb voor het eerst sedert dagen gelachen. Gefeliciteerd. Waar blijft die koffie en waar is de whisky?' beval ze, terwijl ze beverig overeind kwam.

Becky liep naar de keuken en schonk een grote kop zwarte koffie in, terwijl Rachel bij de deur bleef staan en tegen de muur leunde.

'Je moet niet meer drinken. Je hebt al twee derde fles op.'

'Dat moet ik wel. Ik voel me afgrijselijk nuchter en dat is helemaal niet aangenamer dan dronken zijn.'

'Je ziet er niet nuchter uit,' zei Becky weifelend, terwijl ze Rachel bekeek, die zich moeizaam overeind hield tegen de muur. Het rillen was weer begonnen en haar gezicht was strak en bleek, waardoor de rode, gezwollen ogen die glazig van uitputting voor zich uit staarden geaccentueerd werden. Ze zag eruit als een kind van een jaar of tien dat uit een nachtmerrie ontwaakt was maar die nog niet van zich had afgeschud, op blote voeten, in een strakke spijkerbroek en een smoezelig sweatshirt, terwijl het wilde haar overeind stond en om het magere, grauwe gezicht kroesde. Becky verlangde ernaar haar in haar armen te nemen, haar in een zachte deken te wikkelen en te troosten, maar ze zag de muur die ze rond zich zelf had opgetrokken en wist dat het haar niet zou lukken door die stekelige beschermingslaag heen bij de kwetsbaarheid te komen. Ze schonk een beetje whisky in een glas en bracht het samen met de koffie naar de woonkamer. 'Waar?' vroeg ze.

'Daar.' Rachel wees naar de eettafel.

Rachel dronk haar whisky en haar koffie en staarde uit het raam, terwijl Becky tegenover haar aan tafel zat en zich afvroeg wat ze moest zeggen. Er was iets gruwelijks aan de hand met Rachel, dat zag ze wel, maar toch deed ze nog stekelig en afstandelijk. Ze had gevraagd of Becky naar haar toe wilde komen, verder scheen ze niet te kunnen toegeven dat ze in nood verkeerde. Becky's verlangen om haar hand uit te strekken en Rachel aan te raken, warmte en troost te bieden, stierf meteen weer weg. Rachels vermogen om mensen op een afstand te houden was nu ze gedeprimeerd was net zo formidabel als anders. Becky kwam tot de conclusie dat het misschien al hielp als er mensen in haar omgeving waren, meer kon ze trouwens toch niet doen; misschien was dat genoeg, of in elk geval het maximum van wat Rachel kon verdragen. Ze zaten een tijdje zwijgend bij elkaar terwijl Rachel grimmig uit het raam staarde, naar niets. Van tijd tot tijd liepen er tranen uit haar ogen, maar verder veranderde er niets aan haar gezicht; ze scheen ze niet eens op te merken.

'Kan ik echt niets voor je...?' probeerde Becky.

'Niets. Dank je wel.'

Uiterst beleefd, uiterst vormelijk. Alsof er nauwelijks iets aan de hand was, alsof dit geen oude vriendschap was om op terug te vallen. Toen ze nog heel klein was, was Rachel eens met haar ouders op bezoek geweest bij een neef en een nicht – lang geleden, toen ze nog mensen hadden om op te zoeken. Plotseling was er een verschrikkelijke ruzie tussen haar vader en moeder ontbrand in aanwezigheid van de beide kinderen van het gezin; ze hadden elkaar krijsend uitgescholden, elkaar hun walging toegespogen in de keurige, voorstedelijke voorkamer van de familie waar ze te gast waren, terwijl Rachel er verstijfd van schaamte bij stond. De andere kinderen, ouder dan Rachel, hadden verlegen gegiecheld om de vuile, hatelijke taal die de grote mensen uitsloegen. Rachel had hen ijzig aangestaard met haar kaken stijf op elkaar, en was een conversatie begonnen – over school, over wat ze op haar verjaardag gedaan had. Beleefde visitepraat die een soortgelijke reactie vereiste van de beide andere kinderen, die weliswaar hun best deden, maar niet konden verhinderen dat het hysterische gelach dat in hen opborrelde af en toe naar buiten kwam. Rachel zette de conversatie voort alsof het geschreeuw en de agressiviteit in die kamer zomaar een televisieprogramma waren waarnaar ze niet keek, en dwong de anderen haar voorbeeld te volgen. Er was niets aan de hand, ze had gewoon een beleefde conversatie met verre bloedverwanten. Hoe dan ook, ze zou hen nooit meer onder ogen hoeven komen.

Nu was er net zo iets aan de hand: de volwassen Rachel had zich bedronken en om hulp geschreeuwd, huilde ongegeneerd, gedroeg zich in Becky's ogen niet zo anders dan andere mensen zich van tijd tot tijd gedragen. Rachel was echter niet zo tolerant, althans niet de andere Rachel, die met de koele blik, die bezig was weer bezit van haar te nemen. Doe alsof er niets gebeurd is, zei die ijskoude stem tegen haar, negeer die paar tranen maar, die zijn louter lichamelijk; negeer de pijn, die is alleen maar fysiek; als je er niets aan kunt doen, en ik vrees dat het ernaar uitziet dat

dat zo is, Rachel, doe dan maar alsof er niets aan de hand is. Wij zijn niet het soort persoon dat om hulp schreeuwt of om troost vraagt, zei de stem streng. Je kunt wel proberen mij opzij te schuiven met drank of met Joshua, maar waarom zou je? Om verachtelijk te worden, een jammerende neurotica, een meelijwekkend wezen? Wees nu maar eerlijk, wat jouw vrienden in je waarderen is juist dat jij niet krijsend om aandacht bij hen op de stoep zit. En het was waar, Rachel gaf toe dat ze zo niet wilde zijn. Wat een depressie ook mocht zijn, het was iets dat tegen haar wil gebeurde; het lichaam, een chemische reactie of iets dergelijks, en als ze daar niets aan kon veranderen kon ze de pijn op zijn minst binnenhouden, zorgen dat hij niet overstroomde naar buiten.

'Het gaat wel weer. Een beetje dronken. Sorry, ik had niet moeten bellen. Het gaat echt wel weer,' verzekerde ze Becky, die beter wist maar toch een zekere opluchting voelde omdat Rachel weer Rachel werd. Wat ze met die ander aan moest wist ze niet, ze had geen ervaring met haar en was eerlijk gezegd een beetje teleurgesteld bij de gedachte dat Rachel net zo meelijwekkend was als iedereen. Alleen maar teleurgesteld? Misschien was er ook sprake van een zekere voldoening, maar die gedachte schoof Becky gauw weg, het lag niet in haar aard om dingen te overanalyseren.

Becky vertrok nadat Rachel haar de verzekering had gegeven dat het echt wel weer ging en dat ze zou bellen als ze haar nodig had en dat ze geen domme dingen zou doen, en hoewel ze er niet gerust op was, scheen Rachel werkelijk alleen'te willen zijn.

Dat was waar, ze wilde niets liever dan dat Becky wegging. Ze kon het niet uitleggen en wat had het trouwens voor zin? Ze wilde zich beter voelen, niet praten over haar toestand en hoewel het waar was dat ze op een bepaalde manier verwarmd werd als er iemand bij haar in de kamer was, was het ook waar dat dit verwarrend werkte. Door Becky's aanwezigheid werd ze verscheurd tussen de noodzaak om zich normaal te gedragen en de ellende die ze voelde.

Een half uur later zat ze weer op de sofa uit het raam te staren, toen Joshua de kamer binnenkwam met een fles champagne.

'Iemand had de deur open laten staan,' zei hij zakelijk tegen haar verbaasde, betraande gezicht. 'Glazen. Hoe lang is dit al aan de gang?'

Rachel haalde haar schouders op en bleef in kleermakerszit op de sofa zitten, terwijl Joshua twee glazen uit de keuken haalde.

'Weet ik niet. Toen ik je belde scheen de zon.'

Het was nu bijna donker.

'Dat heb je nou altijd met zon,' zei Joshua, uiterst luchtig en joviaal, terwijl hij de kurk liet knallen. 'Hier, je staat toch al ongeveer op sterk water,' met een blik naar de bijna lege whiskyfles op tafel,' een glas meer zal niet veel uitmaken. En dan koffie. Heb je de laatste tijd nog wel eens iets gegeten?'

'Gisteren... of misschien was het eergisteren. Wat doet het er toe, ik heb toch geen honger.' De champagne smaakte walgelijk en haar hoofd begon als een razende rond te draaien.

Ze had de indruk dat Joshua zijn mouwen had opgerold. Hij was een en al zakelijke nuchterheid, was hier gekomen om te redderen.

'Waar is je vriendin?' vroeg hij terwijl hij het koffieapparaat aanzette en brood sneed.

'Die is weg. Ik wou alleen zijn.'

'Groot gelijk.'

'Maar nu ben jij er. Hoe komt het dat je gekomen bent?'

'Ik was toch van plan om te komen. Je stond op mijn lijstje.'

'Ja, maar dronken, wanhopige vrouwen zijn niets voor jou,' zei ze met dubbele tong.

'Dat is waar, maar iedereen mag zich wel eens een keer een stuk in zijn kraag drinken. Een heel enkele keer,' waarschuwde hij terwijl hij naast haar op de sofa kwam zitten, met een bord met een gesmeerde boterham erop en een kop sterke zwarte koffie. 'Hier, eet een boterham en drink dit op.'

Ze dronk koffie uit het kopje dat hij haar voorhield, nam een hap van de boterham die hij haar gaf en spuugde die vervolgens uit.

'Nee, ik kan niet eten. Ik wil niet. Ik vertik het. Ik heb geen honger,' jammerde ze.

'Je moet iets proberen te eten. Dat neemt de alcohol een beetje op.'

'Nee!'

De uitdrukking 'stuk in zijn kraag' had een bijna magische uitwerking op haar, het klonk zo gewoon, het ontkende de wanhoop en de angst en de loerende chaos en veranderde wat er met haar was in een onbelangrijke episode, een staaltje van doodgewone menselijke domheid. Ergens wist ze dat het niet zo eenvoudig was, dat de wanhoop er wel degelijk was en er nog zou zijn als de alcohol uitgewerkt was, maar op dit moment maakte het alles minder zwaar – gewoon een uitspatting, iets waar iedereen van tijd tot tijd recht op had. Goddank dat Joshua er was, wat had ze er goed aan gedaan hem te bellen, hij kon dit hanteren zonder het serieus te nemen. Niet het huilen van Becky of de last van Isobels teleurstelling of Michaels angst, dit was gewoon een tijdelijk falen van Rachels anders zo uitnemende zelfbeheersing. Wat fantastisch dat hij gekomen was; maar zoals hij zelf zei, hij had toch al willen komen, hij zou het verschrikkelijk vinden als zijn schema in de war werd gegooid. Ik hoef me niet eens schuldig te voelen omdat hij er is, dacht ze. Trouwens, neuriede haar stem, laten we eerlijk zijn, dit is echt een uitje voor een sadist – een dronken, wanhopige vrouw die door en door zielig en meelijwekkend is. Is dat even lekker!

Rachel begon een feestje te bouwen. Ze veranderde in een koppig, grappig, recalcitrant kind van vijf, plagerig en irritant, met een ondeugende grijns op haar gezicht. Het meisje dat ze speelde, dat de grote mensen geamuseerdheid en bewondering en woede ontlokte met haar geestigheid en haar slimheid, kwam haar bekend voor. Dood en verlatenheid werden weggestopt onder haar act en Joshua speelde zijn rol perfect, geïrriteerd en geamuseerd door haar snelle, grappige geratel. Hij gaf haar haar zin en zij keek hoever ze kon gaan – tot op zekere hoogte. Ze wilde niet eten, ze wilde alleen drinken, ze liet hem niet rustig naar een televisiespel kijken zonder wijsneuzige interrupties.

'Die stomme John Mortimer met zijn prachtige proza en zijn scherpzinnige bourgeois gezicht. Bla bla bla...'

'Hou je mond en ga naar bed. Nu meteen.' Heel streng. Pappa is boos, maar toch, goed idee.

Ze ging de kamer uit, liet het bad vollopen en lag plonzend en luid neuriënd in het schuimige water. Smoke Gets In Your Eyes. I Get No Kick From Champagne. Let's Face The Music and Dance. Een top-tien van weleer. In de zitkamer keek Joshua op van de televisie en zag haar druipend en naakt in de deuropening staan; ze zag er nat en jong uit, terwijl ze haar hoofd spottend scheef hield met een lichte, stoute grijns op haar gezicht.

'Probeer je nog steeds een graantje cultuur mee te pikken? Het is allemaal zo onbenullig, dat ware leven op de buis. Het gaat om de fantasie van het leven van alledag, ouwe jongen.'

'Haal een handdoek en droog je af. Straks vat je nog kou. En dan ga je naar bed... doe wat ik zeg!'

Onaangedaan door haar naaktheid, door het stevige,

kwetsbare, aandoenlijk kleine lichaam, was hij de strenge vader die haar spelletje doorhad en niet van plan was deze onzin te nemen. Maar wat was dit een gezellig spel; haar naaktheid en kwetsbaarheid waren niet onopgemerkt aan hem voorbijgegaan, zijn ogen gingen een beetje dicht en lachten een beetje. Kleine signalen van de zinnelijke Joshua werden naar de zinnelijke Rachel gezonden en ontvangen op een niveau dat laag genoeg was om het andere spel dat ze speelden niet te bederven. Rachel bleef staan waar ze stond, haar blote lichaam volstrekt genegeerd door hen allebei.

'Ik wil een eind rijden. Nu meteen. Hard. Alsjeblieft?' vroeg ze braaf.

'Ga je dan daarna naar bed?' vroeg hij.

'Ja. Eerlijk. Op mijn erewoord.'

'Goed dan. Trek een jas aan.' Hij kwam overeind en zette de televisie uit. Een uiterst geduldige, bazige man.'

Ze ging naar de slaapkamer en haalde een trenchcoat uit haar klerenkast.

'Deze goed?' vroeg ze, terwijl ze hem aantrok over haar nog vochtige lichaam.

'Goed genoeg,' zei hij kalm. 'Schoenen.'

'Schoenen? Moet dat?'

'Ja.'

Knalroze enkellaarsjes werden te voorschijn gehaald en ze vertrokken. Het was middernacht toen ze over Edgware Road suisden, in de richting van de autoweg.

'Harder. Je kan toch wel harder,' drong ze aan.

'Dronken sloerie. Ik *ga* al harder. Jij bent gewoon te bezopen om het te merken.'

'O.'

Ergens onderweg begon de realiteit zich weer te laten gelden, begon de pijn terug te komen. Tegen de tijd dat ze in haar flat terugkwamen zei ze niets meer, en haar gezicht stond grimmig. Ze gooide haar jas neer op de trap, schopte de laarsjes uit en kroop meteen in bed, zonder een woord te zeggen. Joshua zweeg ook, trok zijn kleren uit en ging behoedzaam naast haar in bed liggen, niet te dichtbij. Ze lag in een foetale houding met haar rug naar hem toe, terwijl hij met zijn hoofd op zijn armen naar het plafond staarde.

'Ik ben bang voor morgen,' fluisterde ze, half tegen zich zelf, na een lange stilte.

'Waarom?'

'Morgen wordt geen lolletje. Volgens mij gaat dit niet over.'

'Neem een antidepressivum. Heb je dit vaak?'

'Een tijd niet gehad. Ik neem geen antidepressiva, ik wil niet in een wolk leven. Als je die pillen inneemt krijg je het gevoel dat het ondraaglijke draaglijk is. Ik zie de dingen liever zoals ze zijn.'

'Om uiteindelijk zelfmoord te plegen?'

'Als het moet. Ik wil niet leven – niet alleen nu, maar in mijn achterhoofd weet ik in wezen bijna altijd dat ik er gewoon niet bij wil horen. Niets interesseert me eigenlijk.'

Dat zou hij tenminste begrijpen.

'Dat geloof ik niet,' zei hij tot haar verbazing. Hij dacht kennelijk dat vervreemding zijn privé-domein was.

'Ga je gang, maar toch is het zo.'

Er viel een korte stilte terwijl hij nadacht.

'Als je dat echt de meeste tijd vindt heb je gelijk, dan is het leven niet de moeite waard. Dan moet je er een eind aan maken – ga alleen niet knoeien met aspirine en whisky, dan verander je jezelf alleen maar in een plant. Je moet het efficiënt doen.'

Rachel haalde haar schouders op. 'Zolang ik het zelf niet meer weet, doet het er niets toe of ik in een plant verander. Ik heb genoeg verstandige kennissen die de stekkers eruit zouden trekken als dat gebeurde.'

Er waren twee Rachels die op dit gesprek reageerden; de eerste, uitgekookt en listig, begreep dat Joshua's instemming met haar zelfmoord therapeutisch uitstekend was, een manoeuvre die bedoeld was om haar te laten in gaan tegen wat ze zelf gezegd had dat ze wilde, een stevige harde muur waar hij haar tegenaan had gedrukt om te zorgen dat ze er van de schrik overheen zou klimmen; de eerste Rachel had zin om te glimlachen omdat hij dat zo knap gedaan had. De andere Rachel voelde een golf van opluchting, de eerste sedert dagen. Ze voelde zich ineens bevrijd, er werd naar haar geluisterd; hier was iemand die gehoord had wat ze zei en het aanvaardde als een feitelijke mededeling. Ze hoefde wat ze wilde zeggen niet af te zwakken om zijn gevoelens te sparen, want hij bezat geen gevoelens die ze kon kwetsen. Hij hoorde zonder schrik of gêne hoe ze eraan toe was en deed geen moeite het af te doen als 'alleen maar' een gevolg van haar depressie. Omdat Joshua nu eenmaal Joshua was nam hij wat ze zei voor wat het was, dacht erover na en stemde ermee in dat haar leven niet zo kostbaar was dat ze er geen afstand van mocht doen als het haar geen bevrediging schonk. Dit was tenslotte waarom ze van hem hield, als ze tenminste van hem hield – omdat hij de waarheid vertelde. Geen beleefdheden, geen geruststellende woorden, geen verontschuldiging wegens het zeggen van pijnlijke dingen. En praktisch ook nog. Het was een moment om te koesteren, een erkenning van wie ze werkelijk was.

'Dank je,' fluisterde ze, terwijl ze daar lag in het donker, en voelde een buitengewone rust over zich komen. De uitzinnige, schuldige behoefte om dood te gaan zoals ze die eerder had gehad werd getransformeerd tot een kalme beslissing, een koele berekening, een belofte die ze zich zelf had gedaan.

Er was niemand anders op de wereld die dat voor haar had kunnen doen. Als hij nu nog een paar dodelijke pillen voor haar kon bemachtigen... Goed, dat was dus niet redelijk, zelfs Joshua zou ervoor terugschrikken het karwei voor haar op te knappen. Ingewikkeld, sadomasochisme; waarheid en pijn, genot en dan het *werkelijke* genot, verlangen en geven en niet geven, beminnen en straffen en dankbaarheid en boosheid: waar houdt het op? Deel mijn zelfmoord met me, Joshua – mijn geschenk aan jou, het jouwe aan mij. Laten we echt tot op de bodem gaan: maak me dood, Joshua. Maar hun pantomime hield op voordat gebeuren kon wat ze eigenlijk wilden, de grens tussen fantasie en werkelijkheid was duidelijk getrokken, het pijn doen en de pijn hadden niet meer gevolgen dan de sporadische blauwe plek, net genoeg om de fantasie te voeden, niet genoeg om het werkelijke leven in de waagschaal te stellen. Dat was waar Joshua zo goed in was, de dingen uit elkaar houden, weten waar de grens lag. Daarom had ze zich bij hem veiliger gevoeld dan bij enige andere man (of vrouw) die ze ooit had gekend.

Ze draaide zich naar hem toe, terwijl hij op zijn rug bleef liggen met zijn armen onder zijn hoofd.

'Ik wil dat je me naait,' zei ze, terwijl ze boven op hem klom en schrijlings op zijn vlezige buik ging zitten.

Hij keek haar vluchtig aan. 'Netjes vragen.'

'Wil je me alsjeblieft naaien,' fluisterde ze, terwijl ze zich op zijn penis liet zakken en in feite hèm begon te naaien.

Terwijl ze voorzichtig op en neer bewoog, liet hij door kleine signalen blijken dat hij genoot.

'Wat wil je dat ik met je doe?' wilde hij weten.

'Je moet me slaan.'

'Wat?'

'Wil je me alsjeblieft slaan?'

Hij gaf haar een stuk of zes klappen, ritmisch en tamelijk zacht.

'Is het zo hard genoeg?'

'Harder. je moet harder slaan. Alsjeblieft,' smeekte ze terwijl zijn hand met steeds meer kracht neerkwam en ze de pijn in haar achterste en het genot van zijn lul binnen in

238

haar met gelijke intensiteit voelde.

'Toe dan, toe dan, toe dan,' huilde ze. 'Doe me pijn. Doe me alsjeblieft pijn,' zei ze telkens weer, terwijl ze klaarkwam en huilde tegen zijn borst.

'Wat wil je nog meer?' vroeg hij even later, nog steeds in haar, terwijl haar hart nog altijd razendsnel klopte.

'Neuk me in mijn kont. Alsjeblieft.'

Toen ze klaar waren hield Joshua haar stijf vast en streelde haar haar totdat de snikken wegstierven; toen sliep hij een tijdje.

Rachel lag wakker en keek hoe de dageraad door een kier tussen de gordijnen naar binnen begon te dringen. Straks zou het ochtend worden en het gewicht zou er nog steeds zijn; dan zou er geen Joshua zijn, geen wie dan ook. Ze had de pijn weten uit te stellen, maar ze moest er toch doorheen en de chaos begon nu al weer langzaam terug te komen: wat ze met Carrie aan moest, hoe ze de schijn moest wekken dat ze normaal functioneerde, hoe ze de minuten moest doorkomen. Angst. Ze was Joshua dankbaar voor het intermezzo, maar dat was nu voorbij. Joshua werd wakker, lag even naar haar te kijken terwijl ze naar het daglicht staarde en keek toen op zijn horloge.

'Het is halfvijf. Ik moet weg.'

'Dat weet ik,' antwoordde ze, zonder haar blik van de gordijnen af te wenden. Hij zag de ontsteltenis in haar ogen.

'Ik moet echt weg. Waar zijn je slaappillen? Neem er twee in, dan voel je je morgenochtend beter.'

'Het is al ochtend. Ik zal me niet beter voelen. Ach, laat maar, ik weet wel dat je weg moet.'

Hij hoefde niet weg. Er was niemand die op hem zat te wachten. Maar toch wist ze dat hij weg moest, daar bestond geen twijfel over. Hij vond het potje met de laatste twee slaappillen en gaf ze aan haar.

'Ik ben zo bang,' fluisterde ze, terwijl ze ze innam; misschien hoefde hij toch niet weg, als hij alleen maar bleef tot de dag was begonnen zou dat misschien helpen.

'Ik moet echt weg,' herhaalde hij zachtjes, inmiddels aangekleed en op de rand van het bed gezeten, terwijl de tranen uit Rachels ogen begonnen te stromen. 'Luister, ik bel je morgenochtend op, misschien kom ik om een uur of twaalf koffie bij je drinken. Dan praten we een beetje. Ga nu maar slapen – drink niet meer, neem niets in. Wacht een poosje. Ik bel je morgen.'

Was dit zijn manier om het weggaan makkelijker voor hem zelf te maken? Deze zachtaardige man, die dingen beloofde over morgen leek niets op hem. Maar de pillen begonnen al te werken en het idee dat Joshua zou opbellen – dat er morgen iemand zou zijn – gaf haar het gevoel dat ze het misschien toch aan zou kunnen.

'Het lijkt wel alsof alle vrouwen die ik ken momenteel instorten,' zei Joshua, alsof hij aan een verhaaltje voor het slapen begon. 'Vrouwen van jouw leeftijd, die niet de hele tijd een man om zich heen hebben. De vrouwen die wel een man hebben zijn natuurlijk niet gelukkig, maar instorten doen ze tenminste niet.'

Rachel voelde een doffe woede, door de alcohol en de slaappillen heen.

'Je hoeft mij niet in je generalisaties te betrekken,' zei ze zo venijnig als ze kon. 'Waar ik kapot aan ga is niet dat ik geen man heb om mee samen te leven. Van die andere vrouwen die je kent weet ik het niet, maar ik vermoed dat je mijn testosteronspiegel onderschat.'

Hij wierp haar een bewonderende blik toe, deels onder de indruk van het feit dat ze in haar toestand het woord 'testosteron' kon uitspreken – dat was ze zelf trouwens ook – deels omdat hij zich afvroeg of het misschien waar was wat ze zei.

'Misschien wel,' zei hij ernstig, terwijl Rachels woede omdat ze op één hoop werd gegooid met 'vrouwen' wegzakte onder het slaapmiddel.

Joshua ging stil weg terwijl ze wegzweefde. Ze droomde dat ze op een schip zat dat een cruise maakte langs de eilanden die volgens haar West-Indië waren. Wat haar verbaasde, zelfs terwijl ze droomde, waren de fantastische kleuren, het felle, zuivere blauw van de wolkeloze hemel, het schone witte schilderwerk van de boot, het sprankelende turkoois van de zee en in de verte, op het eiland waar ze op afvoeren, het weelderige, donkere, tropische groen van planten en bomen. Rachel zocht een plekje om zich te installeren en klom langs witte metalen trappen van het ene dek naar het andere, dekken die allemaal vol met mensen zaten die genoten, in ligstoelen lagen te zonnen, aan witte tafels zaten te praten en te drinken, in elegant geklede groepjes van twee of drie personen beminnelijk lachend rondslenterden. Doodgewone mensen die zich vermaakten op de manieren waarop mensen dat op schepen in de zon doen. Ze liep van het ene dek naar het andere en vond geen plek waar ze wilde blijven. Ze wilde niet in de omgeving van andere mensen zijn, maar er waren overal mensen. Drie of vier verdiepingen hoog vond ze een bar, bestelde een Tequila Sunrise vanwege de dieporanje kleur, en liep toen met het glas in haar hand verder, nog steeds op zoek naar een plaatsje. Ze keek naar boven en zag helemaal boven op het schip een heel klein dek, omgeven door een glanzend witte reling, precies groot genoeg voor de twee stoelen die er stonden. De ene stoel was leeg, op de andere zat een man, wiens ogen in de schaduw lagen van de rand van zijn witte gleufhoed, roerloos en rustig, geheel verdiept een boek te lezen. Ze kende hem niet, ze herkende hem niet, maar *dat* was eindelijk waar ze wilde zijn. Niet om deze man te storen, niet om met hem te praten, maar om op de andere stoel haar drankje te drinken en naar de kleuren van de zee en de hemel en het naderende eiland te kijken. Ze hunkerde ernaar daar te zijn, maar terwijl ze reikhalzend naar boven keek zag ze niet hoe ze er moest komen, geen trap, geen toegang. Verschrikkelijk teleurgesteld ging ze helemaal naar beneden en toen bevond ze zich ergens onder de boeg, waar een kleine houten plank naar buiten stak, zo groot als een surfplank, net groot genoeg om op haar buik op te kunnen liggen. Haar gezicht bevond zich enkele centimeters boven het stromende water en ze kon het eiland zien en als ze haar hoofd naar opzij draaide ook de lucht. Ze probeerde naar boven te kijken om de man op het bovenste dek te zien, maar die bevond zich niet binnen haar gezichtsveld. Ze was wel niet precies waar ze wilde zijn, maar het was er prettig en rustig. Het kon ermee door. Toen, terwijl het eiland dichterbij kwam en ze de aanlegsteiger duidelijk kon zien, besefte ze dat ze zich niet kon bewegen, haar nek zat op de een of andere manier beklemd tussen de plank en de boeg van het schip. Ze zat vast, kon niets doen, haar gezicht slechts van de golven gescheiden door de dikte van de plank, en niemand zou haar hier beneden om hulp horen roepen. Ze zag de steiger snel naderbij komen en wist dat haar hoofd zou worden verbrijzeld wanneer het schip aanlegde: het schip en de steiger zouden haar schedel verpletteren als een ei dat in een klem zat. Ze nam de prachtige kleuren van de zee, de hemel en het gebladerte in zich op terwijl ze – met bonkend hart, doodsbang, ten dode opgeschreven, opgewonden – op het onvermijdelijke wachtte.

Nou, dacht ze, toen ze wakker werd en nadacht over de droom, ik mag dan niet zo'n subtiele psyche hebben, maar hij vertelt in elk geval precies hoe het zit. Het verbaasde haar dat de man Joshua niet was; hij had er anders uitgezien en ze had ook een ander gevoel gehad. Het was niet iemand die ze kende, hoewel hij een heel kenmerkend, karakteristiek gezicht had gehad. Nou ja, deed er niet toe, daar ging het niet om. Het gewicht drukte nog altijd op haar middenrif, zoals ze van tevoren geweten had. Ze stond op en kleedde zich aan, een trage, moeizame bezigheid, en ging weer in de hoek van de sofa zitten, recht overeind, met een rechte rug en haar benen gracieus onder zich getrokken. Wachtend – of niet wachtend. Uren gingen voorbij, af en toe kwamen de tranen zonder iets aan haar houding te veranderen, één keer stond ze op en gaf de poes eten uit het blikje dat gelukkig al open was. Verder zat ze daar alleen maar, staarde zomaar voor zich uit en haalde voorzichtig adem.

Joshua belde niet. Ze bedacht dat ze al die tijd had geweten dat hij dat niet zou doen, maar er was ook een doffe verbazing over zijn volslagen gebrek aan nieuwsgierigheid. Wat vreemd. Ze vond het niet verbijsterend dat het hem niets kon schelen, maar wel dat hij in staat was om niet te willen weten wat er verder ging gebeuren, als er al iets gebeurde. Daar begreep ze niets van. Was hij er zo zeker van dat ze geen zelfmoord zou plegen? Daar kon niemand zo zeker, helemaal zeker van zijn; zij zelf was het in ieder geval niet. Of maakte het gewoon niets voor hem uit of ze leefde of dood was? Maar het maakte wel degelijk een klein, praktisch verschil, als hij ooit nog met haar wilde neuken. En hij had gezegd dat hij zou bellen – hij zag zich zelf als een man die woord hield. Waar was die padvinder gebleven? Maar waar het in werkelijkheid om ging was nieuwsgierigheid – doodgewone nieuwsgierigheid zou gemaakt hebben dat zij de volgende dag had gebeld, als de rollen omgedraaid waren.

Nou ja, wat kan het verdommen, dacht ze, het had toch niets uitgemaakt. Een telefoontje meer of minder zou niets hebben veranderd. Ze had de energie niet om zich over Joshua op te winden. Dat hij niet gebeld had was ergens wel een klap, maar eigenlijk niet zo vreselijk belangrijk.

Becky belde en Rachel vertelde haar rustig dat het goed ging en dat ze beslist zou bellen als ze iets nodig had. 'Echt, het gaat prima.'

Het begon donker te worden en Rachel bleef in het schemerdonker zitten totdat ze op een gegeven moment de voordeur hoorde dichtvallen en voetstappen hoorde op de trap. Isobel kwam de kamer binnen met een paar plastic tassen.

'Michael heeft me gebeld. Hij zei dat je je niet goed voelde. Zit je in een depressie? Domme vraag,' zei ze terwijl ze Rachel bekeek, die zich nog niet had bewogen.

Rachel zuchtte diep. 'Nee, ik maak het prima,' zei ze schor, door een knoop in haar keel heen.

'Onzin. Ik heb je vaker zo gezien. Maar wel een tijd geleden. Ik heb wat dingen meegebracht. Je hebt zeker in geen dagen iets gegeten?'

Ze ging naar de keuken en pakte sla uit, volkorenbrood, boter en kattevoer, waste de sla en sneed plakjes komkommer in een schaal voordat ze de ketel inschakelde en thee zette.

Isobel liet zich zakken in de stoel tegenover de sofa, in de nog altijd donkere kamer.

'Hoe lang is dit al aan de gang?' vroeg ze, met een nauwelijks hoorbare zucht. Ze zag er moe uit, had de hele dag aan haar colleges gewerkt. Haar kleren, correct en zakelijk, zaten net zo elegant als altijd, maar om een lichaam dat een beetje uitgezakt was tegen het einde van de dag.

'Weet ik niet. Een paar dagen,' zei Rachel dof.

'Waarom heb je me dit niet laten weten?' vroeg Isobel een beetje knorrig, een beetje beledigd.

'Ik wilde niet dat het... waar werd. Ik voel me zo waardeloos.'

'Onzin. Je mag niet alleen zijn als je zo bent. Goeie god, na al die jaren moet je mij toch wel kunnen vertellen dat je niet in orde bent. Ben je al die tijd alleen geweest?'

'Nee. Vannacht was er iemand bij me.'

'Toch niet die man? Jawel, hè?' Rachel gaf geen antwoord. 'Hij heeft toch niet met je geneukt?' vroeg ze, zich opwerkend tot verontwaardiging; wat voor monster zou een vrouw in zo'n toestand misbruiken?

'Om je de waarheid te zeggen heb ik met hèm geneukt,' zei Rachel zakelijk, om van het onderwerp af te zijn.

'O. Dit komt zeker door hem.'

'Nee, dit komt niet door hem. Het komt nergens door. Sinds wanneer heb ik een reden nodig om gedeprimeerd te raken?'

Ze wilde helemaal niet praten, wilde niets hoeven uitleggen. Er viel in toenemende mate niets te zeggen; hoe verder ze zich in zich zelf terugtrok, des te minder leken gebeurtenissen of mensen ermee te maken te hebben. Er was een knop omgezet, het had nergens iets mee te maken.

Isobel was kennelijk niet overtuigd. 'Misschien, maar waarom juist nu? Je hebt dit in geen jaren meer gehad. Er moet een reden voor zijn.'

Rachel gaf geen antwoord. Ze kende het antwoord niet, ze dacht niet dat ze überhaupt nog iets wist. Het was goed dat Isobel er was, ze werd een klein beetje wakker door haar aanwezigheid in de kamer, maar aan de andere kant was er nu de verplichting om te praten en Isobels kennelijke vermoeidheid en daaronder, onder die resoluutheid en de praktische dingen die ze deed, haar hulpeloosheid. Rachel wilde zeggen dat alleen haar aanwezigheid al hielp, maar ze had het gevoel dat het kritiek zou inhouden als ze dat zou zeggen, dat ze haar daar eigenlijk mee zou vertellen dat ze haar mond moest houden, dat ze niet meer zorgelijk moest doen over eten en redenen. Rachel bleef zwijgen en na een tijdje kreeg ze het gevoel dat haar zwijgen op zich zelf kritiek inhield, te veeleisend was. Wat kon je behalve zwijgen en praten nog meer doen? En waarom moest ze daarover nadenken terwijl ze alleen maar met rust gelaten wilde worden? Alleenzijn leek haar de enige mogelijkheid.

'Dank je voor de spullen. Je ziet er moe uit, waarom ga je niet naar huis? Ik red me wel. Ik wil hier alleen maar zitten. Maak je geen zorgen, het is echt niet nodig dat je blijft.'

Afwijzend.

'Het is geen moeite. Ik ben helemaal niet moe en jij mag niet alleen gelaten worden. Ik blijf liever.'

Lieve god, een nieuwe nachtmerrie, nu gaan we elkaar gek maken door aardig tegen elkaar te doen. Proberen precies te zeggen wat ze voelde.

'Isobel, luister nou, ik voel me verschrikkelijk, maar ik zal me nog erger voelen, schuldig voelen, als ik jou dwing hierbij te zitten terwijl je het druk hebt en doodmoe bent. Je moet echt niet blijven. Je maakt het alleen maar erger.'

Isobel bleef in het donker zitten. 'Toch blijf ik nog een poosje. Daar heb je je maar bij neer te leggen,' zei ze gedecideerd, en sloot toen even haar ogen terwijl ze een geeuw onderdrukte.

Help. Help. Laat me eruit, krijste Rachel inwendig. Ze was overdreven alert, afschuwelijk opmerkzaam, ze zag iedere beweging, iedere nuance, het was alsof ze door Isobels huid heen kon kijken en de gelaatsspieren zag samentrekken in de welwillende uitdrukking die bij de situatie paste, maar ze zag dat ze pijn deden van de inspanning. Ze nam de slappe armen waar, die zwaar op de stoelleuningen lagen en de diepte van Isobels ademhaling die net niet aanzwol tot een totale zucht, en alles wat ze opmerkte werd als een klein gewicht toegevoegd aan de last waarmee ze al gevuld was. Toen ging ze zich daar ook nog schuldig over voelen.

Na een poosje zei Isobel: 'Becky heeft me gebeld. Ze zei dat je haar weggestuurd had. Ze is erg van streek en bezorgd. Je kunt mensen niet op die manier afwijzen, je moet vragen of ze je komt opzoeken, je moet niet zo onaardig doen.'

Dit was krankzinnig; plotseling was de wereld bevolkt met mensen die ze moest ontvangen om te zorgen dat *zij* zich beter voelden. Als je nog niet onaardig mag zijn als je suïcidaal bent, wanneer mag het dan wel? Nooit, blijkbaar, niet Rachel, die al dan niet gedeprimeerd geacht werd beter te weten, te begrijpen wat er aan de hand was en dus in zeker opzicht verplicht was het juiste te doen. Onaardig zijn mocht gewoon nooit.

6

In de weken die volgden zonk ze steeds dieper weg in haar depressie en deed niets anders dan in een hoekje van de sofa zitten. Isobel kwam tweemaal per dag, bracht eten mee en bleef een uur of twee bij haar. Soms praatten ze. Rachel begon te geloven dat ze bezeten was en daar hadden ze het over, wanneer Rachel überhaupt in staat was om te praten. Rachel had uur na uur geluisterd naar haar innerlijke monoloog – walgelijk, waardeloos, stom, saai, gevaarlijk, destructief – steeds maar door. Het leven heeft geen zin voor jou, je neemt alleen maar ruimte in beslag... Het was de stem die er op de achtergrond altijd was, maar die nu aan kracht had gewonnen en helemaal bezit van haar had genomen. Zij zelf had de kracht, de middelen niet om ertegen te vechten. Alleen de Toeschouwster in haar was nergens bij betrokken en luisterde alleen maar en tekende aan wat er gebeurde. Dit legde ze aan Isobel uit.

'Het is net alsof er een demon in mijn binnenste zit, een duivel die me haat, die wil dat ik doodga. Ik weet wel dat het *mijn* duivel is, maar het helpt niet dat ik dat weet. Hij wil me doodmaken en ik kan er niets tegen doen, het verplettert me. Ik verdrink erin.'

Isobel begreep dit, maar wist net zomin als Rachel wat er moest gebeuren. Er waren drie weken verstreken zonder enige verandering. Rachel at nauwelijks, sliep twee, drie uur per nacht, was de flat niet uit geweest, en Isobel voelde zich steeds machtelozer. Ze was ongerust en vermoeid. Hun eerste gesprek herhaalde zich telkens weer. Rachel smeekte Isobel niet te komen, Isobel hield vol dat het geen moeite was, dat het nodig was. Het kostte haar wel degelijk moeite, het schuldgevoel groeide als een woekerplant, Rachel had het gevoel dat ze hen samen in een eindeloze nachtmerrie had opgesloten. Dat gevoel had Isobel ook, maar die zei het alleen met haar lichaamstaal en met onderdrukte zuchten. Rachel hoorde haar geruststellende woorden en zag haar rusteloosheid en raakte erdoor in verwarring. Zag ze wel of niet wat ze meende te zien, hoorde ze wat ze meende te horen? Er was geen kant die ze op kon, ze kon niets doen dat juist was. Ga toch dood, zei haar stem. En dat leek haar werkelijk de enige keuze die ze had.

Becky kwam om de paar dagen langs en vulde de onbehaaglijke stilte met woorden – over William en zijn vriendin, ze had het hem nog steeds niet voor de voeten gegooid, was bang om hun relatie te verstoren, wist niet precies wat ze voor hem voelde nu hij voor haar niet meer dezelfde William was; over depressies, ze had zich in het onderwerp verdiept, was zelfs naar het Instituut voor geestelijke gezondheidszorg gegaan om een paar boekjes over het onderwerp te halen. Er waren twee soorten depressies, exogene en endogene, en voor beide soorten bestonden er andere antidepressiva; voorts waren er aanwijzingen dat grote doses vitamine B-compex in sommige gevallen hielpen... Rachel luisterde zwijgend toe en voelde zich meer en meer een therapeute, een ziend oog, een luisterend oor, luisterend naar haar patiënte die kwebbelend door haar paniek heen naar de kern van de zaak toewerkte. Ze wilde Becky vragen op te houden – op te houden met praten, op te houden met komen – maar dat kon ze niet, omdat ze wist dat het haar overstuur zou maken.

Michael zorgde voor Carrie en verzekerde haar door de telefoon dat alles uitstekend ging; hij wist tenminste dat hij Rachels depressie niet aankon, maar deed wat in de praktijk het nuttigst was. Carrie was natuurlijk ongerust, maar ze hadden haar verteld dat Rachel ziek was. Moeders konden tenslotte ook ziek worden, hield Rachel zich zelf voor; ze wilde Carrie niet zien, wilde zich geen zorgen over haar maken – maar natuurlijk maakte ze zich toch zorgen en ze wist dat ze haar uiteindelijk, onvermijdelijk, toch zou moeten zien en de verantwoordelijkheid weer op zich zou moeten nemen.

Haar angst bereikte een hoogtepunt. Ze belde dokter Stone.

'Vindt u het goed als ik me laat opnemen? Dat ik ergens anders naar toe ga? U zei toen iets over veilig zijn,' snikte ze.

'Als u dat wilt,' antwoordde hij zorgvuldig.

'Dit is te zwaar voor iedereen. Ik moet hier weg.'

Diezelfde middag werd ze opgenomen in het Friern Barnett-ziekenhuis. Ze reed er zelf naar toe, bibberig en met haar handen zo stijf om het stuur geklemd dat ze er kramp van in haar vingers kreeg. Ze parkeerde de auto op het asfalt van de met bloemperken omgeven oprijlaan en zocht de afdeling op waar ze moest zijn, in de dependance voor spoedopnamen. Toen ze de verpleegsterskamer binnenkwam zag ze haar naam met krijt op het schoolbord staan – ze werd verwacht. Toen ze zei wie ze was vroeg een forse, zwarte hoofdzuster: 'Wie heeft u gebracht?' en keek om zich heen alsof ze verwachtte dat er nog iemand binnen zou komen.

'Ik ben alleen gekomen.'

'U bent hier alleen naar toe gekomen?' De verpleegster keek de dienstdoende arts aan, die tegenover haar zat. 'In uw eentje?'

Het was niet in Rachels hoofd opgekomen om te vragen of er iemand met haar meeging en zelfs nu ze zag hoe verbaasd ze waren geloofde ze niet dat Isobel, bij voorbeeld, dat nodig zou hebben gevonden. Ze was er toch gekomen?

De dependance was voornamelijk gevuld met geriatrische gevallen die zo seniel waren dat ze niet zonder volledige verpleging konden. Het ziekenhuis was net als zijn patiënten aftands en verwaarloosd en stond op de nominatie om gesloten te worden zodra iemand zou weten te verzinnen wat er moest gebeuren met de lichamelijk gezonde, maar geestelijk gebroken bewoners. Rachels bed was er een van de vier in een hoog, vierkant vertrek dat vaalgroen was geschilderd. Op de vloer lag donkerblauw, gebarsten linoleum, tussen twee gordijnloze ramen stond een grote wasbak. Ze klom dankbaar op het ijzeren bed en ging in kleermakerszit op de oranje katoenen sprei zitten terwijl een verpleegster haar naam en adres noteerde, en die van haar naaste familie. Het bed in de hoek tegenover haar was het enige dat bezet was. Er lag een klein lijfje in, behaaglijk in elkaar gedoken, met het gezicht naar de muur; afgezien van het weelderige staalgrijze haar dat op het kussen uitgespreid lag had het een kind kunnen zijn.

'Dat is Rose,' zei de verpleegster toen ze wegging. 'Ze geeft nooit antwoord als je iets tegen haar zegt. Ze doet altijd alsof ze slaapt – maar wij weten allemaal wel beter – hè Rose?'

Rose bleef nadrukkelijk slapen en Rachel was allang blij dat ze niet hoefde te converseren. Toen ze weer alleen was bleef ze op het bed zitten en nam haar smoezelige omgeving op. Het deed haar allemaal niets; ze had rustig antwoord gegeven op de vragen en werd nu aan haar lot overgelaten, voorlopig althans. Terwijl ze daar zat was het alsof er een last van haar schouders viel; hier was ze ergens waar ze gewoon kon *zijn*, de mensen hier werden ervoor betaald om hier te zijn of ze gingen net als zij te zeer in zich zelf op om zich iets van haar aan te trekken. Hier mocht ze gedeprimeerd zijn, zomaar zitten zwijgen; ze waren gewend aan mensen die zich niet normaal gedroegen en zij wilde zich helemaal niet misdragen, alleen maar met rust gelaten worden en zich met niemand hoeven te bemoeien. Hier konden ze dat aan, van deze mensen hoefde ze zich niets aan te trekken. Ze had er goed aan gedaan hiernaar toe te gaan, ze had het eerder moeten doen. Ze had de verpleegster gevraagd Isobel op te bellen en te zeggen dat alles in orde was met haar.

'Wilt u alstublieft zeggen dat ze niet op bezoek moet komen? Dat is heel belangrijk – ik wil geen bezoek.'

De verpleegster noteerde vriendelijk het nummer en zei dat ze zich geen zorgen moest maken, dat ze zeker zou bellen. Weer een last van haar af, iemand anders zou namens haar tegen de wereld optreden. Een andere verpleegster stak haar hoofd om de hoek van de deur. 'De dienstdoende arts wil je spreken. Loop maar met me mee.'

Ze bracht Rachel naar een kleine kamer waar een jonge vrouw achter een bureau zat te wachten en aantekeningen in een dossier doorlas. Ze glimlachte toen Rachel binnenkwam.

'Dag, ik ben dokter Newbold. Het spijt me, maar ik moet je een paar dingen vragen, dat is hier gebruikelijk.'

Rachel ging in een fauteuil naast het bureau zitten en glimlachte beleefd.

'Kun je me vertellen wat voor dag het vandaag is?' vroeg dokter Newbold.

Rachel herinnerde zich dit verhoor van vijftien jaar geleden – een eerdere opname, een eerdere depressie – dus ze gaf zakelijk antwoord; dit was gewoon iets dat gebeuren moest.

'Dinsdag, negenentwintig juli.'

'Ja?' zei dokter Newbold bemoedigend.

'1983,' zei Rachel geduldig.

Pas later, toen ze die avond wakker lag op de afdeling, bedacht ze dat het die dag de dertigste was; ze kreeg een vluchtige opwelling om de nachtzuster te roepen en haar antwoord te verbeteren – ach laat maar, dacht ze toen, ik had er toch nog twee van de drie goed.

Dokter Newbold ging zonder commentaar verder.

'Kun je me vertellen hoe de kinderen van de koningin heten, Rachel?'

Rachel dregde haar reservoir met onbenulligheden af; het was jammer dat ze niet gevraagd had wie de hoofdrollen speelden in 'It Happened One Night', want dat lag op het puntje van haar tong.

'Eh... Charles, Anne... Edward – er is nog een... Andrew.'

Wat nu nog?

'Rachel,' vroeg de dokter gemoedelijk, 'geloof jij dat het leven een zin heeft?'

Rachel overwon een hevig verlangen om het uit te schateren, maar besloot toen dat dit toch wel een vraag was waarop ze antwoord kon geven.

'Eh ja, dat geloof ik wel. Ik geloof dat het leven zinvol is voor andere mensen, ik geloof zelfs dat er een Zin is, ik bedoel dat het waarschijnlijk ergens toe *dient*. Maar ik geloof niet dat ik erbij nodig ben. Wat of wie het ook is dat een bedoeling met dit alles heeft, kan zijn doel ook wel zonder mij bereiken. Ik geloof niet dat ik hier een plaats heb.'

Dokter Newbold keek abrupt op, haar antwoord was kennelijk onthullend – hoewel schijnbaar niet wat ze verwachtte.

'God?' vroeg ze.

'Voor mijn part,' antwoordde Rachel. 'Ik en Het interesseren ons zo weinig voor elkaar dat het de moeite niet waard is er een definitie voor te zoeken. Het doet er niet toe. Het heeft niets met mij te maken.'

De dokter schreef iets op in haar dossier.

'Mag ik nu naar de kamer terug?' vroeg Rachel.

Dokter Newbold keek haar even aan en sloeg toen het dossier dicht.

'Ja, we zullen het hier voorlopig bij laten. Morgenochtend heb je een gesprek met dokter Cloudsley. Dank je wel, Rachel.'

Toen ze weer op het bed zat, stak een verpleegster haar hoofd om de hoek van de deur.

'Dokter Newbold zegt dat je je nachthemd en je ochtendjas moet aantrekken.' Vriendelijk legde ze uit: 'Dat moeten we wel doen met patiënten die een beetje neerslachtig zijn, begrijp je. We willen niet dat je wegloopt of iets dergelijks.'

Rachel haalde haar schouders op en zei dat ze het zou doen, maar bleef gewoon met al haar kleren aan zitten. Ze voelde zich niet ongelukkig, alleen afwezig, leeg – maar dit was een plek waar ze louter alleen kon zijn; dat het hier niet zo troostend en warm was als thuis in haar flat, deed er echt niet toe. Het was inmiddels avond. Over een paar uur zouden de andere patiënten terugkomen op de afdeling, in afwachting van het karretje met slaapmiddelen. Ze hadden al gegeten en zaten in het dagverblijf naar de televisie te kijken of in de kleine kantine thee te drinken, of ze slenterden over de gang. Niemand viel Rachel lastig, het was rustig en vredig.

Plotseling werd de stilte verbroken door een langgerekt, dramatisch gekreun afkomstig van het bed tegenover haar, terwijl Rose met een zwaai haar benen over de rand gooide en naast haar bed ging staan. Haar kleine uitgemergelde lijfje was gehuld in een volumineuze katoenen bloemetjesjurk, zoals door het ziekenhuis verstrekt werd aan patiënten die zelf geen kleren hadden, en die om haar magere, stokoude benen zwabberde terwijl ze de kamer overstak naar Rachels bed. Haar loshangende, grijze haar had iets ontstellend wilds en jeugdigs. Ze liep doelbewust in Rachels richting, maar zonder haar kant op te kijken.

'Verdomme!' dacht Rachel.

Rose, die met haar gezicht van Rachel afgewend, afwezig naar het raam tuurde, bleef op vijftien centimeter afstand van de zijkant van Rachels bed staan en trok langzaam en zeer bedaard haar rok omhoog tot aan de onderkant van haar slobberige onderbroek met het stempel van het ziekenhuis erop, plantte haar voeten een flink eind uit elkaar en begon, zonder enige aanwijzing dat haar bovenste helft wist wat haar onderste helft deed, op de grond te wateren. Het vocht stroomde in een dikke straal uit haar alsof het paardepies was, en spetterde licht dampend op van het koude linoleum. Toen begon ze, nog steeds met een uitdrukkingsloos gezicht, zonder Rachels bestaan te erkennen, wijdbeens en met stijve knieën de kamer rond te lopen, terwijl de urine bruisend uit haar bleef stromen. Ze beschreef de contouren van de bedden en liep langs de muren ertussenin; een nonchalante wandelaarster, die zich onbewust was van de ruisende waterval tussen haar benen. Rachel had zin om te applaudisseren; het was een grandioze act. Ze was verbijsterd dat dat kleine lichaam zoveel vocht bevatte – tegen de tijd dat Rose bij haar eigen bed terug was en zich behaaglijk geïnstalleerd had in dezelfde houding als eerst, was de helft van de vloer bedekt met urine; penetrant ruikende plassen en riviertjes die naar elkaar toe vloeiden en plotseling met elkaar versmolten als parende amoeben. Rachel glimlachte zwijgend en haalde haar schouders op; het kon haar geen klap schelen. De kamer raakte doortrokken van de warme, vochtige, zure lucht van urine; de vloer was drijfnat. Rachel was met bed en al ingesloten door een zee van pies. Ze vond het niet erg, de lucht hinderde haar niet al te zeer en ze wilde toch nergens naar toe. Ze bleef zitten waar ze zat, zonder enige reactie op deze act. Wat onaardig van me, dacht ze bij zich zelf. Als ik een aardig, vriendelijk iemand was zou ik moord en brand schreeuwen, geschokt en vol afschuw reageren, kijk eens wat die vieze oude vrouw gedaan heeft! Ik wil weg uit dit gekkenhuis! Arme Rose, als ik kon zou ik het doen, ik heb er gewoon de energie niet voor. Na een tijdje kwam een van de andere bewoonsters van de kamer binnen en die begon naar behoren te gillen, schold de schijnbaar slapende of misschien wel dode Rose uit en holde weg, jammerend dat de zuster moest komen kijken wat dat smerige gekke ouwe wijf bij haar op de kamer had gedaan. De zuster arriveerde met een zwabber en een emmer en ging aan de slag.

'Wat heb je *nou* gedaan, Rose! Je bent een heel ondeugende meid. Heb je gezien wat er gebeurd is?' vroeg ze aan Rachel, die licht haar schouders ophaalde en nietszeggend glimlachte. Het schouderophalen was hier kennelijk een nuttig gebaar.

'Ik heb niks gedaan,' klaagde Rose, die één oog had opengedaan om te kijken hoe Rachel zou reageren. 'Ik heb de hele tijd in bed gelegen. Waarom laten jullie me niet met rust? Ik wil dood; ik wil alleen maar dood en dat mag ik niet van jullie, vuile klerelijers. Laat me met rust!' kreunde ze.

'Je bent erg ondeugend,' zei de verpleegster berispend, terwijl ze de nattigheid opdweilde. 'Er is niets met je aan de hand, je bent helemaal niet incontinent en ik heb het al druk genoeg zonder dat ik dit ook nog een keer moet doen.'

Rachel deed haar ogen dicht. Haar zwijgen was niet zozeer bedoeld om Rose stiekem te laten blijken dat ze aan haar kant stond, het betekende gewoon dat ze er niet was. Ze wilde helemaal geen bondgenoten maken, hoewel ze wist dat er net zoveel kans bestond dat Rose haar vijand zou worden als ze niet over haar klikte, omdat die meer behoefte had aan aandacht dan aan vriendinnen. De andere patiënte, een vrouw van middelbare leeftijd, was te zeer van streek om die nacht op de kamer te blijven en mocht in een zijkamertje slapen, zodat Rachel met niemand anders kennis hoefde te maken of te praten. Na het afleggen van haar verklaring zei Rose de rest van de avond niets meer en toen het karretje met slaapmiddelen langs kwam, nam Rachel dankbaar haar pillen in en sliep een paar uur, waarna ze in het donker voor zich uit lag te staren tot zes uur, toen de verpleegsters van de dagdienst begonnen. Ze had er nog steeds geen spijt van dat ze hier was; totdat de zuster kwam en zei dat ze zich moest aankleden om te gaan ontbijten in de kantine.

'Daar heb ik niet zo'n zin in,' zei Rachel beleefd. 'Kan ik niet gewoon een kopje thee halen en dat hier opdrinken?'

'Je moet naar de kantine. Trouwens, we sluiten de kamer om halfnegen af. Het is erg slecht voor patiënten om de hele dag op bed te liggen. Als je in het dagverblijf gaat zitten kun je kennis maken met de andere patiënten. Dokter Cloudsley doet in de loop van de ochtend zijn ronde en hij zal je natuurlijk willen spreken, dus helaas kun je vanmiddag pas naar bezigheidstherapie.'

Er was bijzonder weinig waaraan Rachel minder behoefte had dan aan bezigheidstherapie, op welk uur van de dag ook, en ze voelde er evenmin iets voor om uit haar kamer verbannen te worden. Ze wilde net als Rose met rust gelaten worden. De arts die haar had opgenomen had het over 'algehele depressie' gehad en had voorgesteld die in eerste instantie te lijf te gaan met antidepressiva; als die niet hielpen 'was ECT vaak heel nuttig'. Rachel had besloten er niet over na te denken. Ze wilde alleen maar veilig zijn en meende dat ze de pillen en de elektroden op de een of andere manier zou weten te ontlopen. Nu werd het duidelijk dat ze gewoon niet goed had nagedacht. Dit was een ziekenhuis en wat hen betrof was ze hier voor een behandeling, die begon met de opgedrongen sociale omgang met de trieste, wanhopige figuren in de kantine.

Het dagverblijf was een troosteloos vertrek; plastic stoelen met hoge rugleuningen stonden rondom tegen de fletsgroene muren en in de vensterbank kwijnde een treurige geranium. Verder stond er in het midden van de kamer een kleine plastic tafel en er was een halfvolle boekenkast met erbovenop een rijtje achtergelaten boeken. Rachel zat in haar eentje te roken op een blauwe stoel – de andere stoelen waren rood en groen – en drukte de peuken uit in een metalen prullenmand vol schroeiplekken, die ze in een hoek vond. Het grootste deel van de twee uur die ze daar doorbracht bleef de kamer leeg, maar de deur werd met tussenpozen opengegooid door een veel te dikke jongeman met verwilderde ogen, die woedend in alle hoeken keek en na een ogenblik weer verdween, knorrig voor zich uit mompelend. Iedere keer stond Rachel op en deed de deur achter hem dicht, waarna ze weer op haar stoel ging zitten. Van dokter Cloudsley was geen spoor te bekennen. Omdat ze geweigerd had naar de kantine te gaan, had ze niets te eten en te drinken gekregen en ze voelde zich koud en leeg. Ze dacht aan haar warme, behaaglijke flat, waar ze in elk geval een kopje thee kon zetten als ze dorst had en waar ze tussen haar eigen spullen kon zitten, maar toen bedacht ze weer waarom ze naar dit ziekenhuis was gegaan – de anderen, het schuldgevoel. Ze zou volmaakt tevreden zijn geweest als ze op haar bed op de kamer had mogen zitten. Uiteindelijk stond ze op en liep de gang door naar haar kamer, morrelde aan de deur, die inderdaad op slot zat, en liep toen weer terug door de gang, waarbij ze verscheidene mensen passeerde die op sloffen heen en weer schuifelden. Ze ijsbeerde twee of drie keer de hele gang door en negeerde de andere wandelaars, die dat met haar ook deden; toen ontdekte ze een linnenkamertje. Het was een lange, diepe kast van ongeveer een meter breed, met planken langs een muur en een raam aan het uiteinde. De planken waren volgestapeld met uniforme ochtendjassen, nachthemden, schone jurken zoals die van Rose, handdoeken enzovoort. Rachel ging naar binnen en bleef voor het raam achterin naar buiten staan kijken – het was het enige raam met een uitzicht dat ze had weten te vinden. Het keek uit op de hoofdingang van het ziekenhuis. De oprijlaan had een keurig beplant, rond bloemperk in het midden en terwijl ze stond te kijken liepen er mensen af en aan en kwamen er auto's aanrijden waaruit dokters stapten of familieleden die op bezoek kwamen; ze waren makkelijk van elkaar te onderscheiden. Een paar patiënten kwamen de hoofdingang uit en gingen op weg naar de winkel aan de overkant van de straat om chocola, tandpasta, shampoo, sigaretten te kopen – kleine behoeften die een excuus vormden voor een uitje. Rachel stond met haar voorhoofd tegen de koude ruit gedrukt en keek naar de bedrijvigheid totdat ze schrok van een stem achter haar, zich abrupt omdraaide en een verpleegster zag staan die haar nieuwsgierig aankeek.

'Wat voer jij hier uit, Rachel?'

Rachel realiseerde zich ineens dat haar gezicht nat was, dat ze voor dat raam had staan huilen.

'Niets. Er is hier een raam, ik stond naar buiten te kijken.'

Op het horloge dat de verpleegster op haar schort gespeld had zag ze hoe laat het was: het was halfeen; ze had tweeëneenhalf uur uit dat raam staan kijken. Ze dacht: ik heb hier pas één nacht geslapen en ik sta nu al in een linnenkamertje uit het raam te kijken. Vanmiddag beginnen ze met de medicatie en morgen zal ik het doodgewoon vinden om dit te doen of op en neer te schuifelen door de gang. Dan zal het me niets meer kunnen schelen.

'Ik denk dat ik maar naar huis ga,' zei ze rustig tegen de verpleegster. 'Moet ik nog iets ondertekenen?'

De verpleegster keek verbaasd. 'Waarom? Ga maar even mee naar de hoofdzuster.'

Rachel volgde haar naar het kantoortje, waar ze haar verzoek herhaalde. De hoofdzuster keek ook verbaasd.

'Je kunt jezelf wel ontslaan, maar je zult toch eerst met de dokter moeten praten. Die komt zo meteen. Ga maar wachten in het dagverblijf – o nee, dat kan niet, dat is al aan kant gemaakt voor de stafvergadering. Ga jij maar lekker een kopje thee drinken in de kantine. We roepen je wel als de dokter je wil spreken.'

Als je ergens eenmaal bent moet je de dingen volgens het boekje doen, besefte Rachel. Ze zei dat ze zou wachten en ging terug naar het linnenkamertje. Een uur later kwam een verpleegster haar halen: de dokter was er en wilde haar spreken.

'Ik wil mezelf eigenlijk alleen maar ontslaan,' zei ze, terwijl ze achter de zuster aan liep naar de deur van het dagverblijf.

'Hier is het, dokter Cloudsley verwacht je,' zei de verpleegster, terwijl ze voor Rachel op de deur klopte.

Het eerste dat ze zag toen ze het dagverblijf binnenkwam was een goudkleurige, kartonnen gebaksdoos op de tafel in het midden van de kamer; ze had er een man mee uit zijn auto zien stappen terwijl ze voor het raam stond en was verbaasd geweest omdat de open MG en zijn sjieke driedelige kostuum hem bestempeld hadden tot een van de artsen. Ze had zich op dat moment voorgehouden dat ze de mensen niet zo streng mocht indelen, door die taartjesdoos veranderde hij in een familielid dat een patiënt kwam opzoeken – misschien was er wel iemand jarig. Maar haar eerste gedachte was juist geweest: de glimmende doos stond open en leeg tussen gebruikte bordjes en theekopjes op het tafeltje. De plastic stoelen waren dichter naar elkaar toe geschoven dan toen ze alleen in deze kamer had gezeten en ze waren allemaal bezet, op één na. Er zaten zo'n twintig à vijfentwintig mensen in een kring naar haar te kijken, terwijl zij in verwarring bij de deur bleef staan. Ze had één dokter verwacht, misschien twee. Haar ogen gleden snel en onderzoekend over het gezelschap, maar namen heel weinig op, meer mannen dan vrouwen, een aantal verpleegsters, verschillende mannen in sjieke driedelige kostuums, die waarschijnlijk om beurten de taartjes voor de vergadering meebrachten – waarschijnlijk hadden ze niet *allemaal* een MG. Ze werd door paniek bevangen. Haar eerste impuls was zich om te draaien en weg te hollen, de tweede dat ze hiervandaan wilde en dat dit kennelijk de route was, aangezien de kamer op slot zat en haar kleren en haar autosleutels daar lagen.

'Mevrouw Kee. Komt u binnen, gaat u zitten,' zei de eigenaar van een goedverzorgde hand die haar beduidde, haar beval, in de lege stoel naast hem te gaan zitten. 'Ik ben dokter Cloudsley. Ik ben de consulterende geneesheer. Deze mensen zijn de leden van mijn team. We willen graag eens met u praten.'

Nou, als jullie maar niet allemaal tegelijk beginnen, dacht ze, terwijl ze beverig de kamer overstak, die nu meer weg had van een arena. Dokter Cloudsley zat ontspannen in zijn stoel, met één been in een onberispelijk geperste broekspijp achteloos over het andere geslagen en een welwillende, lichtelijk neerbuigende glimlach op zijn gezicht. Rachel ging verstijfd van woede zitten, terwijl ze voelde hoe twintig paar ogen haar beroepsmatig en op hun gemak opnamen. Wat waren de uiterlijke kenmerken van dit specimen? Het haar, gedeeltelijk neon-oranje geverfd, zat natuurlijk opzettelijk in de war; wild, kroezend haar dat nog wilder was gemaakt, om meer te verhullen en tevens de aandacht te trekken; eronder, erachter, een vermoeid, bleek, verbeten gezicht zonder make-up. Ze droeg een overall, modieus slobberig, lichaamverhullend, poepbruin, de pijpen opgerold tot halverwege de kuiten, gympies aan blote voeten – in Hampstead High Street deze week een cliché, maar in de context van een verouderde negentiende-eeuwse inrichting was dit gestichtskleding, vormeloos, slordig, een ontkenning van lichaam, sekse en leven. Ze zag zich zelf zoals zij haar zagen en bleef kaarsrecht zitten wachten terwijl haar handen de houten stoelleuningen stijf omklemden.

'U kijkt boos, mevrouw Kee,' zei dokter Cloudsley uitnodigend.

'Ja, ik ben ook boos,' antwoordde ze met ijzige beleefdheid en wendde zich naar hem toe om hem aan te kijken. Er was een deel van haar denken dat in haar oor fluisterde: 'Heel voorzichtig zijn. Je moet dit precies goed spelen. Blijf heel kalm; *doe* niets.'

En een ander deel, heel ver verwijderd van haarzelf en de andere mensen in de kamer, dat in gesprek was met iemand die buiten de situatie stond: 'Hoe kunnen ze zo iets doen? Hoe kunnen ze zo stom zijn? Wat zijn dit voor deskundigen? Je kunt dit iemand die al weken in een depressie zit niet aandoen. Die zet je niet neer in een kamer vol mensen die naar haar kijken, die ga je geen vragen stellen. Voor zo iemand lijkt dit op een inquisitie. De eerste de beste idioot zou dat vanzelf weten, zou de situatie beter aanpakken.

Boosheid en paniek welden in Rachel op. Ze wilde weghollen of met dingen gooien – ze had ontzettend veel zin om die bordjes en kopjes op te pakken en ze in de koele, objectieve gezichten om haar heen te smijten, die op instigatie van Cloudsley bezig waren te schatten hoe na ze toe was aan gewelddadig gedrag.

'Voorzichtig,' fluisterde de stem, terwijl ze de stoel nog steviger vastpakte. Ze keek om zich heen in een poging oogcontact te krijgen, omdat ze er zeker van was dat iemand in deze kamer toch moest weten dat dit niet de juiste manier was om met haar om te gaan, maar de blikken die de hare kruisten waren te vluchtig om te kunnen ontwaren wat voor menselijkheid erachter school.

'Misschien kunt u ons vertellen waarom u boos bent?' vroeg Cloudsley zoetsappig.

Ze staarde hardnekkig naar de goudkleurige doos en vocht met zich zelf om koel en kalm, uiterst redelijk te blijven.

'Ja. Ik ben boos omdat ik niet in deze kamer vol mensen wil zijn. Ik had begrepen dat ik een dokter te spreken zou krijgen, niet dat ik het onderwerp van een bespreking zou zijn. Ik heb op u gewacht omdat ze zeiden dat dat moest, als ik mezelf wilde ontslaan. Kunt u me alstublieft de benodigde papieren geven om te ondertekenen en de zuster vragen de deur van de kamer open te maken?'

'Hoe komt u op het idee dat u zich zelf wilt ontslaan?'

'Ik ben niet op het *idee* gekomen dat ik mezelf wil ontslaan; ik wil mezelf ontslaan. Ik wil naar huis.'

Ik wil mezelf ontslaan, gladde rotzak die je bent, omdat ik normaal genoeg ben om hier niet te willen blijven; en thuis kan ik tenminste gewoon een kop thee krijgen. Bestaat er een betere reden?

Dokter Cloudsley sloeg het dossier op zijn schoot open en las het in enkele minuten zwijgend door; toen keek hij op.

'Volgens de arts die u heeft opgenomen, bent u in een ernstige depressie. Hij beschouwt u als suïcidaal en vindt dat u opgenomen moet blijven om behandeld te worden, teneinde uw huidige gevoelens te overwinnen. Ik denk niet dat ik u kan toestaan uzelf te ontslaan.'

Rachel hield op met ademhalen.

'U kunt me niet tegenhouden. Ik ben hier vrijwillig. Ik kan weggaan wanneer ik wil.' Haar stem schoot enkele octaven de hoogte in.

'Ik ben er niet zo zeker van dat u een vrijwillige patiënte bent, mevrouw Kee. Het is waar dat u hier vrijwillig bent gekomen, maar ik moet heel zorgvuldig over de situatie nadenken. Ik heb het gevoel dat u een gevaar zou betekenen voor uzelf als ik u toestemming gaf om weg te gaan.'

Rachel had levensbedreigende angst gekend in dromen, maar deze specifieke werkelijkheid had alle kenmerken van haar ergste nachtmerries. Plotseling was ze niet meer vrij om weg te gaan, ze konden haar hier houden, haar iedere behandeling geven die ze nodig vonden: medicijnen, ECT, zelfs zo'n smerige lobotomie als ze daar zin in hadden. Ze had zich zelf in een andere wereld geplaatst en zag haar recht om te kiezen, ja, letterlijk haar vrijheid, verdwijnen. Ze wist dat ze in enorm gevaar verkeerde en haar lichaam reageerde zoals het dat op iedere bedreiging van buitenaf zou doen: een stoot adrenaline, een hart dat op hol sloeg, volkomen alert, een helder hoofd, ingesteld op overleven. Toch kon de linksdenkende, bourgeois, westerse Rachel niet helemaal geloven dat dit echt gebeurde. Ze was zich echter wel degelijk bewust van de regels – in algemene termen althans. Er was een artikel in de Krankzinnigenwet dat het een dokter mogelijk maakte haar tegen haar wil hier te houden als hij dacht dat ze een gevaar betekende voor haar eigen leven of dat van anderen. Cloudsley suggereerde nu zorgvuldig dat hij haar volgens dat artikel hier kon houden, dat ze een gevaar betekende voor haar eigen leven, dat het zijn oordeel was dat telde. Ze meende zich vaag te herinneren dat ze iets gedaan moest hebben om dat oordeel te rechtvaardigen, maar ze wist het niet zeker. Ze deed haar best om te doen alsof ze het wel wist.

'Ik ben hier officieel geen patiënt,' zei ze zorgvuldig, geconcentreerd naar de gebaksdoos kijkend. 'U kunt me niet hier houden tenzij er aanwijzingen zijn dat ik mezelf letsel zou kunnen toebrengen. Ik heb niets gedaan om die suggestie te wekken. Ik geloof niet dat u enige grond hebt om me hier te houden en ik wil weg, nu meteen.'

Er lag enige irritatie in Cloudsleys stem toen hij antwoordde: 'Volgens de wet is het alleen noodzakelijk dat ik en nog een dokter van mening zijn dat u in gevaar verkeert. Waarom doet u zo agressief?'

Omdat jij me bedriegt, zelfgenoegzame klootzak!

Hij deed alsof het niet zo moeilijk zou zijn om een andere dokter zover te krijgen dat hij zijn handtekening zette en er waren er kennelijk heel wat in deze kamer die hun krabbel onder ieder document zouden zetten dat hij hun voorlegde. Er waren hier geen helden. Ze wist dat er iemand zat te bluffen en vermoedde dat ze dat waarschijnlijk zelf was.

Ze moest kiezen tussen doorgaan met bluffen of de man sussen die hier de baas was en die kennelijk geïrriteerd begon te raken. Hoe had ze zich zelf in godsnaam in deze nesten gewerkt? Het ging erom dat ze hier hoe dan ook weg moest en deze man, besefte ze, zou daar eerder op ingaan als ze zijn autoriteit intact liet.

'Ik ben niet suïcidaal,' legde ze duidelijk en kalm uit. 'Ik ben al een tijd gedeprimeerd, maar dat heb ik vaker gehad. Ik wil het gewoon uitzitten, het gaat wel weer over en ik denk dat het beter voor me is als ik thuis ben, in een vertrouwde omgeving.'

Cloudsley leek een beetje te ontdooien.

'Ik denk dat u gelooft dat het leven uitzichtloos is, mevrouw Kee. U gelooft niet dat het leven de moeite waard is, nietwaar?' opperde hij, haar uitnodigend haar innigste gedachten met iedereen te delen en, als ze zo stom was dat te doen, in de val te lopen. Deze man, deze genezer van zieke zielen, wilde bloed zien, wilde haar horen vertellen over haar pijn, wilde dat ze haar zelfbeheersing verloor en dat het afgelopen zou zijn met haar moeizaam bevochten kalmte. Dat was iets dat ze kende: misschien kwamen psychiaters en sadisten wel uit dezelfde school voort. Hij eiste wat hij haar medewerking zou noemen; ze moest zeggen: ja, ik heb problemen, ik heb hulp nodig, doe maar wat nodig is, ik ben niet bevoegd om te oordelen, help me nou maar alstublieft, Meneer.

Krijg de pest.

'Ik heb helemaal geen mening over Het Leven. Ik verzeker u dat ik geen zelfmoord zal plegen, u kunt het zwart op wit van me krijgen als het moet. Ik wil weg,' verklaarde ze resoluut.

Dokter Cloudsley sloeg zijn benen nogmaals over elkaar en keek ongeduldig de kamer rond, naar zijn team. 'Ik voel er niets voor u te laten gaan, mevrouw Kee. Ik heb alle recht u hier te houden volgens een artikel in de Krankzinnigenwet, dat is zelfs mijn plicht als ik van mening ben dat uw leven in gevaar is, maar het zou natuurlijk beter zijn als we uw medewerking konden krijgen.'

Ja, nogal wiedes, het is verschrikkelijk vervelend om tegenstribbelende patiënten in bedwang te houden terwijl je ze platspuit met kalmerende middelen.

Rachel zei nogmaals: 'Ik wil naar huis.'

'Mevrouw Kee, vindt u dat wel fair tegenover uw vrienden? Hebt u het recht van hen te eisen dat ze zich om u bekommeren en voor u zorgen? Hebt u wel aan hen gedacht?'

Goeie zet! Daarom was ze immers hier? Andere mensen, eisen stellen. Schuldgevoel. Dit was echt een goeie zet van hem, veel effectiever dan de Krankzinnigenwet: gewoon het schuldgevoel aanwakkeren dat er toch al was.

Ze kon hier geen antwoord op geven, ze had geen argumenten. Ze hield zich alleen stijf in bedwang terwijl de paniek en de herinnering door haar heen stroomden aan hoe ze in haar flat had gezeten, wanhopig wanneer er mensen waren, wanhopig wanneer die er niet waren.

'Ik moet naar huis,' antwoordde ze en keek langdurig en recht in zijn kalme ogen.

Hij keek op zijn horloge.

'Het is nu lunchtijd. Gaat u maar even een hapje eten in de kantine terwijl ik erover nadenk wat we zullen doen. Mijn assistent komt u straks vertellen wat we hebben besloten. Gaat u nu maar.'

Ze werd weggestuurd.

Later op de middag, maar waarschijnlijk vanavond pas, zou de assistent haar komen vertellen dat ze net zo goed kon blijven slapen en dat hij haar de volgende ochtend weer zou komen opzoeken. Inertie was een machtig wapen. Als ze zich tegen hen verzette zouden ze tot gedwongen opname overgaan, als ze meewerkte konden ze haar verzoeken om weg te mogen afwijzen tot het haar niet meer kon schelen. Ze was bepaald niet in een toestand om zich lang over iets op te winden – zij hadden de tijd en de energie aan hun kant. Wat ze nog wel bezat was een nog steeds onaangetast vermogen om te zien wat er aan de hand was en, wat gezien haar gemoedstoestand echt merkwaardig was, de vastbeslotenheid zich niet vol te laten stoppen met verdovende middelen en zich niet te laten institutionaliseren.

'Ik had het gevoel,' zei ze een paar dagen later in Cornwall tegen Laura, 'dat ik alleen maar kon kiezen tussen zelfmoord plegen en me zo zwaar laten verdoven dat het me niet meer zou opvallen of interesseren hoe ik me voelde. In beide gevallen zou ik doodgaan. Ik zag er de zin niet van in om zomaar te blijven leven, nergens om.'

'Maar wat je toen gekozen hebt hield de mogelijkheid in om te blijven leven,' merkte Laura op.

Rachel glimlachte. 'Ja, dat weet ik, ergens in mijn binnenste zit een klein, koppig iemand die wil blijven leven. Ik veracht hem, weet je, ik beschouw hem als een debiel, een achterlijk kind. Hij denkt niet na, hij kan niet tegen mijn logica op, hij zit daar alleen maar en eist dat ik blijf leven. Als puntje bij paaltje komt zorgt hij dat ik niet in staat ben tot mijn eigen dood. Ik haat hem om zijn stompzinnigheid.'

'Nou, als ik jou was zou ik maar goed voor hem zorgen, misschien wordt hij nog wel eens volwassen.'

Rachel grijnsde nogmaals.

'De moeilijkheid met jou is dat je te veel romans hebt gelezen.'

Rachel verliet het dagverblijf en bleef voor de deur nog even staan. Ze was helemaal niet van plan om braaf naar de kantine te gaan en liep de andere kant op, naar haar kamer. De deur was tussen de middag opengemaakt, zodat de patiënten konden tanden poetsen en dergelijke. Ze glipte de kamer binnen en haalde haar weekendtas te voorschijn, propte zo snel als ze kon haar kleren erin, hing de tas aan haar schouder en liep zo nonchalant mogelijk de gang door, langs het dagverblijf waar de dokters ongetwijfeld nog steeds over haar geval zaten te beraadslagen, en wandelde met trage, slenterende tred langs het kantoortje van de verpleegsters, zodat ze niet op zouden kijken van hun kranten, naar de trap toe. Toen holde ze met twee, drie treden tegelijk naar beneden en rende de oprijlaan op, waarnaar ze voor het raam van het linnenkamertje had staan kijken. De auto stond op haar te wachten, een levend ding omdat hij zo vertrouwd was. 'Kom op, kom op,' fluisterde ze tegen hem terwijl ze achteruit de parkeerplaats af reed, en ze scheurde het grote hek uit en reed zo hard als ze durfde door het voorstedelijke noorden van Londen, met flikkerende beelden van achtervolgingen à la Keystone Cop, The Italian Job en The French Connection in haar hoofd. Het zou vast wel even duren voordat ze ontdekten dat ze verdwenen was en ze zouden heus de achtervolging niet inzetten. Of wel? Ze dacht van niet maar ze was er niet helemaal zeker van, en in de twintig minuten dat ze onderweg was had ze de indruk dat ze door bijzonder veel politieauto's en ambulances met jammerende sirenes werd ingehaald. Telkens wanneer er een aankwam negeerde ze hem opzettelijk en voelde zich meer en meer een vluchtelinge. Het was natuurlijk paranoïde van haar – ze hadden wel wat beters te doen dan achter haar aan zitten – maar aan de andere kant had nog maar een paar minuten geleden een man die ze nog nooit ontmoet had gedreigd haar tegen haar wil op te sluiten en te doen wat hij maar nodig achtte om verandering te brengen in haar gemoedstoestand. Het was goed als je wist wanneer je paranoïde was, maar het was ook goed om voorzichtig te zijn.

Toen ze thuis was en de deur van haar flat op slot had gedaan zette ze plechtig de kop thee waarnaar ze snakte en koesterde de warmte tussen haar beide handen. Ze realiseerde zich ineens dat ze onbeheerst beefde van top tot teen. Ze was verschrikkelijk bang geweest.

'Nou, hoe dan ook, ik ben ontkomen,' lachte ze een tikje hysterisch toen ze Laura belde. 'Ik ben ontkomen. Ik en Steve McQueen en Big John Wayne. We zijn allemaal ontkomen.'

Laura, die tegenwoordig schapen fokte en groente kweekte in Cornwall, was vroeger maatschappelijk werkster geweest en wist vast wel hoe het juridisch zat, besloot Rachel. Ze dacht niet dat ze haar konden komen halen, maar ze wilde zekerheid.

'Niet nu je daar eenmaal weg bent,' zei Laura aarzelend, 'ik geloof dat dat artikel alleen maar van toepassing is als je al opgenomen bent. Maar het is een hele tijd geleden dat ik de Krankzinnigenwet heb gelezen. Ze zullen het heus niet doen. Hoor eens, waarom kom je niet bij me logeren? Ik heb een heel stel lege kamers en ik heb weilanden. Ik ben niet van plan om je te verzorgen en je kunt gewoon een paar weken lekker luieren. Als je zin hebt drinken we samen koffie en ontbijten we samen en verder doen we gewoon allebei wat we zelf willen. Wat is erop tegen?'

Rachel nam het aanbod dankbaar aan en sprak met Laura af dat die haar een paar dagen later van het station zou halen. Het leek haar precies wat ze wilde en dat bleek het ook te zijn. Laura en zij praatten soms, maar de meeste tijd zat ze op haar stille, gelambrizeerde kamer of lag in het hoge gras te wachten tot de pijn over zou gaan, en langzamerhand werd de pijn een soort eenzame rust, iets dat bijna positief was, en begon ze het gevoel te krijgen dat ze herstellende was in plaats van stervende.

7

Op de avond voordat ze naar Cornwall vertrok kwam Joshua langs, kletste en neukte met haar en ging weer weg zonder ook maar één keer te vragen wat er in de afgelopen weken gebeurd was. De eerste paar minuten was er sprake van een minieme aarzeling, een zekere behoedzaamheid terwijl hij leek te controleren hoe ze eraan toe was omdat hij wilde weten of ze weer gewoon konden doen, en ze voelde zijn opluchting toen hij tijdens zijn afweging kennelijk tot de conclusie kwam dat ze weer in orde was. Daar was hij speciaal voor gekomen en zijn conclusie was dat ze ermee door kon. Er werd met geen woord gerept over de laatste keer dat hij haar had gezien, er was geen enkele suggestie dat er iets ongewoons gebeurd was tussen toen en nu. Een overdrijvend onweer; en laten we nu maar weer gewoon verder gaan alsof er niets gebeurd is.

Rachel hield zich goed; ze won van hem met scrabble en speelde op commando haar oude seksuele rol. Ze vertelde hem niets wat hij niet wilde weten, vroeg hem niets wat hij niet wilde vertellen.

'Ik ga een paar weken naar Cornwall, bij een oude kennis logeren.'

'Man of vrouw?' vroeg hij terloops.

'Een vrouw – nee, niet geschikt voor dat triootje. Ga jij nog weg?'

'Ja, ik ga eind augustus een week naar Schotland.'

Ze vroeg niet waar precies of met wie.

Hij neukte voorzichtig met haar, bijna conventioneel, alsof hij haar niet te veel onder druk wilde zetten. Op die manier hielp hij haar haar evenwicht te bewaren, want voor iemand met zo'n scherp oog als Joshua was haar act toch niet helemaal overtuigend. De voorstelling kon weer gewoon doorgaan, maar ze waren het er allebei stilzwijgend over eens dat ze maar beter voorzichtig konden doen. Toen hij wegging wenste hij haar een prettige vakantie toe; zij wenste hem hetzelfde.

'Ik zie je wel als we allebei weer in Londen zijn,' zei hij en trok de slaapkamerdeur achter zich dicht.

In de trein dacht Rachel aan Joshua, eerst met opluchting omdat hij zou blijven komen en toen meer beschouwend, terwijl het ritme van de trein haar in een dagdroom deed wegzinken. Stel dat ze een Joshua had leren kennen die niet getransformeerd was door gewelddadige gevoelens en kille woede? Stel dat hij, door wat het leven hem had aangedaan, juist tederder en gevoeliger was geworden, zoals tenslotte ook wel eens voorkwam? Er was een zekere herkenning tussen hen, die zij zag als iets dat los stond van hun behoeften om pijn te berokkenen en te ontvangen. Zelfbedrog misschien, maar ze geloofde dat er wel degelijk iets tussen hen was en altijd geweest zou zijn, wat voor iemand hij ook was geworden. En zij? Wat had zij anders kunnen zijn? Had ze Joshua kunnen herkennen zonder zijn haat, trok hij haar daarom aan of zou ze zich altijd tot hem aangetrokken hebben gevoeld, hoe hij zich ook had gemanifesteerd? Misschien was het sadisme toch het enige dat er was. Ze wist zeker van niet – maar het 'wathadkunnenzijn-syndroom' riekte naar onnozelheid en romantische overdrijving. De realiste in haar stond zulke fantasieën niet toe. Wat was de zin ervan? Ze waren allebei zoals ze waren en dat was dat. Een andere Joshua en een andere Rachel die elkaar ontmoetten, waren hersenschimmen. Dit was wat er was, verder was er niets. Zijn complete gebrek aan belangstelling voor wat er de voorafgaande weken met haar gebeurd was, zei alles wat er te zeggen viel over hun 'relatie'; dat was het harde feit dat ze in gedachten moest houden, hield ze zich zelf voor terwijl ze het station binnenreden, in plaats van er sentimentele ideeën op na te houden over een diepe band tussen hen beiden.

Nu, weer thuis, met het kranteknipsel voor haar neus, was ze niet zo verbaasd over de mogelijkheid dat Joshua een verkrachter was. Geschokt, verontrust, maar niet verbaasd. Hun specifieke soort van seksuele gedrag was onderworpen aan Joshua's ijzeren zelfbeheersing, tot hier en niet verder. Maar het was bepaald geen oorspronkelijke gedachte dat er iets kan knappen in mensen en dat de kans dat er iets zal knappen des te groter wordt naarmate iemand zich strenger in bedwang houdt. In Joshua's zorgvuldige nabootsingen van geweld lag het verlies van zelfbeheersing besloten. Waarom zou ze dan verbaasd moeten zijn als dat inderdaad gebeurd was, in een verre uithoek van het land? Pang. Zeer voor de hand liggend. Onvermijdelijk, hoe meer je erover nadacht.

Je las voortdurend over mannen die eropuit trokken om mensen te overvallen, te verkrachten, te vermoorden – dat te doen waarover ze ongetwijfeld jarenlang alleen maar gefantaseerd hadden. Wat bracht hen er als het zover was toe om het echt te doen? Een knopje dat ingedrukt werd, een moment van luiheid waarin ze hun vizier lieten zakken en de fantasie op geheimzinnige wijze de werkelijkheid binnen lieten glippen. Joshua was met haar en waarschijnlijk nog meer vrouwen een stap verder gegaan dan fantasie; maakte dat hem betrouwbaarder of werd het daardoor waarschijnlijker dat hij die ten slotte in het werkelijke leven zou verwezenlijken? Ze had geen idee. Ze geloofde niet dat *zij* ooit de grens tussen fantasie en werkelijkheid uit het oog zou kunnen verliezen. Het was zeker waar dat hun relatie haar in verwarring bracht, dat ze de noodzaak tot onverschilligheid begreep weerhield haar er niet van geërgerd te zijn over zijn emotionele afwezigheid, boos te zijn omdat hij ontkende dat ze in werkelijkheid om elkaar gaven. Maar toch wist zij dat ze spelletjes, rollen speelden en verwarde die niet met haar personage van alledag. En wanneer er bij vrouwen iets knapte scheen de ravage meestal innerlijk te zijn, vrouwen hadden kennelijk niet de gelegenheid om hun destructieve neigingen te botvieren op de wereld, zoals mannen dat konden. Ze kon zich niet voorstellen hoe zij haar fantasieën zou kunnen verwezenlijken, of althans meer verwezenlijken dan Joshua voor haar had gedaan.

Ze realiseerde zich dat ze er geleidelijk van uit begon te gaan dat Joshua schuldig was, en daar kon ze niet zeker van zijn. Ze geloofde dat ze het zou weten zodra ze hem zag en eigenlijk zou hij dan op de vlucht zijn, een voortvluchtige. God, wat melodramatisch! Hij kon het niet gedaan hebben, het was te onzinnig. Maar goed, of hij zou het land nu al uit zijn – Rio, Australië, giechelde ze inwendig – of hij zou op zijn minst zijn baard hebben moeten afscheren, viel haar ineens in: die compositiefoto leek veel te goed. Nou, dat was het dus; als hij zijn baard had afgeschoren zou ze het weten. Inmiddels hadden haar idiote gedachten haar min of meer overtuigd van zijn onschuld; ze geneerde zich er zelfs voor dat ze ooit gedacht had dat hij het gedaan had. Ze stelde zich voor dat hij het kranteknipsel zou vinden en meteen door zou hebben wat ze vermoed had; ze voelde zich ontzettend stom. Natuurlijk zou hij zo iets nooit doen. Ze verfrommelde het kranteknipsel en gooide het in de prullenmand, haalde het er toen weer uit en scheurde het in snippers voordat ze het vastberaden in de vuilnisbak gooide. Ze herinnerde zich met ontzetting haar telefoontje naar de politie van Inverness – stel dat ze zijn naam *wel* had genoemd? Hou op, nu is het mooi geweest, zei ze tegen zich zelf, tijd om met je leven verder te gaan – moeder, lerares, part-time ontaarde vrouw. Is dat soms niet genoeg, moet het ook nog opwindend zijn?

De volgende dag bracht ze grotendeels door op het Instituut voor huisonderwijs, zocht werk uit voor haar leerling en deed boodschappen met het oog op Carries terugkeer uit Italië. Die nacht werd ze uit haar slaap gerukt doordat de telefoon ging. De klok naast haar bed stond op één uur.

'Hallo,' zei ze schor en slaperig in de telefoon.

'Ben je alleen?' vroeg Joshua.

'Ja, weet je wel hoe laat het is?' zei ze knorrig.

'Ga op de sofa liggen, trek al je kleren uit,' beval Joshua.

'Ik heb geen kleren aan. Joshua, het is verschrikkelijk laat...'

'Ga op de sofa liggen,' herhaalde hij.

'Oké, ik lig al op de sofa, verdomme.'

'Mooi zo. Nu ga je jezelf heel langzaam strelen tot je klaarkomt. Ik wil je horen klaarkomen.'

Ik hoef dit niet te doen, dacht ze, bovendien zal hij niet eens weten of ik het doe of niet. Wat moet dit in jezus' naam voorstellen?

'Lig je jezelf te strelen?'

'Nee.' Dat had ze niet tegen hem hoeven zeggen.

'Doe het dan!' op nijdige, ongeduldige toon.

En toen deed ze het, terwijl ze tegen zich zelf zei dat dit een nieuw spel was.

'Nu voel je mijn lul in je. Kun je hem voelen? Voel je hem?'

'Mmmm,' kreunde ze zachtjes in de hoorn. 'Ik verlang zo naar je...'

'Kom je al klaar? Ik wil je horen klaarkomen.'

Terwijl ze klaarkwam hoorde ze hem fluisteren: 'Goed zo.'

Toen ze klaar was en uitgeput bleef liggen met de hoorn op haar schouder, zei hij uiterst resoluut en zakelijk: 'Tot over een dag of wat,' en legde neer.

Eerst moest Rachel lachen; het *was* ook grappig, het zou

althans grappig geweest zijn in de context van een normale verhouding. Seks op afstand – een nieuw soort intimiteit voor een erotisch geladen stel dat niet samen kon zijn. Maar bij hen ging het daar niet om en er had geen greintje humor in zijn stem doorgeklonken. Binnen de context van hun verhouding zag ze het in de eerste plaats meer als een daad van verachting; hij had zelfs haar fysieke aanwezigheid niet nodig voor wat hij wilde. Seksueel minimalisme, postmodern neuken, een relatie zonder verhaal. Ze zette met een zwaai haar benen op de grond en ging terug naar bed, terwijl ze een andere gedachte die tot haar door wilde dringen trachtte te negeren; maar het was al te laat, hij zat al kant en klaar in haar hoofd: *zij* was niet degene die niet aanwezig was, maar Joshua – een Joshua zonder baard, die niet wilde dat hem daar iets over werd gevraagd? Geen sprake van, hield ze zich zelf voor, onzin. Ze was toch al tot de conclusie gekomen dat dat allemaal onzin was. Maar wat een toeval, fluisterde haar stem zoetsappig, Joshua zonder baard was een verkrachter – dat had je bedacht, weet je nog? Waarom seks door de telefoon? Waarom juist nu? Het was nog nooit eerder gebeurd. Onzin, gewoon toeval. Hoeveel toevalligheden vormen samen een gebeurtenis? Zet ze eens op een rijtje. In de week dat het gebeurd was, zat Joshua in Schotland; wat dat meisje was overkomen was een exacte kopie van zijn fantasieën; de compositiefoto had haar aan Joshua doen denken, nog voordat ze het krantebericht had gelezen; waarom was hij vanavond niet gekomen?

Haar ongerustheid was terug, in optima forma. Er leek weinig reden te bestaan om Joshua niet te verdenken – daar ging het om. Geen van die coïncidenties zou iets betekend hebben als zij het niet zo waarschijnlijk had gevonden en ze besefte dat er geen enkele mogelijkheid bestond om zeker te weten of haar verdenkingen terecht waren of niet, tenzij hij door de politie werd opgepakt. Het was voornamelijk de onzekerheid die haar dwarszat. Het feit dat ze moest twijfelen aan haar eigen denkvermogen; ze kwam er maar niet achter of ze logisch dacht of niet, of dit niet alleen maar een fantasie van haar zelf was. Nu ze zich zo breekbaar voelde na de afgelopen weken, kon ze deze obsessie, deze verwarring, helemaal niet gebruiken.

Carrie zou over twee dagen uit Italië terugkomen, dan moest ze weer naar school en dan zou Rachel weer gaan lesgeven. Ze wilde dat het al zover was, ze wilde druk bezet zijn, maar wist tot die tijd niets anders te bedenken om te doen dan eenzame wandelingen maken, naar muziek luisteren, winterkleren uitzoeken: allemaal bezigheden die een maximum aan piekeren over Joshua toestonden. Telkens als ze nadacht over de coïncidenties van die vakantie in Schotland, leek het haar een reële mogelijkheid dat Joshua dat meisje had aangerand. Aan de andere kant was het ondenkbaar: er kon niets van waar zijn. Ze kon haar gedachten niet de ene kant laten opgaan zonder dat de tegenovergestelde gedachte bij haar opkwam en haar uitlachte. Je denkt dat hij onschuldig is? Kijk toch eens naar de bewijzen, mens, er is geen twijfel aan dat *dat* is wat hij wil. Je hebt geen enkele andere reden om aan zijn schuld te twijfelen dan sentimentaliteit en het gretige ongeloof dat iemand die je *kent* zo iets zou doen. Je bent ervan overtuigd dat hij schuldig is? Wraakgierig loeder, je *wilt* dat hij schuldig is. Dat vind je opwindend, dat betekent dat hij gestraft zal worden. Je geniet van het idee dat hij plotseling in paniek zal raken, zich zal moeten verweren, niet meer de touwtjes in handen zal hebben, omdat hij zich buiten de veiligheid van zijn fantasie heeft geplaatst. Je wilt hem zien zweten.

Ze dacht: verdomme, dit is een komplot om haar gek te maken. Joshua heeft dit helemaal op touw gezet, dat bericht in de krant laten zetten om haar gek te maken van onzekerheid. Nou, dat is pas *goed* geschift, neuriede de zalvende stem in haar binnenste; misschien heeft hij nog wel iets anders om aan te denken dan aan jou, Rachel, misschien wijdt hij niet al zijn verstandelijke vermogens aan de vraag, hoe hij jou krankzinnig kan maken. Dat is ook nauwelijks nodig. Als hij niet bij je in de kamer is weet hij niet eens dat je bestaat, Rachel.

Dank je, zei Rachel tegen de stem, jij bent pas een echte vriendin, ik kan er altijd op rekenen dat jij me de grond in zal boren als ik me zelf weer eens zwaar overschat. Wat zou je in godsnaam doen als ze ineens ontdekten dat er een zeldzaam talent aan me verloren was gegaan en de hele wereld aan mijn voeten lag van bewondering? Of als een wijze, geestige, rijpere man één blik op me wierp en meteen dacht, aha, dat is ze, dat is de vrouw die alle eigenschappen bezit van een volwaardige partner?

Wat zou *jij* doen, reageerde de stem onversaagd; je zou zo snel mogelijk maken dat je wegkwam, Rachel. Gelukkig zullen we geen van beiden met dit probleem geconfronteerd worden, dus we kunnen gewoon lekker in je hoofd blijven zitten kibbelen. Alles bij het oude laten... Wanneer zul je eindelijk eens inzien wat je bent? Jij bent een heleboel dingen – intelligent, geestig, interessant zelfs, maar je bent niet iemand die mensen onmiddellijk mogen en je bent geen innemende persoonlijkheid. Dat is nu eenmaal zo. Andere mensen bewonderen je, maar ze gaan niet van je houden. Dat is een eigenschap die je hebt of niet. Ze willen met je praten of met je neuken, maar ze zullen zich niet tot je aangetrokken voelen, ze zullen niet de behoefte hebben om je telkens weer te zien. Joshua is innemend. Een raar woord, maar het dekt de lading. Charismatisch komt er dicht bij in de buurt, maar dat geeft toch niet de essentie weer – innemendheid. Joshua heeft iets waardoor mensen van hem gaan houden, net als Pete. Het is niet iets waar je je best voor doet, je hebt het of je hebt het niet. Joshua misbruikt het en buit het uit – als hij het niet had zou het er niet best voor hem uitzien. Hij is een uitstekend minnaar, maar niemand zou zijn gedrag accepteren als hij niet die uitstraling bezat waardoor hij zich dat kon permitteren. De charmeur. Hij glimlacht en je zegt ja of je stapt in zijn auto omdat je dichter bij hem wilt zijn. Zelfs als je ontdekt dat intimiteit onmogelijk is ga je niet weg. Hij heeft iets waarnaar je hunkert, iets ondefenieerbaars, en daardoor raak je aan hem verslingerd. Joshua is dik en mislukt en niet zo slim als hij zelf denkt, maar hoewel je dat weet wil je hem toch. Ik weet het niet, dacht Rachel, ik weet niet echt hoe hij in elkaar zit, ik ken maar een klein partje van hem. Ik zie nooit de Joshua die in het ware leven functioneert, die met zijn kinderen naar het park gaat of boodschappen doet in de supermarkt, of met zijn kennissen praat – god, waar praat hij over met zijn kennissen? Niet over zijn seksleven, ik weet dat dat geheim is. Andere mensen kennen Joshua als een aardige, intelligente man, een tikkeltje eenzaam, een tikkeltje gereserveerd, maar hij heeft iets waardoor ze hem aardig vinden en hem te eten vragen. Mensen interesseren zich voor Joshua, het kan ze schelen wat er met hem gebeurt en als hij in moeilijkheden zit helpen ze hem. Ondertussen naait hij misschien hun vrouwen of verleidt hij hun dochters, maar daar zullen ze nooit achter komen. Joshua wekte loyaliteit bij mensen, ze zouden hem nooit verraden.

Rachel piekerde en weifelde en analyseerde, maar slaagde er alleen maar in zich zelf doodmoe te maken. Antwoorden zou ze niet krijgen. Ze zou voor de zoveelste keer moeten wachten tot Joshua zou komen, als hij ooit nog kwam, en als ze daar dan iets uit op zou weten te maken. Het leven ging een paar weken gewoon verder. Carrie kwam bruin en vol energie terug, zonder onder haar ballingschap te hebben geleden, hoewel Rachel zich veel inspanning getrooste om haar recente verdwijning goed te maken. Er werden heel wat smakelijke maaltijden bereid en vriendinnetjes uitgenodigd om na school te komen theedrinken. Carrie vroeg of Rachel zich beter voelde en Rachel zei ja en daarmee scheen het onderwerp afgehandeld te zijn, en hoewel Rachel zeer bedacht was op bezorgde blikken bespeurde ze die nimmer. Ze ging aan de slag met haar nieuwe leerling, een meisje waaraan ze vrijwel geen plezier beleefde, maar dat er in elk geval voor zorgde dat ze twee uur per dag aan andere dingen dacht. Er verstreken drie drukke weken zonder een woord van Joshua, terwijl Rachels bezorgdheid onder de oppervlakte verdween en alleen nog maar dreigend rommelde naarmate de avonden verstreken en de telefoon niet ging.

Rachel belde Becky niet op en hoorde evenmin iets van haar en ze vroeg zich af hoe erg ze dat vond. Ze zou het missen om met Becky te lachen om de onzinnigheid van het leven en ze zou ook haar onwaarschijnlijke optimisme missen. Zelf bezat ze dat niet en ze geloofde er niet in, maar het was prettig geweest om te weten dat het bestond. Becky had haar in zeker opzicht geïnspireerd, haar het besef gegeven dat er nog andere mogelijkheden waren. Niet dat het iets uitmaakte, Becky's gevoelens behoedden haar net zomin voor pijn als Rachel gered werd door haar eigen gevoelloosheid. Maar toch was het jammer dat ze Becky niet meer had.

Ze piekerde echter vaak over Joshua's stilzwijgen en uiteindelijk was ze alleen nog maar boos omdat hij niet had opgebeld; chagrijnig en doodmoe. Waarom moet ik hier blijven zitten wachten tot die man me belt? dacht ze. Zou iemand anders dit pikken? Ze liet haar boosheid zijn werk doen, in haar hart een beetje geamuseerd over deze zeldzame woede. Na drie jaar had ze dus bezwaar tegen de manier waarop hij haar behandelde? Nou, geniet er maar van zolang het duurt.

Op een middag belde ze hem op en merkwaardig genoeg was het de echte Joshua die opnam, niet het apparaat.

'Ik begin goed giftig te worden,' viel ze meteen met de

deur in huis. 'Het wordt tijd dat je niet alleen aan je eigen genot denkt maar ook aan het mijne.'

'Je drukt je uitstekend uit,' antwoordde hij beminnelijk, na een korte stilte.

'Ja zeker. Ieder woord op de juiste plaats. Een gepolijste, goedgevormde zin. Ik heb er tijden over gedaan om hem zo te krijgen.' Het was onmogelijk echt boos te blijven op deze man; de toon, zo niet de inhoud, werd onvermijdelijk luchtig.

'Nou, je hebt eer van je werk. En wil je me nu vertellen waar je me precies van beschuldigt?'

'Ik beschuldig je niet, ik beschrijf mijn toestand,' antwoordde ze.

Er viel weer een stilte, toen: 'Wanneer heb ik jou ooit reden gegeven om te denken dat ik in enig opzicht geïnteresseerd ben in jouw genot? Ik ben alleen geïnteresseerd in mijn eigen genot,' vervolgde hij vriendelijk.

Rachel had het gevoel dat ze geen adem kon krijgen. De betekenis van die eerste, lange zin werd pas duidelijk toen hij helemaal aan het eind het woord 'genot' uitsprak; ze hoorde de woorden die eraan voorafgingen door de telefoon komen alsof het door elkaar gegooide letters waren die pas op hun plaats vielen bij dat laatste woord. Toen dat gebeurde was het alsof iemand haar een harde stomp had gegeven. Verbijsterend dat hij dat zomaar kon zeggen, en natuurlijk was het volkomen waar. Welk recht had zij om te klagen over de manier waarop hij haar behandelde, hij had haar geen enkele belofte gedaan. Iedere rechtbank zou hem in het gelijk hebben gesteld.

'Dat heb je niet, dat is juist wat me dwarszit. Ik bel je op om te zeggen dat het tijd wordt dat je rekening houdt met *mijn* genot.'

'Maar met jouw genot heb ik niets te maken,' hield hij haar voor.

'Niet waar,' antwoordde ze liefjes. 'Mijn genot is een

noodzakelijke component van het jouwe. Je moet zorgen dat ik geniet om zelf te kunnen genieten. Dat is simpele sociobiologie. Puur altruïsme bestaat niet. Ik zie mezelf met betrekking tot jou als bron.'

'Ja,' beaamde hij.

'Nou, mijn boodschap is dat de bron begint op te drogen – de mijne is uitgeput. Door gebrek aan aandacht.'

Dit was niet de eenvoudigste manier om hem te vertellen dat ze hem wilde zien, maar eenvoud behoorde niet tot de eigenschappen die ze bij elkaar naar boven haalden.

Hij klonk nadenkend en geamuseerd toen hij antwoordde: 'Nou, voor zover jouw genot samenvalt met mijn genot mag je me gerust vertellen wat je wilt – als je tenminste iets specifiekers in gedachten hebt dan dit getheoretiseer.'

'Jouw aanwezigheid zou me genot schenken,' zei ze, met het gevoel dat ze gevaarlijk veeleisende wateren binnenvoer. 'Hoe dan ook, die is een praktische en noodzakelijke voorwaarde voor andere genietingen die eventueel zouden volgen.'

'Louter aanwezig zijn is geen genieten,' was zijn reactie.

'Je geniet toch van mijn gezelschap,' zei Rachel dapper, en deed haar ogen alvast dicht vanwege de klap die ging komen.

'Niet noodzakelijk. Het hangt ervan af wat we aan het doen zijn.'

De rotzak.

'Dus als je een speciale genieting in gedachten hebt,' vervolgde hij, 'en natuurlijk op voorwaarde dat we geen van beiden iets belangrijkers te doen hebben, stel ik voor dat je me laat weten waar het om gaat. Tot in de finesses.'

'En als het een genot voor me zou betekenen om je nooit meer te zien?'

'Dan hoef je alleen maar op te bellen om me dat te vertellen. En dan zal ik ervoor zorgen dat het niet meer gebeurt.' Was er een sprankje licht te bespeuren in het feit dat hij nog steeds voldoende geïnteresseerd was om haar niet onmiddellijk aan haar dreigement te houden en het in de theoretische toekomst te situeren – in de vorm van een telefoontje van haar? Rachel was bereid diep te graven voor een heel klein beetje troost in deze ellendige dialoog.

'En het verlies van je bron?'

'Ik zal moeten leren zonder te doen.' Ze ging te ver. Hij was niet van plan een duimbreed toe te geven.

'Je bedoelt dus dat ik een lijst met verzoeken moet inzenden?' informeerde ze zakelijk.

'Inderdaad. Ik verheug me er al op om van je te horen.'

Rachel legde als eerste neer. Het enige dat ze voor elkaar had gekregen was een uitnodiging om een schunnig telefoontje te plegen, haar seksuele eisen kenbaar te maken, voor de zoveelste maal te *zeggen* wat ze wilde. Op seksueel terrein. Er was nu werkelijk geen ruimte meer voor enige illusie omtrent Joshua. Maar hij zei wel eerlijk waar het op stond en dat waardeerde ze nog altijd, al was het een beetje grimmig. Hij kon makkelijk buiten haar, ze bleef een oppervlakkige relatie, hoe lang ze ook al samen waren, maar hij had geen bezwaar tegen een kleine seksuele inbreng van haar kant – binnen de bepalingen van het contract natuurlijk. Hij had niet gezegd dat ze een uitgebreide, sensuele maaltijd in haar favoriete restaurant mocht voorstellen, of een weekend bij een houtvuur in een afgelegen oord; ze moest hem haar seksuele behoeften voorleggen: doe dit met me of dat, ik wil... Wat wilde ze eigenlijk? Was er iets – iets specifieks, had hij gezegd – dat ze nog niet gedaan hadden? Dat ze heel graag wilde? Het was waarschijnlijk gebrek aan fantasie van haar kant, maar... Het idee dat ze hem kon ontbieden, hem iets kon offreren dat hem zou opwinden en aantrekken, begon haar toch te intrigeren. Het idee hem een reactie te ontlokken en de heimelijke macht te verwezenlijken die ze naar haar gevoel altijd had bezeten in hun verhouding, begon haar aan te staan. Goed, als hij fantasieën wilde kon hij ze krijgen – maar dan op papier, waar ze ze kon opbouwen zonder onderbroken te worden. Ze zou hem een brief schrijven waarin ze haar behoeften uiteenzette en hij zou koele manipulatie aanzien voor verlangen.

Rachel pakte een blocnote uit haar bureau, installeerde zich op de sofa en gebruikte haar knieën als onderlegger voor het papier. Ze voelde geen enkele emotie. Dit was een project, een vraagstuk om op te lossen; ze was altijd dol geweest op kruiswoordraadsels en dat soort dingen en begon plezier te krijgen in deze onderneming. Verschillende situaties moesten zodanig gepresenteerd en georganiseerd worden dat er de juiste reactie op kwam, het ging erom de noodzakelijke componenten te herkennen en die dan op de juiste manier te verpakken. Maar de toon, de context? Sfeer was belangrijk en tenslotte was dit een kans om vorm te geven aan sadomasochisme, zonder de paradox van het bereidwillige slachtoffer. Een verkrachting. Dat was het, ze zou hem uitnodigen voor een verkrachting. Laat hij maar stelen wat hij al drie jaar gratis kreeg. Ze begon te schrijven.

Ik heb laatst een droom gehad. Luister. Het was zaterdag en Carrie logeerde het weekend bij Michael. [Praktische instructies over waar en wanneer dienden in de brief verwerkt te worden als ze dit echt gingen doen.] Ik klungelde het grootste deel van de dag rond in de flat, ruimde een beetje op, las een poosje, belde met kennissen. [Niet te zuinig omspringen met huiselijke details, die zijn belangrijk, dit is het portret van een vrouw die het prettig vindt om alleen te zijn.] 's Avonds zat ik een tijdje te lezen en ik keek naar een film op de tv – ik vond er niet veel aan, dus halverwege zette ik hem uit en liet het bad vollopen, heet en zwaar geparfumeerd, en daar bleef ik een hele tijd in liggen met mijn ogen dicht en ik speelde een beetje met mezelf, streelde langzaam mijn clitoris terwijl ik fantaseerde dat iemand anders dat deed. Een vrouw misschien, die aan mijn tepels zoog terwijl ze me streelde. Niet vreselijk opwindend, gewoon rustig en intiem en vredig. [O, prachtig, dat is echt prachtig, sexy maar kalm. Misschien is er wel een carrière in de soft porno voor je weggelegd, Rachel.] Ik stapte uit het bad, droogde me af, deed alle lichten uit en stapte in bed, naakt [uiteraard] en nog warm, en heerlijk geurend. Ik voelde me ook heerlijk terwijl ik mijn huid streelde, mijn dijen en mijn billen, die zijdezacht waren van de badolie. Ik viel in slaap met mijn hand tussen mijn benen. [Okee, zo is het wel genoeg, de situatie is geschetst.]

Plotseling werd ik wakker van de kou. De deken was naar beneden geslagen. Ik lag op mijn zij met mijn rug naar de deur en toen ik me omdraaide om de deken over me heen te trekken stond er een man in de deuropening, in het donker. [Nu ter zake komen.] Hij had een leren riem in zijn ene hand en hij bleef even naar me staan kijken. [Hoe was hij in jezus' naam binnengekomen? Dit is niet elegant, maar ik zal hem duidelijk moeten maken wat hij moet doen.] Hij had zeker de sleutel gevonden die onder de mat ligt voor noodgevallen. [Nou ja. Verder.] Ik was – ja, wat? – heel bang, heel boos. Ik wilde weten wat hij verdomme in mijn flat deed en zei dat hij op moest rotten. [Ja, dat is mooi, de indirecte rede biedt meer ruimte voor fantasie.] Hij was totaal niet onder de indruk van mijn boosheid en mijn angst en zei kalm dat ik stil moest zijn, dat hij me ging slaan, en dat hij me zou vastbinden als ik niet meewerkte. [Geef hem een touw om mee te spelen.] Hij zei dat hij me pijn zou doen en dat het een genot voor hem zou betekenen om me bij iedere klap met de riem te horen gillen en dat ik zou smeken om meer tegen de tijd dat hij alles gedaan had wat hij van plan was. Ik zei dat hij krankzinnig was, en dat ik nergens op zou reageren, wat hij ook met me deed.

[Het was een interessante uitdaging voor ons allebei.] Hij deed of hij me niet gehoord had, zei dat ik uit bed moest komen en voorover moest gaan staan. Een tijdje weigerde ik een vin te verroeren en zijn stem werd harder, gebiedender. Het was de klank van zijn stem waardoor ik uiteindelijk gehoorzaamde, meer dan het dreigen met geweld; hij klonk zo vol zelfvertrouwen dat ik voor mijn gevoel geen enkele keuze meer had. Hij sloeg me met de riem, hard, een heleboel keren. Eerst was de pijn fel en onverwacht, toen veranderde er iets en bevond ik me ergens waar pijn de voorwaarde van het bestaan was en als *pijn* geen betekenis meer had. Toen hij ophield huilde ik van vernedering en ik smeekte hem – ik wist zelf niet eens waarom, ik zei alleen maar telkens 'alsjeblieft'. [Wie is deze vrouw? Ik mag haar niet, waarom verzet ze zich niet?] Toen kwam hij in me, in mijn kont. Hij praatte aan één stuk door, vertelde me wat hij aan het doen was. Hij kwam steeds dieper in me en het deed vreselijk veel pijn. Het was tegelijkertijd ook ongelooflijk heerlijk. Ik wilde hem overal voelen, wilde het niet willen, maar toch deed ik het. En ik kwam langdurig, hevig klaar. [Natuurlijk!] Hij kreeg alles wat hij wilde, hoorde alles wat hij wilde horen, deed alles met me. En ik kreunde en kwam klaar en smeekte om meer. [Nu heb ik er genoeg van.]

Rare droom, hè? Voor een intelligente, verstandige vrouw zoals ik?

Ze las de brief over maar ondertekende hem niet, schreef vervolgens het adres op een envelop en schoof hem erin. Een cadeautje voor je, Joshua, dacht ze terwijl ze hem in haar tas stopte, een klein cadeautje van mij voor jou. Het was nog geen tijd om Carrie uit school te halen, maar ze trok haar jas aan en reed alvast die kant op tot ze een brievenbus zag. Toen ze brief in de gleuf stopte, zag ze dat er een paar meter verderop een politiebureau was en in plaats dat ze weer in de auto stapte liep ze daarnaar toe. Het stenen bordes op en de glazen deur door, een hal in waar aan het andere uiteinde een houten balie was. Het vertrek was leeg en ze bleef staan kijken naar de mededelingen op het bord. Er werd een kind vermist; er werd een man gezocht wegens beroving van een hulppostkantoor, wiens signalement op bijna iedereen die zwart was van toepassing was; de politie wilde dat buren een oogje op elkaar hielden; er zou een open dag worden gehouden, een ieder werd uitgenodigd om zijn plaatselijke politiebureau te komen bezichtigen en kennis te maken met zijn eigen politie.

'Kan ik iets voor u doen?'

Rachel draaide zich om en zag een vriendelijk glimlachende agent achter de balie staan. Het was een jonge man, die eruitzag alsof hij nog niet in zijn uniform was gegroeid; er lag een uitdrukking van behoedzame vriendelijkheid op zijn gezicht, een uitdrukking waarvan ze het gevoel had dat die onderdeel geweest was van zijn opleiding tot agent: hoe kijk je mensen aan voordat je hebt vastgesteld wat ze komen vragen. Ze keek hem even aan zonder een enkele gedachte in haar hoofd en vroeg zich af wat ze hier eigenlijk kwam doen.

'Ja, mevrouw?' vroeg hij weer.

Ze moest iets zeggen.

'Ik...' begon ze wezenloos. 'Ik kom aangifte doen... ik heb de indruk dat iemand mijn huis in de gaten houdt.' Het kwam er ineens uit. Tot haar stomme verbazing hoorde ze zich zelf zeggen: 'Er is een steeg achter mijn huis. Die loopt door tot aan de muur van mijn tuin, daar houdt hij op. Er staat daar de laatste tijd soms een man, 's avonds laat. Hij staat naar het huis te kijken. Alleen in de weekends, op vrijdag en zaterdag, 's avonds laat, om een uur of twaalf. Het spijt me, ik wil me niet aanstellen, maar het is toch een beetje griezelig. Het is nu al drie weekends achter elkaar gebeurd.'

De agent trok een vel papier onder de balie vandaan en haalde een pen uit zijn jasje.

'Doet hij iets? Hebt u hem aangesproken?' Zijn gezicht kreeg nu de uitdrukking van iemand die er geen enkele mening op na hield, een verzamelaar van informatie. Maar zijn toon was vriendelijk.

'Nee. Hij doet niets. Hij is geen exhibitionist of zo. Hij staat alleen maar naar boven te kijken. Ik heb hem niet aangesproken. Ik zie hem door de gordijnen als ik naar bed ga. Ik denk niet dat hij weet dat ik hem gezien heb.'

'Ik zal even een paar bijzonderheden noteren,' zei de agent en boog zich met zijn pen in de aanslag over de balie.

Ze gaf hem haar adres en een beschrijving van de man; ongeveer een meter tachtig; grijs haar, ongeschoren, tamelijk gezet. Goedgekleed, geen dronkelap of zwerver, hij zag er juist nogal degelijk uit.

'Kunt u er iets aan doen?' vroeg ze bezorgd; ze zag het beeld van de man die 's avonds laat naar haar raam stond te staren duidelijk voor zich. Ze voelde zich nu echt bedreigd. 'Ik word er erg nerveus van. Ik woon namelijk alleen, met mijn dochtertje – maar die is in het weekend meestal uit logeren.'

'Is het mogelijk om het huis aan de achterkant binnen te komen?'

'Ja. Ik woon op de eerste verdieping, maar er is een trapje vanuit de tuin naar de deur van mijn badkamer. Die zit op slot, maar de bovenste helft is van glas. Het is vast niet moeilijk om binnen te komen.'

'En de voorkant van het huis?' vroeg de jongeman.

'Die is veilig. Er zit een goed slot op de voordeur en de deur van mijn appartement heeft een yaleslot. Maar aan de achterkant weet ik het niet. Er zijn in het weekend vaak feestjes, muziek, ik betwijfel of iemand het zou merken als die ruit werd ingegooid. Misschien is het niets, gewoon een onschadelijke gek, misschien moet ik er geen aandacht meer aan besteden.'

'U hebt volkomen gelijk dat u aangifte doet,' verzekerde de agent haar. 'Mensen die op die manier rondhangen kunnen we niet gebruiken. Ik zal een rapport opstellen en we zullen zeggen dat er een paar agenten op hun ronde langskomen om een oogje in het zeil te houden. Laat het ons weten als u hem weer ziet, mevrouw Kee, en maakt u zich maar niet ongerust, die man is waarschijnlijk ongevaarlijk, dat zijn ze meestal, maar het gaat niet aan om mensen op die manier bang te maken.'

Rachel voelde zich een stuk rustiger toen ze het bureau uit liep en naar Carries school reed in het vage besef dat er iets was afgehandeld, dat een klus die al een hele tijd lag te wachten eindelijk was gedaan. Tegen de tijd dat ze bij het hek van de school stond was de hele episode totaal uit haar gedachten verdwenen en ze lachte vriendelijk tegen de moeders van Carries klasgenootjes, terwijl ze afspraken maakten om hun kinderen bij elkaar te laten spelen.

'Rachel, kan Carrie aanstaande donderdag?' vroeg de moeder van Sandy toen ze het hek binnenkwam.

'Morgen, bedoel je? Even kijken.' Rachel rommelde in haar tas. 'Ik hou uitsluitend een agenda bij voor Carries afspraken. Ik kan ze niet onthouden.' Ze moesten allebei lachen. 'Ja, morgen is uitstekend. Dan kom ik haar om een uur of zes ophalen. Prima.'

Carrie slenterde de speelplaats op en zag er als altijd veel ouder uit dan ze in Rachels gedachten was. Een stevig, zeer werkelijk klein meisje na een zware schooldag, dat een plastic zak over het asfalt sleepte terwijl ze met haar beste vriendin, Sandy, praatte. Haar ene sok was op een aandoenlijke manier afgezakt tot op haar enkel, de veter van de andere schoen sliertte over de grond. Terwijl ze zich bukte om hem vast te maken keek Carrie op en zag Rachel staan, lachte haar vriendelijk toe en zette haar gesprek met Sandy voort terwijl ze samen op het hek af kuierden. Rachel genoot van die momenten waarop ze de gelegenheid kreeg om Carrie op een afstand gade te slaan en eraan herinnerd te worden dat haar dochter een eigen leven had. Wat er op school gebeurde en in de gesprekken met haar vriendinnetjes was Carries eigen wereld, waar Rachel alleen maar glimpen van opving. Ze hield van Carries terloopse glimlach van herkenning en haar bedaarde tempo; ze hadden overdag allebei hun eigen bezigheden gehad en onder het theedrinken zouden ze elkaar daar deelgenoot van maken, voor zover ze dat wilden.

Die avond belde Becky op.

'Hoe is het met je? Het spijt me dat ik niet gebeld heb sinds je terug bent, ik heb een verschrikkelijke tijd achter de rug. Gaat het weer een beetje?' vroeg ze bezorgd.

'Ja, ik maak het uitstekend; het is helemaal over. Wat heb jij allemaal meegemaakt?'

'William,' kreunde Becky. 'De bom is gebarsten toen jij weg was. Hij heeft het opgebiecht. Dat hij een verhouding had. Hij moest een besluit nemen.'

'Wat?'

'Precies. Ik moest hem daarbij helpen. De hel brak los en ik heb gehuild en gekrijst. De bedrogen echtgenote ten voeten uit. We hebben dagen achter elkaar ruzie gemaakt en gehuild. Toen puntje bij paaltje kwam kon ik het niet aan om hem kwijt te raken, Rachel, en ik kan niet tegen het idee om alleen te zijn. Eigenlijk zou ik moeten zeggen dat hij moet oprotten, daar ben ik van overtuigd, maar toen het erop aankwam kon ik het niet. En ik geloof niet dat hij echt dol is op die andere vrouw. Niet zo heel erg. Hoe dan ook, we hebben besloten het maar weer te proberen. Ik heb een aanbieding gekregen om research te doen voor een televisiedocumentaire, dat betekent zes weken rondzwerven door Europa. Dus dat ga ik doen en dan heeft hij ondertussen tijd om alles te regelen.'

Rachel luisterde alleen maar en probeerde de beelden van Becky's toekomst die haar voor ogen kwamen niet te zien. Waarom zou het erger zijn om verder te leven met William dan alleen te zijn als ze dat niet wilde, of om helemaal opnieuw te beginnen met iemand anders?

'Het wordt natuurlijk niet meer wat het was tussen ons,' vervolgde Becky, 'maar niets blijft ooit hetzelfde. Ik geloof dat dit de manier is waarop een huwelijk volwassen wordt; je moet besluiten je ergens voor in te zetten.'

'Je hebt ongetwijfeld gelijk,' beaamde Rachel haastig. 'Het klinkt alsof je de juiste beslissing hebt genomen. Dit is toch wat je wilt?'

'Ja, ik geloof het wel,' zei Becky weifelend. 'We hebben besloten om een kind te maken zodra ik in Londen terug ben. Binnenkort is het te laat, en hoe dan ook...' Haar stem stierf weg.

En de volgende keer weer een, dacht Rachel, en heeft William ook besloten zich ergens voor in te zetten? Enfin.

'Wat spannend,' zei ze hardop. 'Kinderen, reizen. Wanneer ga je weg?'

'Over een week. Heel gauw al. En jij, hoe staat het met jou? Is het nog aan met je vriend?'

'Nee, dat is uit,' zei Rachel en zag dat de bladeren aan de boom voor het raam begonnen te verkleuren; het was eindelijk herfst.

'O jee, is dat mijn schuld – komt het door dat telefoontje?' vroeg Becky bezorgd.

'Nee, helemaal niet. Het was toch al voorbij, het liep op zijn eind. Het is gewoon afgelopen. Ik vind het niet erg, er moest toch een keer een eind aan komen.'

'Waarschijnlijk maar beter ook; zolang je er zelf niet ellendig onder bent.'

'Helemaal niet. Je weet hoe ik ben, ik ben meer iemand voor kort en krachtig. Ik zal je missen.'

'Ik jou ook, maar ik zal je schrijven.'

'Ja, doe dat. Hoor eens, pas goed op jezelf en het beste enzovoort. Ik hou van je.'

'Ik van jou,' snufte Becky.

Rachel legde neer met het gevoel dat Europa en kinderen maken om de boel bij elkaar te houden tamelijk vergezocht waren, maar als het iemand zou lukken was het Becky wel. Dat hoopte ze tenminste.

De volgende ochtend zette ze Carrie af bij school en ging meteen door naar huis. De telefoon begon te rinkelen terwijl ze de sleutel in het slot stak. Het was Joshua.

'Bedankt voor je enige brief.'

Rachel glimlachte. Zie je wel, ik *kan* je wel uit mijn hand laten eten, zolang je het geluid van mijn knippende vingers maar niet hoort. 'Graag gedaan, hoewel ik niet weet of ik het adjectief "enig" zou gebruiken.'

'Leg zaterdagavond de sleutel onder de mat en ga vroeg naar bed, voor twaalven.'

Rachel glimlachte nogmaals. Uit haar hand!

'Goed. O ja,' vervolgde ze, voor hij kon neerleggen, 'hoe was het in Schotland?'

Joshua grinnikte.

'Dodelijk vermoeiend! De kinderen hebben me uitgeput. Ik geloof dat ze alle bergen van Inverness opgerend zijn, terwijl ik hijgend achter ze aansjokte. Ik ben te oud voor zulke dingen. Ik lag elke avond om acht uur in bed. De volgende keer dat ik ze meeneem gaan we naar Butlins, dan kan ik gewoon de hele dag in bed liggen lezen.' Toen was Joshua de Gezellige Vader ineens weg en alle geamuseerdheid verdween uit zijn stem. 'Denk aan de sleutel,' zei hij en legde neer.

Rachel knipperde met haar ogen toen ze de zoemtoon in haar oor hoorde. De boom op straat was werkelijk verkleurd, over alle bladeren lag nu een dieprode gloed, zodat het totaaleffect er een was van changeantzijde. Het ging zo snel. Ze legde de hoorn op de haak en vroeg zich af wat ze Carrie die avond te eten zou geven. Ze moest een paar boodschappen doen en ook nog haar lessen voor vanmiddag en morgen voorbereiden. Ze hoopte dat er die avond een behoorlijke film op de televisie zou zijn. Ze had wel zin in een avond tv-kijken.

Michael kwam Carrie die zaterdag om een uur of twaalf halen en nadat ze hen had uitgewuifd liet Rachel het bad vollopen, bleef er een half uur in liggen weken, waste haar haar, kwam eruit en schoor haar benen. Toen ze aangekleed was bleef ze nog even op de badkamerkruk zitten, terwijl ze bedacht dat ze werkelijk boodschappen moest doen voor de rest van het weekend. Ze stond op en draaide de achterdeur van het slot. Buiten was de houten trap naar de tuin bedekt met een waas van witte jasmijnblaadjes van de boom van de buren. Ze schopte ze op een hoop en pakte een planteschopje dat op de bovenste trede lag. Gevaarlijk, zo iets, iemand zou erover kunnen vallen, dacht ze, terwijl ze de ruit in de bovenste helft van de deur insloeg met het handvat van het schopje, over de scherven op de mat heen stapte en wat er over was van de deur achter zich dichtdeed, maar niet op slot, en de sleutel aan de binnenkant in het slot liet zitten. Ze ging boodschappen doen en daarna scharrelde ze in de flat rond, maakte een tijdje schoon en ruimde op.

Voor zover ze uit de programmagids kon opmaken ging men er bij de televisie van uit dat er op zaterdagavond niemand thuis was. Ze drukte de schakelaar in en ging zitten kijken, zich er nauwelijks van bewust waarnaar ze keek totdat er een variétéprogramma van een half uur begon. Het werd gepresenteerd door een populaire komiek die gigantisch dik en onaantrekkelijk was en daar intensief gebruik van maakte; al zijn grappen, visueel en verbaal, gingen over dikke, lelijke mensen, voornamelijk vrouwen, echtgenotes, schoonmoeders en verloofdes, en hij vertelde ze niet met de gebruikelijke, venijnige haat, maar bijna wanhopig, alsof hij ze niet meer binnen kon houden. Rachels aandacht werd gevangen gehouden, niet door de inhoud maar door de manier waarop hij de grappen vertelde, de kennelijke noodzaak; ze stroomden te voorschijn, al die verhalen over uitgezakte lijven en weerzinwekkende familieleden. En toen kwam er tot haar verbijstering een corps de ballet van zeer dikke, bejaarde dames in beeld, met de armen op elkaars schouders, die hun benen zo hoog hieven als ze maar konden, bibberende bergen van uitgezakt vlees, met naakte dijen en bovenarmen vol putjes, die trilden van de energie en de beweging terwijl ze een onhandige, maar goedaardige parodie dansten op de Parijse Bluebells, breed grijnzend, genietend van ieder moment. Het publiek gilde van het lachen terwijl het naar de dikke middels keek die heen en weer deinden in lovertjestricots en de gigantische achterwerken in schaatsrokjes met strookjes die trilden en sidderden. Het had een aanfluiting moeten zijn, deze parade van wat meestal aan het gezicht onttrokken blijft uit angst voor verachting en walging, maar om de een of andere reden was het dat niet. Het was inderdaad ongehoord, maar uiteindelijk kwam Rachel tot de conclusie dat het een soort eredienst was. Toen ze klaar waren en puffend en hijgend van het toneel waren verdwenen deed de dikke komiek nog een sketch met een dwerg, waarbij de grap was dat de dikke man de dwerg helemaal niet kon zien vanwege zijn gigantische buik. Ten slotte kwam iedereen weer op, dikke komiek, dwerg en wankel corps de ballet, en ze gaven elkaar allemaal een arm, hieven hun benen en zongen samen met het publiek 'When You're Smiling'. Rachel zat met haar mond open, niet wetend of ze moest lachen of huilen. Er waren momenten dat ze het idee had dat het mensdom alles vergeven zou worden *omdat* het menselijk was. Toen volgde het nieuws en ze zette de televisie uit.

Rachel lag om halftwaalf in bed, nadat ze de sleutel onder de mat bij de voordeur had gelegd en alle lichten had uitgedaan. Ze lag opgerold in bed in het donker, met ergens diep in haar buik een kleine knoop van opwinding, maar lichamelijk voelde ze zich uitgeput, loodzwaar van de behoefte om te slapen. Ze zakte weg in een halfslaap, als iemand die ligt te wachten op een wekker waarvan hij weet dat die binnenkort zal aflopen. Haar ogen bleven gesloten toen ze de voordeur zachtjes hoorde klikken en vervolgens zachte, voorzichtige voetstappen hoorde op de trap. Ze bleef roerloos liggen, wilde slapen, wilde niet dat de voetstappen de deur van haar slaapkamer zouden bereiken en ze had het gevoel dat ze door niets te doen de seconden kon tegenhouden die het gebeuren nabij brachten, de tijd kon bevriezen, honderd jaar zou kunnen slapen; in Never-Neverland wonen, voor altijd in een glazen kist liggen met een brok vergiftigde appel in haar keel. De voetstappen hielden op en ze hoorde iemand ademhalen naast het bed. Ze ging met een ruk overeind zitten. Joshua stond naar haar te kijken, met een riem en een touw in zijn ene hand.

'Niet doen!' zei ze doodsbang, en ze meende het. Meende het bijna. 'Niet doen.'

'Hou je mond,' zei Joshua koud. 'Hou je mond en doe wat ik zeg.'

Ze zat naakt op het bed, zo gespannen als een konijn, terwijl Joshua haar tussen haar benen begon te strelen tot ze nat was.

'En,' zei hij, 'wat wil je? Zeg wat je wilt.'

'Alsjeblieft,' fluisterde ze, 'niet doen.'

Ze bedoelde: doe dit niet, dwing me niet om het te willen, dwing me niet om het te zeggen, dwing me bovenal niet om het te zeggen.

'Zeg het,' beval hij, terwijl hij haar bleef strelen.

'Neuk met me, alsjeblieft,' zei ze.

Hij begon haar te neuken.

'Ik ben je aan het neuken,' fluisterde hij in haar oor. 'Wat wil je? Zeg het.'

'Ik weet het niet,' jammerde ze.

'Jawel, je weet het wel. Zeg op, smerig klein loeder.'

'Sla me,' huilde ze, 'bind me vast en sla me, alsjeblieft.'

Dat was toch genoeg, dat moest toch genoeg zijn? Hij pakte het touw en bond haar handen op haar rug en dwong haar op haar buik te gaan liggen op het bed. Hij sloeg haar hard, met afgemeten, ritmische slagen, en terwijl ze lag te huilen van de pijn en de verwarring neukte hij haar van achteren.

'Wat wil je?' zei hij gebiedend, toen hij voelde dat ze klaarkwam. 'Wat?'

'Alsjeblieft...' smeekte ze. 'Toe nou, alsjeblieft, alsjeblieft...'

'Wat?' beet hij haar toe en duwde haar met zijn aanhouden door de pijn en het orgasme heen.

'Alsjeblieft... hou van me. Hou alsjeblieft van me. Je moet van me houden,' snikte ze.

Joshua stootte een triomfantelijke lach uit terwijl hij haar steviger beetpakte en sidderend klaarkwam. Ze lag hulpeloos onder hem te snikken, maar was zich tegelijk bewust van voetstappen op de houten trap onder het slaapkamerraam.

'Klootzak,' zei ze gesmoord. 'Smerige klootzak! Godvergeten klootzak die je bent!'

'Mevrouw Kee, is alles in orde met u?'

Voetstappen holden uit de badkamer in de richting van de slaapkamer, terwijl Joshua zich abrupt uit Rachel terugtrok en op zijn kleren afdook. Er verschenen twee politieagenten bij de deur, die het licht aandeden en Rachel schokkend van het huilen op haar buik op bed zagen liggen, met haar handen vastgebonden op haar rug en rode striemen op haar billen, terwijl het kussen doordrenkt was van de tranen die over haar gezicht stroomden. Een van de twee maakte voorzichtig het touw los en gaf haar de ochtendjas aan die aan de deur hing. Terwijl ze langzaam ging zitten en hem om zich heen sloeg, bedacht ze hoe vreemd het was dat deze twee mannen de enigen waren die Joshua en haar ooit samen hadden gezien, in al die tijd dat ze hem kende. Ze beefde nog steeds terwijl ze haar tranen trachtte weg te slikken. Joshua zag er geschrokken en verschrikkelijk onhandig uit terwijl hij zijn kleren aanschoot, ontluisterd door de haast waarmee hij zich aankleedde en door de paniek op zijn gezicht; kleiner en een beetje zielig. Ze zag dat er zweetdruppels op zijn voorhoofd stonden.

'Dit is een misverstand... dit is niet wat het lijkt...' begon hij schor.

'Ik zou maar niets zeggen als ik u was,' snauwde de oudste van de twee agenten, met kennelijke moeite zijn woede bedwingend, terwijl Rachel de katoenen ochtendjas dichthield, voorzichtig uit het bed stapte en onvast in de richting van de slaapkamerdeur liep. Voordat ze bij de beide mannen was bleef ze staan en draaide zich om naar Joshua, die hulpeloos naast het bed stond. Haar donkere ogen keken in de zijne, keken erin met een lange, koele blik terwijl ze zachtjes zei: 'Dit is *wel* wat het lijkt, dit is het ware leven.'

Toen ze Joshua de rug toedraaide kwam er weer een verdrietige, ontstelde uitdrukking in haar ogen en de twee politieagenten gingen opzij, niet op hun gemak en niet wetend hoe ze haar moesten troosten in haar ellende, en lieten haar doorlopen naar de andere kamer.

Rachel ging in haar eentje voor het raam van de woonkamer staan, zonder te luisteren naar de stemmen van de mannen, en staarde naar de donkere straat in de diepte. Ze zag dat het gat voor haar voordeur nog steeds was afgezet met oranje paaltjes en lint.

Jezus, mompelde ze terwijl ze haar over elkaar geslagen armen nog stijver tegen haar borst drukte, wanneer doen ze daar eens een keer wat aan? Ze kunnen het toch niet zo laten, zo'n godvergeten diep gat in de straat. Morgen, dacht ze, zal ik de gemeente bellen om te klagen.

Ingeborg Bachmann
Malina

'De wanhopigste liefdesroman die ik ken'
C.O. Jellema in *NRC Handelsblad*.

Rainbow Pocketboek 111

* * *

Elisabeth Barillé
Lijfelijkheid

Openhartige bekentenissen over boeiende thema's.

Rainbow Pocketboek 113

* * *

Françoise Giroud
Alma Mahler

Biografie over 'de koningin van Wenen'.

Rainbow Pocketboek 115

* * *

Julia Voznesenskaja
Vrouwendecamerone

Een fascinerend beeld van de Russische samenleving,
gezien door de ogen van vrouwen.

Rainbow Pocketboek 77

* * *

Shere Hite
Vrouwen en minnaars

Hite over relaties met mannen
Een geestig en openhartig boek over het omgaan
met relaties.

Rainbow Pocketboek 107

* * *

Marguerite Yourcenar
Met open ogen

Een fascinerende schrijfster vertelt over haar leven,
over vrijheid, eenzaamheid, passie, liefde, religie en dood.

Rainbow Pocketboek 103

* * *

Kristien Hemmerechts
Een zuil van zout

'Prachtig, tragisch en positief ineen.' *Opzij*

Rainbow Pocketboek 102

* * *

Arianna Stassinopoulos
Maria Callas

De meeslepende biografie over de grootste operaster van deze eeuw. Een vrouw verscheurd tussen haar werk en privéleven.

Rainbow Pocketboek 84

* * *

Maryse Condé
Ségou
I De aarden wallen
II De verkruimelde aarde

Het magistrale boek over de verval van een oud Afrikaans rijk, in twee delen.

Rainbow Pocketboek 85 en 86

* * *

Wolf Kielich
Vrouwen op ontdekkingsreis

Avonturen van 19de eeuwse vrouwen in Indonesië, Afrika en andere onherbergzame streken.

Rainbow Pocketboek 90

* * *

Zhang Jie
Zware vleugels

De eerste grote roman uit het huidige China.

Rainbow Pocketboek 92

* * *

Marion Bloem
Geen gewoon Indisch meisje

Haar verbluffende debuut.

Rainbow Pocketboek 13

* * *

Rainbow Pocketboeken blijven leverbaar!

Chinua Achebe – *Een wereld valt uiteen*
Chinua Achebe – *Pijl van God*
Kiki Amsberg en Aafke Steenhuis – *Denken over liefde en macht*
Mariama Bâ – *Een lange brief*
Ingeborg Bachmann – *Malina*
Elisabeth Badinter – *De mythe van de moederliefde*
J.G. Ballard – *Het keizerrijk van de zon*
Elisabeth Barillé – *Lijfelijkheid*
Helmut Barz – *Jung en zijn psychotherapie*
Marion Bloem – *Geen gewoon Indisch meisje*
Paul Bowles – *De tere prooi*
Susan Brownmiller – *Vrouwelijkheid*
Marie Cardinal – *Het moet eruit!*
Bruce Chatwin – *In Patagonië*
Maryse Condé – *Ségou i De aarden wallen*
Maryse Condé – *Ségou ii De verkruimelde aarde*
Jenny Diski – *Onnatuurlijk*
Florinda Donner – *Shabono*
Colette Dowling – *Het assepoestercomplex*
Marguerite Duras – *Het materiële leven*
Buchi Emecheta – *Als een tweederangs burger*
Buchi Emecheta – *De prijs van de bruid*
Buchi Emecheta – *De slavin*
Gustave Flaubert – *Reis door de Oriënt*
John Fowles – *Het liefje van de Franse luitenant*
Nancy Friday – *Mijn moeder en ik*
Martha Gellhorn – *Het gezicht van de oorlog*
Françoise Giroud – *Alma Mahler*
Barbara Gordon – *Ik dans zo snel als ik kan*
Mary Gordon – *Een meisje van dertig*
John Healy – *Losgeslagen*
Kristien Hemmerechts – *Een zuil van zout*
Shere Hite – *Vrouwen en minnaars*
Robert Hughes – *De fatale kust*
Zhang Jie – *Zware vleugels*